Qu'est-ce que la France ?

sous la direction
d'Alain Finkielkraut

# Qu'est-ce que la France ?

Stock/Panama

*Les essais*

Collection dirigée par
François Azouvi

Transcription réalisée par Cécile Nail et Bérénice Levet

ISBN 978-2-234-05965-8

Préface

# À la croisée des chemins

« Une nation est une âme, un principe spirituel », déclarait Renan dans une conférence demeurée célèbre. « Deux choses qui, à vrai dire, n'en font qu'une, constituent cette âme, ce principe spirituel. L'une est dans le passé, l'autre dans le présent. L'une est la possession en commun d'un riche legs de souvenirs ; l'autre est le consentement actuel, le désir de vivre-ensemble, la volonté de continuer à faire valoir l'héritage indivis. »

Dans la nation se conjuguent donc, si l'on en croit Renan, le natal et l'adoptif, le déjà-là et le contrat, la lignée et la liberté, le travail des générations (« L'homme, messieurs, ne s'improvise pas ») et l'autonomie individuelle (« L'existence d'une nation est un plébiscite de tous les jours »). Nous ne sommes pas des êtres inconditionnés, mais nous ne sommes pas non plus des êtres réductibles à leurs conditionnements : telles sont les deux vérités dont la nation est simultanément porteuse. Elle fait sa part au romantisme, c'est-à-dire à l'idée que l'homme n'est pas son propre fondement, qu'il est historiquement engendré, tributaire d'une civilisation, débiteur d'un monde, issu d'une source qui le précède et le transcende. Mais elle fait aussi droit aux exigences des Lumières car ses ressortissants, nous dit Renan, ne sont pas les membres d'un organisme qui les actionnerait à leur insu, ce ne sont pas des spécimens, ce sont des sujets conscients qui pensent par eux-mêmes, qui agissent par eux-mêmes, qui ratifient, par leur adhésion, l'histoire dont ils procèdent.

Ce dispositif fragile et paradoxal se brise aujourd'hui sous nos yeux. Que l'on songe, par exemple, à la signification et à la fortune récente du *devoir de mémoire*. Le passé que nous sommes mis en demeure, par cette injonction, de ne pas abandonner à l'oubli (ou aux archives) n'est ni un passé de gloire, d'héroïsme, de grandes choses, ni un passé de sacrifices et de souffrances, c'est un passé tout simplement inassumable. Entre Renan et nous, il y a eu le XXe siècle, c'est-à-dire les guerres industrielles, la mort de masse, les camps, le racisme exterminateur. Il ne s'agit donc plus de faire valoir l'héritage indivis mais d'en faire sérieusement et sévèrement l'inventaire. À la gloire succède la honte ; au souvenir des tourments subis, le traumatisme de la participation au mal ; à l'inspiration par les grands hommes, la noirceur édifiante des hommes infâmes ; à la piété filiale pour les ancêtres, le culte de leurs victimes ; et, à l'intention de poursuivre le roman national, la volonté d'en dévoiler la face sinistre afin de se déprendre, une fois pour toutes, d'une histoire fertile en solutions finales.

Le passé désormais rend des comptes : il comparaît devant le tribunal du présent pour Auschwitz, mais pas seulement pour Auschwitz. L'Europe est devenue sur le tard une terre d'immigration. *Volens nolens,* le Vieux Continent est maintenant une Amérique et ses populations non européennes demandent que toute la lumière soit faite sur la traite négrière transatlantique et sur la colonisation. Appuyées par des intellectuels critiques soucieux de tirer jusqu'au bout la leçon du siècle écoulé, elles élargissent donc le devoir de mémoire et une conception inédite de l'hospitalité entre progressivement en vigueur : non plus l'ouverture de l'héritage aux nouveaux arrivants mais la reconnaissance de la diversité des héritages ; non plus la tradition nationale mise à la portée de ceux qui viennent d'ailleurs, mais sa mise en sourdine par respect des différences. Bref, ce n'est pas la fidélité aux origines qui s'exerce sous le nom de mémoire, c'est la vigilance critique. On ne veut pas être à la hauteur de ceux qui nous ont précédés, on s'emploie à dégager le sens de leur débâcle. On ne puise pas dans le trésor de l'expérience acquise, on s'arme contre le retour du monstrueux. Du chant spartiate : « Nous sommes ce que vous fûtes, nous serons ce que vous êtes », Renan disait qu'il était l'« hymne abrégé de toute patrie ». « Nous sommes autres que ce que vous fûtes car nous nous repentons pour ce que vous avez fait ou laissé faire », affirme-t-on aujourd'hui, et l'hymne des patries postesclavagistes, posthitlériennes, postcoloniales tient en trois mots : « Plus jamais ça. »

Un même serment de rupture avec tout ce qui, dans le passé, a pu entraîner ou permettre le déchaînement d'une cruauté sans limites est au principe de l'Union européenne et de la mutation accélérée de l'État national en État procédural, veillant par ses arbitrages à la libre expression, à la coexistence pacifique et à l'égalité de traitement des multiples identités qui le peuplent. Là où il y avait un monde, une histoire partagée, une communauté de destin, une trame singulière de rites et d'usages, règne désormais, mémoire oblige, la forme pure du droit.

Renan n'avait pas deviné le XX$^e$ siècle. En bon positiviste cependant, il pensait que rien n'échappait au devenir et que tout ce qui était né devait, un jour ou l'autre, disparaître. « Les nations, disait-il dans la même conférence, ne sont pas quelque chose d'éternel. Elles ont commencé, elles finiront. » Nous y voici peut-être. Mais voici également que surgissent et se pressent de nouvelles interrogations, de nouvelles inquiétudes. La désaffiliation nationale forge-t-elle des citoyens responsables ou des spectateurs du monde, inconstants et frivoles ? Le vivre-ensemble qui exige justement un rapport critique au passé ne risque-t-il pas d'être miné par l'oubli mémoriel de tout ce qui n'est pas crime ? Les valeurs peuvent-elles tenir lieu de généalogie et de terroir ? À l'heure de la mondialisation, c'est-à-dire d'un immense bouleversement technique, économique et démographique, dans quelle communauté faut-il que les hommes vivent ? Dans une patrie charnelle ? Dans une France désencombrée de la francité ? Dans un espace polymorphe, sans identité assignable ? Convient-il, pour accueillir dignement l'Autre, d'évider ou de perpétuer le *soi* du chez-soi ? Quelle est, enfin, la relation moralement légitime, politiquement pertinente et culturellement féconde entre le droit et l'histoire, les vivants et les morts, l'universel et le particulier, les immigrés et les autochtones ?

Notre question, autrement dit, n'est plus, comme en 1882 : « Qu'est-ce qu'une nation ? », mais : qu'est-ce que la France ?, et que doit-elle devenir, encore une nation ou une société résolument postnationale ? La réponse à cette question fondamentale, si réponse il y a, ne peut naître que de l'échange, de la dispute, de la confrontation des points de vue, et non d'une conférence. Renan faisait œuvre de définition pour ses compatriotes : il conceptualisait leur être. Nous sommes, nous, à la croisée des chemins : la tâche qui nous incombe n'est pas de dire ce que nous sommes mais, quand il est encore temps, de le choisir, en toute connaissance de cause.

# PREMIÈRE PARTIE

# ICI ET MAINTENANT

# Y a-t-il une question noire en France ?

## Entretien avec Stephen Smith et Françoise Vergès

*Alain Finkielkraut* – En 1998, la France « black-blanc-beur » célébrait sur les Champs-Élysées son triomphe. Thuram, Lizarazu, Zidane étaient ses héros. Joueurs inspirés, ils illustraient la supériorité en tous domaines du mélange sur les identités closes. Le climat aujourd'hui est complètement différent : l'humeur a changé et la réalité se présente sous un nouveau jour. L'équipe de France ne fait plus autant rêver même quand elle gagne, mais surtout la question noire devient une question autonome et remplit en tant que telle l'actualité – actualité politique, actualité culturelle, actualité mémorielle, actualité éditoriale. Françoise Vergès et Stephen Smith nous aideront sans doute à saisir le pourquoi de cette émergence, les raisons de cette nouvelle donne et de cette nouvelle France où l'image de la communion et de l'harmonie (du « collectif », disait Aimé Jacquet) laisse place à l'expression farouche des griefs ou en tout cas de certaines aspirations identitaires. Puisque vous commencez votre livre* par ces mots

* Les références des ouvrages publiés par les auteurs interviewés figurent en fin de volume dans les notules qui leur sont consacrées.

15

sonores : « Pour le meilleur et pour le pire, 2005 aura été l'année noire en France », dites-nous donc, Stephen Smith, quel est le meilleur et quel est le pire…

*Stephen Smith* – Le meilleur, je pense, c'est une thématique qui a longtemps été sous-jacente et qui a fait irruption sur la place publique : la « question noire ». En fait, au départ, c'est plutôt une question « blanche », puisque la France blanche, si on peut la nommer ainsi, doit se rendre compte que cette France noire existe et qu'elle va former avec elle *une* France au-delà du noir et du blanc. Cela apparaît véritablement en 2005, même si on peut bien sûr remonter la généalogie de cette thématique dans les années précédentes. Pour le pire, nous avons parlé d'une année noire dans le double sens de l'expression : après certains événements comme le crash d'un avion dont les passagers étaient principalement des Antillais, les incendies d'immeubles vétustes où étaient surtout logés des immigrés africains ou, encore, l'ouragan Katrina, loin de chez nous mais où, de nouveau, le visage de la souffrance semblait éternellement noir. Bref, funeste pour les Noirs, 2005 a été une année qui a réveillé un passé traumatique toujours très présent.

*A. Finkielkraut* – Sartre aimait à citer cette phrase de Richard Wright : « Il n'y a pas de problème noir, il y a un problème blanc. » Vous la reprenez maintenant à votre compte. Très bien, mais la richesse de votre enquête ne se laisse pas réduire à cette affirmation. Dès les premières pages, la bien-pensance est dynamitée. Vous évoquez, en effet, la réunion qui s'est tenue le jeudi 23 septembre 2005 à la Maison des Mines, dans le V$^e$ arrondissement de Paris, à l'appel de Jean-Philippe Omotunde, « auteur kémite originaire de la Guadeloupe, chercheur en histoire et enseignant ». Omotunde est notamment l'auteur de *L'Origine négro-africaine du savoir grec* et des *Racines africaines de la civilisation européenne*. Et s'il se désigne comme *kémite* et non comme noir, c'est pour la raison suivante, qu'une note de votre précieux ouvrage m'a apprise : « Le terme *kémite* désignait chez les anciens Égyptiens la "terre noire", le limon fertile déposé chaque année sur les rives par la crue du Nil, par opposition au désert, *deshert*, c'est-à-dire la "terre rouge" ; par erreur, ou pour des raisons idéologiques, les "afrocentristes" – ceux qui considèrent l'Égypte comme le berceau de la civilisation du continent tout entier, sinon du monde – ont traduit "terre noire" par "terre des Noirs". En ce sens, "kémite" est synonyme de "Noir". » (p. 21)

Parmi les personnalités qui s'expriment à la tribune, il y a un historien, Bwemba-Bong : « Si certains d'entre vous se croient français, tant mieux, mais ils rêvent. Il n'y a pas de Noirs français. Vous devez être une force ! Lorsque vous avez face à vous un prédateur, le Blanc, vous devez vous-même être un prédateur. » Applaudissements dans la salle. Il y a aussi Kémi Séba, leader de la Tribu Ka : « On est dans un pays qui nous déteste, qui nous hait. On n'a pas à inviter les gens de l'extérieur, des leucodermes. On ne veut aucun leucoderme, pas de Juifs chez les Kémites. » Les leucodermes, ce sont évidemment les Blancs.

En lisant votre livre, on est sans cesse ballotté entre ces deux réalités : un problème blanc de non-reconnaissance de la place des Noirs dans l'histoire et la société française ; une haine de la France « leucodermique » qu'aucun « problème blanc » ne peut excuser ni même expliquer.

*S. Smith* – Je suis d'accord avec vous. Parfois, on comprend aisément pourquoi les Français blancs ont un problème avec les Français noirs, par exemple s'agissant des cas que vous citez, des groupuscules afrocentristes, par exemple, ces fous des « pharaons noirs » qui s'offrent une thérapie en revisitant l'Histoire avec un prisme racial. Mais, au-delà, il faut aussi comprendre que dans le dialogue difficile, et parfois la bagarre, qui s'instaure en France, les Noirs ne sont pas *toujours* des victimes au sens sacrificiel. Ils peuvent être *aussi* des candidats à la domination qui ont échoué. Ce sont des personnes partiellement détruites qui, quel que soit l'historique de leur problème, que leur problème soit dû à la discrimination ou non, réagissent aujourd'hui d'une façon violente. Bref, ce ne sont pas des citoyens modèles, du moins pas au sens du cours d'instruction civique à l'école. En cela, 2005 nous a aidés à devenir plus réalistes : nous avons découvert que des bandes de Noirs peuvent venir de la banlieue et tomber sur le râble de lycéens blancs qui manifestent dans Paris. Le dire en ces termes n'a pas été évident. Mais le constat des réalités oblige à reformuler la question blanche qui devient : que dois-je faire pour m'entendre avec mon concitoyen noir ?

*Françoise Vergès* – La France est en effet surprise. La question est de comprendre pourquoi. Mais pour revenir au livre de Stephen Smith, en le lisant, je me suis dit qu'on pouvait bien sûr éprouver de l'indignation au sujet de toutes ces déclarations d'afrocentrisme ; mais ce qui est intéressant est d'en voir les causes et les effets, et de savoir quels en sont les échos. Je crois aussi qu'il faut être attentif à d'autres modes d'émergence de la question noire. Par exemple, dans les hôpitaux de Paris, il y a une majorité de femmes antillaises qui travaillent et qui représentent 90 % des personnels non-médicaux. Il existe donc une stratification « ethnique » du travail. Ces femmes se sentent absolument coincées dans de tout petits boulots. C'est cela aussi la question noire, au-delà des manifestations prokémites dont on doit évidemment analyser les symptômes.

A. *Finkielkraut* – Il faut être attentif à la réalité, vous avez mille fois raison. Et la réalité, c'est aussi la spécificité du racisme anti-Noir. On ne hait pas les Noirs comme on hait les Arabes, les Juifs ou les Asiatiques. On ne les accuse pas de concurrence déloyale, on ne dit pas qu'ils veulent se rendre maîtres du monde. Il n'y a pas de « Protocoles des Sages d'Afrique », il y a l'idée que l'Afrique n'a pas produit de civilisation solide, qu'elle n'est pas un monde digne de ce nom. Idée idiote, idée odieuse, composant particulièrement insupportable du racisme anti-Noir.

Mais la réalité, ce n'est pas seulement ce mépris diffus, c'est aussi la journée officielle du souvenir de l'esclavage, le 10 mai de chaque année. Est-ce selon vous une bonne manière de faire ? Peut-on attendre d'une telle cérémonie de la reconnaissance une meilleure intégration des Noirs dans la société française ?

S. *Smith* – Je pense qu'il faut, comme pour la discrimination, toujours marcher sur ses deux jambes. Il ne faut pas être dans une sorte de western, même un peu humanitaire, dans lequel s'affrontent un bon et un méchant. De la même façon qu'il faut reconnaître la condition des Noirs en France pour lutter contre la discrimination, sans pour autant nier le racisme en miroir. Cette commémoration est d'abord quelque chose de très bien : elle marque autant l'aboutissement d'un combat qu'un début pour l'intégration nationale. Mais, ensuite, il faut faire attention à la confiscation d'une histoire par un groupe à l'intérieur de la France. Il faut veiller à ce que le récit soit véritablement national, qu'il nous concerne tous, quelle que soit la couleur de notre épiderme. Il faut faire attention à ce qu'on ne compense pas l'indifférence et le mépris passés par une confiscation de la mémoire aujourd'hui qui servirait – je le dis un peu méchamment – à ouvrir une ligne de crédit à l'égard de la société française qui serait considérée comme débitrice à l'égard d'un groupe se disant « descendant d'esclaves » et héritier d'une histoire victimaire.

*F. Vergès* – Il y a deux positions possibles. D'une part, le récit national a déjà connu des transformations, ainsi quand il a pris en considération les groupes qui en avaient été exclus – les ouvriers, les femmes, les colonisés, et ce serait maintenant au tour des esclaves. Cette histoire, qui est l'histoire de la France, il faut le souligner, ce n'est pas une histoire d'ultramarins, c'est une histoire qui a été marginalisée. Mais il faut aussi prendre ces demandes dans un horizon de démocratisation des choses : il s'agit de reconstruire ce qui est le bien commun et ce que nous allons partager ensemble. La question n'est pas de faire une histoire pour soi ; c'est en tout cas ainsi que je vois les choses depuis toujours. Il ne m'importe pas de faire une histoire ultramarine, mais il m'importe de faire l'Histoire de tous les Français. Chaque citoyen doit pouvoir partager cette Histoire. Il s'agit à mes yeux que les communautés concernées déposent enfin le lourd fardeau qu'elles ont eu à porter et qu'elles le partagent ; cela a une signification démocratique.

J'insiste aussi sur la recherche. La commémoration est importante, les gens ont besoin de moments de recueillement. Mais il faut que cela soit accompagné de recherches. L'histoire de la traite négrière et de l'esclavage a été encore à peine effleurée dans le domaine de la recherche française. Il reste encore beaucoup d'ignorance et de simplifications en ce domaine.

A. *Finkielkraut* – Je voudrais livrer un témoignage personnel. J'ai fait mes études au lycée dans les années 1960, et on m'a bel et bien enseigné le commerce triangulaire. Je suis sorti du lycée ignorant de l'art européen, mais non de ce crime. Autre chose, qui nous fera peut-être entrer dans le vif du débat : à l'occasion de cette première journée de commémoration, la Mairie de Paris a fait distribuer une petite brochure (« Regard sur l'esclavage ») dans les écoles. On y apprend que l'esclavage est une pratique immémoriale mais que « les traites négrières ont débuté en 1444 avec les Portugais ». Cette assertion est fausse. Comme l'a écrit Fernand Braudel, « la traite négrière n'a pas été une invention diabolique de l'Europe ». L'exportation des esclaves a commencé avec l'expansion de l'empire musulman au VII<sup>e</sup> siècle : les traites orientales ont duré jusqu'en 1920 au moins, et on sait qu'elles ont fait dix-sept millions de victimes, c'est-à-dire plus encore que la traite atlantique. Il serait scandaleux d'entrer dans une compétition chiffrée pour absoudre ou relativiser le commerce européen des esclaves, mais je vois prospérer, avec les meilleures intentions, c'est-à-dire au nom de la reconnaissance par l'Occident de ses crimes, un discours mensonger, réfractaire à la connaissance. On oublie la part de l'islam dans le trafic des hommes noirs, on oublie aussi, pour ne pas diviser la communauté noire, le rôle de l'Afrique dans l'essor de la traite. Or, comme le dit Olivier Pétré-Grenouilleau dans un livre qui a fait de lui l'homme à abattre parce qu'il portait imprudemment sur *les* traites négrières, l'Afrique a joué un rôle actif dans ce commerce, et ce n'était pas pour complaire aux négriers du dehors ou sous l'effet de la contrainte. C'est parce que, dans ce monde où les barrières ethniques étaient puissantes, le sentiment d'appartenance à une même communauté « africaine » n'existait tout simplement pas. On pourrait se réjouir de voir cette communauté apparaître aujourd'hui, si elle ne se constituait pas autour d'un passé inventé et contre un ennemi commode.

*S. Smith* – La traite devient là un socle d'arguments politiques et un ciment identitaire pour s'opposer aux Blancs. En effet, il faut dire les choses très clairement. Vous parlez du VIIe siècle et de la traite dite arabe ou orientale. Mais la traite interne à l'Afrique est encore bien plus ancienne ! Il y a eu un millénaire et demi de traite négrière pour quatre siècles de traite transatlantique que l'on peut, bien sûr, reprocher à l'Occident. Vous avez donc raison : ce qui est dit dans la brochure est complètement faux. Cela étant, dans un contexte commémoratif, ouvrir une comptabilité pour attribuer tant de millions d'Africains réduits en esclavage aux uns et tant de millions aux autres donne l'impression que la responsabilité est une finitude qu'on voudrait partager sur un nombre limité de têtes coupables. Or ce discours me paraît malsain. L'esclavagisme arabe, par exemple, ne rend pas moins coupable l'esclavagisme occidental.

*F. Vergès* – Il faut peut-être prendre la question autrement. Les traites négrières européennes sont les seules à avoir produit ce que l'on pourrait appeler des communautés noires et des processus de créolisation. La traite orientale ne l'a pas fait, et c'est d'ailleurs étonnant ; il faudrait comprendre pourquoi. Le Brésil ne serait pas ce qu'il est sans les processus de créolisation produits par la traite négrière européenne. Même chose pour les États-Unis, les Caraïbes et plusieurs parties de l'océan Indien... Certains historiens proposent de parler d'abord d'esclavages au pluriel, et, parmi ceux-ci, de l'esclavage colonial, c'est-à-dire de celui qui est lié à l'expansion coloniale européenne. Puis il faudrait parler des autres traites, africaines ou orientales, qui produisent d'autres phénomènes, très différents, et qui connaissent des évolutions et des transformations à travers les siècles. Les traites européennes vont par exemple transformer les traites intra-africaines. Il faut donc réintroduire les différents territoires, les différents temps, et ne pas parler de « la » traite négrière comme quelque chose qui aurait appartenu à un seul temps et à un seul lieu. Son histoire exige des récits et des géographies. La traite sur la côte est n'est pas la même que sur la côte ouest de l'Afrique. Les personnes qui sont déplacées et les cultures produites par ces déplacements ne sont pas les mêmes. Toute cette histoire qui est à étudier est à peine effleurée. Il faut vraiment aller plus loin que ce genre de déclarations trop simplistes.

*A. Finkielkraut* – Si les déclarations sont simplistes, c'est que contrairement à la vérité, toujours intempestive, elles sont là pour satisfaire la demande. Mais puisque vous faites allusion au processus de créolisation, je voudrais parler maintenant de l'*Édit du Roi touchant la police des îles de l'Amérique française,* plus connu sous le nom de *Code noir.* Comme l'écrit l'historien Fabien Marius-Hatchi, cet édit « ne reconnaît que deux statuts : celui de libre et celui d'esclave.

23

Ces deux statuts ne sont nullement liés à la couleur de l'épiderme, *notion entièrement absente du texte.* Les mariages entre colons blancs et esclaves noirs sont autorisés, les enfants métissés ainsi que les esclaves affranchis sont pleinement et totalement sujets du roi de France. L'affranchissement "tient lieu de naissance" et doit permettre aux affranchis d'être assimilés, en tous points, aux "sujets naturels du royaume de France"[1] ». Conséquence : dès la fin du XVIIe siècle, des colons français ont épousé des femmes africaines ou métissées qu'ils ont affranchies et dont ils ont eu des enfants qu'ils ont reconnus comme leurs héritiers. Et ces enfants, devenus planteurs comme leurs pères, ont participé au système esclavagiste. Mais ce métissage a suscité une réaction des grandes familles de planteurs. Dès le début du XVIIIe siècle, l'aristocratie coloniale de couleur, fille de l'ordre colbertien, a dû faire face à une rupture avec l'édit de 1685 et la noblesse de France s'est fermée aux colons ayant épousé des femmes noires. Bref, la réalité historique est complexe. De cette complexité, ceux-là mêmes qui entendent faire un travail de connaissance et de divulgation ne veulent rien savoir : ainsi Louis Sala-Molins quand il écrit que « le *Code noir* règle la part française du génocide le plus glacé de la modernité[2] ». Ce n'est pas vrai, mais cette présentation force d'autant plus facilement l'adhésion et l'estime que nul n'a envie de regarder de près cette période sombre et ce texte effectivement détestable.

*F. Vergès* – Je suis tout à fait d'accord. Je suis très souvent confrontée à cela. La mode aujourd'hui est aux déclarations : chacun déclare quelque chose, et on ne parle pas. Il n'y a pas de réalité, il n'y a pas de personne humaine, même quand on parle de la traite. La « traite » ou l'« esclavage » deviennent des mots sacrés. On parle de choses qui appartiennent quasiment au monde céleste. Or le *Code noir* signifie aussi que c'est la volonté du roi d'essayer de contenir la liberté que se donnaient les maîtres dans les colonies. Le roi veut affirmer son pouvoir et son autorité. C'est une tension qui existera toujours dans les colonies, car les coloniaux se sentent toujours brimés par l'autorité de Paris, qu'elle soit monarchique ou républicaine : ils pensent être les mieux placés pour savoir comment agir avec les esclaves. Le roi introduit quelque chose de son autorité, qui est le *Code noir*. Celui-ci doit aussi être pris dans toute l'histoire des textes coloniaux – lesquels sont des textes d'exceptions mais aussi des textes qui régulent le monde colonial. Il y a plusieurs entrées dans le *Code noir*, et plusieurs manières de le lire. Il est en train d'être un peu transformé en texte sacré ces temps-ci – sacré au sens où le simple fait de le citer suscite l'émotion générale.

*S. Smith* – Je pense que nous sommes très souvent dans l'anachronisme. Nous partons avec nos conceptions d'aujourd'hui pour revoir un passé que nous reconfigurons *a posteriori*. Le texte n'est pas remis dans son contexte. Aujourd'hui, le *Code noir* est exploité d'une façon politique. C'est comme si un désir s'exprimait d'avoir eu, à un moment dans l'histoire de France, un racisme institutionnalisé ou une ségrégation codifiée comme aux États-Unis. Ce retour sur un passé relu à la lumière de nos idées actuelles fait bon marché de l'histoire.

*F. Vergès* – Il faut quand même ne pas oublier que les punitions étaient pires que celles prescrites par le *Code noir* ! On parle d'un monde fondé sur la violence, le rapt, la guerre, habité par l'exil, l'effroi et la mort. Quand on lit les textes des maîtres ou les témoignages d'esclaves, on découvre un monde extrêmement sadique dans lequel le colon a constamment le droit d'exercer son autorité. Par exemple, le témoignage de Mary Prince, une jeune esclave, raconte qu'elle était battue tous les jours, quoi qu'elle fasse. Cette relation aussi serait intéressante à analyser et à creuser ; elle ne doit pas faire l'objet d'une simple « déclaration »…

*A. Finkielkraut* – Cette pratique discursive de la *déclaration* ne témoigne-t-elle pas d'une violente *envie de Shoah* et d'une inquiétante rivalité mimétique avec les Juifs ? Pour le dire très brutalement, on veut avoir leur peau pour avoir ce qu'on croit être leur place. Votre enquête, Stephen Smith, révèle la grandissante popularité de l'obsessionnel Dieudonné aux Antilles et parmi les Noirs de France. La bien-pensance elle-même hésite : elle l'avait lâché après ses sorties sur la « pornographie mémorielle » de la Shoah ou sur les « négriers reconvertis dans la banque, le spectacle et l'action terroriste ». Mais, tenant compte sans doute de sa représentativité, elle l'accueille aux côtés de Christiane Taubira et de Lilian Thuram, lors de la journée du souvenir du 10 mai. Je pense aussi au symposium qui s'est tenu les 6 et 7 mai 1998, au siège de l'Unesco à Paris, à l'appel de collectifs de Fils et Filles d'Africains déportés. L'intitulé de ce symposium était : « La traite négrière, un crime contre l'humanité ? » Et les participants ne se sont pas contentés de répondre par l'affirmative à cette question. Ils ont forgé un néologisme pour indiquer à la fois l'identité de l'entrepreneur et la nature de l'entreprise : *Yovodah*. En fon, langue du sud du Bénin, *Yovo* signifie le Blanc, l'Européen, et *dah*, la cruauté. J'ai aussi appris dans votre livre, décidément très riche, Stephen Smith, que le

COFFAD a demandé la condamnation solennelle du pape Nicolas V, auteur de la bulle du 8 janvier 1454 ayant légitimé le commerce des captifs noirs, et sa radiation pure et simple de la liste des papes. Voilà où nous en sommes. Cette judaïsation antijuive de l'immense souffrance des Africains fait terriblement peur.

*S. Smith* – Je voudrais faire plusieurs remarques. D'abord, en ce qui concerne la popularité de Dieudonné, il faut rappeler qu'aux États généraux des Noirs en France, organisés (en avril 2006) par le CRAN (Conseil représentatif des associations noires), il n'y a eu que l'historien Pap Ndiaye à vouloir empêcher Dieudonné d'entrer dans la salle de la Mutualité. Après les invectives antisémites de Dieudonné, cela lui paraissait essentiel. Mais c'est le contraire qui s'est produit : Dieudonné est entré dans la salle, il a serré la main de tout le monde et il s'est fait acclamer en annonçant sa candidature (à l'élection présidentielle de 2007). On voit là que, côté CRAN, on n'est pas dans la clarté...

Ensuite, pour ce qui est de la concurrence victimaire, elle est établie partout. Voyez par exemple le documentaire sur France 3 qui a été tourné spécialement pour la commémoration du 10 mai : un historien y dit, en montrant une maison d'esclave, que la Shoah a duré douze ans tandis que la traite négrière (réduite bien sûr à la traite transatlantique) a duré trois siècles. Constamment, on est dans le parallèle – et pas seulement chez les extrémistes. L'idée est la suivante : les Juifs, qui passent pour l'incarnation du « leucoderme » (c'est-à-dire le Blanc) par excellence, ont eu leur souffrance, mais on nous dénie la nôtre. Ce serait vraiment faire preuve d'angélisme que de fermer les yeux sur cette compétition victimaire qui, encore une fois, n'est pas l'apanage des seules franges extrémistes de la France noire.

*F. Vergès* – La question du mimétisme est extrêmement importante. La manière dont les Juifs d'Europe se sont mobilisés contre les crimes est devenue l'objet d'une très grande envie : on veut faire de même. Pourquoi eux, et pas nous ? C'est en ces termes que se pose le problème. Il faut vraiment déplacer les choses, parce que la traite négrière et l'esclavage ne sont pas des génocides ; ils n'obéissent pas aux mêmes finalités, et cela n'a donc rien à voir. Ils n'en constituent pas moins des crimes contre l'humanité. Mais c'est vrai, je le constate régulièrement, il existe une envie très grande ; on veut avoir la même chose, alors que ce n'est pas la même chose dont il est question. Je me dis qu'il manque tout un travail sur la notion de crime contre l'humanité : si on l'applique à la traite négrière et à l'esclavage, qu'est-ce que cela signifie ? Comme ce travail de réflexion n'a pas été fait, le seul modèle à s'être présenté est celui de la Shoah, et tout le monde s'est engouffré là-dedans. Il manque aussi en France beaucoup de voix intellectuelles qui diraient autre chose. Il manque à la France cette conversation que les intellectuels juifs et les intellectuels noirs ont su avoir aux États-Unis, lors du mouvement des droits civiques. On doit pouvoir rassembler des intellectuels des deux côtés, pour que cette conversation ait lieu.

*A. Finkielkraut* – Dieu vous entende ! Mais, s'il y a eu aux États-Unis de grands universitaires noirs comme Henry Louis Gates Jr. pour se mobiliser contre Louis Farrakhan quand celui-ci, après avoir dénoncé le rôle des Juifs dans la traite, s'est mis à accuser les Juifs riches d'avoir collaboré avec Hitler à l'extermination de leurs coreligionnaires pauvres, Dieudonné ne provoque pas, en France, des réactions aussi catégoriques. Peut-être les choses vont-elles changer maintenant qu'il a donné une interview à *Présent*, le journal du Front national...

*F. Vergès* – Il y a eu des réactions. Je me souviens que, dès juillet 2005, une pétition circulait sur le web, qui a été signée par le philosophe guadeloupéen Jacky Dahomay et d'autres – je l'ai signée également. Elle signifiait notre inquiétude devant ce qui se passait. Elle liait aussi cela aux pogroms anti-haïtiens qui ont lieu en Guadeloupe. Il y a aussi des choses inquiétantes qui se passent dans nos sociétés d'outre-mer, puisque c'est ainsi qu'on les désigne : il faut y être attentif et les lire comme des symptômes.

*S. Smith* – Je voudrais revenir sur ce que Françoise Vergès pointait à raison, je crois : c'est cette faiblesse intellectuelle et organisationnelle de la France noire. Les médias font comme si planter une enseigne lumineuse faisait déjà un rassemblement ! Nous sommes tout de même dans une situation où vous avez, d'un côté, le pôle antillais représenté (sans qu'on sache vraiment à quelle échelle) par le collectif DOM qui existe depuis février 2003 ; et, de l'autre côté, le CRAN qui, au bout de six mois d'existence, ne remplit la Mutualité qu'à moitié. Or ce n'est pas faute de promotion médiatique : vous avez des personnes qui se succèdent au micro, qui se promènent de salle de rédaction en salle de rédaction. Les médias pratiquent aujourd'hui une « discrimination positive » à l'égard des porte-parole autoproclamés de la France noire sans aucun lien avec la réalité et la représentativité. À mes yeux, c'est très inquiétant : est-ce qu'on cherche désespérément des interlocuteurs, des « officiers aux affaires indigènes », pour parler à ceux qui ont effrayé la France, à savoir les émeutiers de l'automne 2005 ?

*F. Vergès* – Je parlerais pour ma part d'une faiblesse du monde intellectuel *français* et d'un déficit du débat démocratique dans notre pays ; je ne parlerais pas simplement des intellectuels noirs. Cette crise n'a pas de couleur ! Quand j'essaie de discuter de ces questions, j'ai affaire, des deux côtés, à des déclarations – d'un côté, on exprime de l'indignation et, de l'autre, on dit « Assez de repentance ! »… Mais, pas plus que beaucoup d'autres, je n'ai demandé de repentance !

Ce qui m'a intéressée dans l'exemple que vous avez donné de l'assemblée du CRAN, c'est l'intervention d'un homme politique qui a dit : « J'entends votre souffrance. » On s'embarque aussitôt pour une politique de la compassion ou pour une politique humanitaire. Mais non, il faut parler de questions citoyennes et démocratiques !

*A. Finkielkraut* – Il y a la faiblesse du monde intellectuel français et il y a les divisions non assumées des Noirs de France : ceux qui viennent des territoires et des départements d'outre-mer n'ont ni le même passé ni les mêmes problèmes que les immigrés africains. Les uns sont français, les autres ont d'extrêmes difficultés pour obtenir une carte de séjour. Or ces différences sont gommées au profit d'une unité fictive que seule fait exister l'image d'un ennemi immuablement féroce. Mon cas est hélas révélateur. Au mois de novembre 2005, pendant les émeutes qui enflamment nos banlieues, je donne une interview au journal israélien *Haaretz*. Des extraits paraissent quelques jours plus tard dans *Le Monde*. Ils me font apparaître comme un vieux con imbu de préjugés racistes et xéno-phobes. Mais j'ai, dans mon malheur, la chance incompa-rable de pouvoir m'expliquer. Je rectifie les choses, je montre, preuves à l'appui, que je suis tombé dans un traquenard tendu par un journaliste qui voyait dans les émeutes une sorte d'Intifada et en moi l'équivalent dia-sporique de l'extrême droite israélienne. Bref, je dis ma pensée et ma pensée n'est pas raciste. Cela aurait dû être une bonne nouvelle. Mais non. La haine demeure, comme si la vigilance antiraciste n'était pas la volonté d'en finir avec le racisme mais le bonheur inépuisable de désigner et de détester des salopards. « Ô vous qui êtes mes frères parce que j'ai des ennemis », disait Eluard. Cette phrase est effrayante parce qu'elle peut se lire ainsi : « Ô vous qui êtes mon ennemi pour que, toute division effacée et toute contradiction abolie, je puisse enfin avoir des frères ! »

*S. Smith* – Je ne vois pas les choses de la même manière que vous. Les « divisions » ne sont pas nécessairement négatives. Un parti unique noir m'effraierait ! Dans notre livre, nous prenons acte des distinctions qui existent, qui sont le résultat de l'histoire. Pour ma part, je trouve très encourageant que la route l'emporte sur les racines, que l'itinéraire collectif forge une identité qui se distingue d'autres identités issues d'autres trajectoires. Ces identi-tés sont tellement différentes qu'elles s'avèrent irréduc-tibles à l'épiderme noir – tant mieux !

Cependant, on peut comprendre que, à un moment donné du combat politique, on revendique un ancêtre ou une identité fictifs pour se rassembler. En France, la Résistance a ainsi été revendiquée par certains qui n'en avaient pas nécessairement les titres de noblesse, mais qui avaient un but politique commun. En janvier 2005, les « indigènes de la République » ont essayé de se rallier autour d'une auto-insulte, en se désignant comme des « sauvages de la République ». L'objectif était de fonder une identité politique commune pour les Français d'origine maghrébine ou subsaharienne. Cela n'a finalement pas marché, mais le fait de chercher un tel dénominateur commun me paraît légitime. Au demeurant, les discriminations raciales vécues au quotidien favorisent les fusions identitaires. Le racisme est un pôle de ralliement négatif et peut devenir constitutif d'une communauté de souffrance. Si le racisme est fort, il peut effacer les différences et devenir le ciment d'une « communauté noire » dans la mesure où l'expérience commune du rejet devient fondatrice.

*F. Vergès* – L'émergence de tous ces mouvements montre qu'il y a quelque chose qui se passe ou que quelque chose veut se dire de différentes manières et plus ou moins bien. Vous avez raison, Stephen Smith, le monde noir n'est pas uni, mais pourquoi devrait-il l'être ? Mais je pense qu'il y a aussi un effort à faire de la part des intellectuels français pour comprendre certaines choses. Il y a un monde qui est devenu invisible pour l'intelligentsia française, et ce monde est celui des gens venus de l'ancien empire colonial. Ce monde a existé au moment de l'empire et de la décolonisation, il y avait des noms qui circulaient ; mais aujourd'hui ces gens n'existent plus – sauf peut-être un peu dans la littérature dite « francophone ». Mais ce monde n'existe plus en tant que question politique qui se poserait à la République ou à la démocratie. Je crois que chacun a cet effort à faire, au lieu de se sentir attaqué. Le moment est difficile, mais il faut faire cet effort. Il y aura de toute façon des extrémistes, rien ne l'empêchera. Mais faire en sorte qu'une conversation se renoue, là est la tâche à laquelle nous devons tous travailler. On ne peut plus parler de la même manière qu'il y a quarante ans, les choses communes doivent être transformées, et il faut intégrer ces histoires et les questions qu'elles posent.

*S. Smith* – Je voudrais juste ajouter ceci : l'un de mes grands étonnements au cours de l'enquête pour notre livre a été de constater qu'il y a un million de personnes originaires des Antilles et d'autres territoires d'outre-mer qui vivent dans l'Hexagone sans qu'il y ait vraiment échange et rencontre avec la France blanche métropolitaine. C'est comme si personne ne se parlait au travail, dans les écoles ou à l'université, dans des clubs de sport... On s'y côtoie mais on s'ignore au-delà du contact superficiel.

*F. Vergès* – Mais cet espace n'existe pas, même dans l'imaginaire ! J'avais été frappée, en lisant un article du *Monde* sur la formation des diasporas indiennes près de la gare du Nord, de l'étonnement exprimé par le journaliste. Pourtant, cela fait des siècles qu'il y a des gens venus de l'Inde dans les départements d'outre-mer, qui sont pourtant des territoires de la République.

*A. Finkielkraut* – Je prie, moi aussi, pour l'avènement d'une telle conversation. Mais cette prière risque de n'être jamais exaucée du fait, entre autres, de l'emballement des droits de l'homme. La cité n'est plus la *responsabilité* de tous, mais le lieu de toutes les *revendications*. Le mot *citoyen* prospère et prolifère au moment même où le souci du monde cède inexorablement la place à l'empilement des griefs et des créances. Quelles que soient leur origine ou leur couleur de peau, les individus se conçoivent et se comportent de plus en plus comme des ayants droit. On assiste ainsi au grand découplage de la nationalité et de la liberté. L'identité n'est plus nationale, la nationalité n'est plus qu'une très prosaïque liste d'avantages auxquels estiment avoir droit ceux qui peuvent se prévaloir d'une identité opprimée jadis, naguère ou maintenant par la France. Il n'y a pas de conversation commune qui tienne dans une société de créanciers.

*S. Smith* – Je pense d'abord que vous avez raison de généraliser ce phénomène et de ne pas faire comme si c'était un problème de la seule France noire. Je pense aussi que vous décrivez bien la situation, puisque la République est désormais vécue par beaucoup comme un guichet de distribution. Si on voulait résumer ce qui s'est passé en 2005, les Noirs se sont alignés à un guichet spécial, arguant du fait qu'ils n'avaient pas été parmi les bénéficiaires auparavant. Or, si John F. Kennedy avait raison de dire qu'il fallait non pas seulement se demander ce que le pays peut faire pour ses citoyens mais, aussi, ce que les citoyens peuvent faire pour leur pays, la conception du récipiendaire au guichet est erronée. Étant Américain, je suis mal placé pour prêcher le patriotisme en France. Mais il semble que la France noire emprunte une voie, qui est déjà la voie majoritaire, pour demander un avantage comparatif. Dans notre livre, nous avons mis en regard les ex-colonisés avec les migrants provenant d'autres pays du tiers-monde. Car, dans la linéarité du postcolonialisme, on oublie totalement la mondialisation. Par exemple, les trois cent cinquante mille Turcs qui vivent en France, que revendiquent-ils ? Quels sont leurs problèmes ? Dans quelle mesure des ex-colonisés d'Afrique, qui n'avaient même pas besoin d'un visa pour venir en France jusqu'en 1986, ne sont-ils pas en train de réclamer le maintien d'avantages comparatifs par rapport à la « concurrence » venant de pays qui n'étaient pas colonisés par la France ? On peut se poser la question. Un Malien en France, est-ce un ex-colonisé qui prend sa revanche en venant dans l'ancienne « métropole » ? Ou est-ce, d'abord et surtout, un migrant qui fuit la misère chez lui ?

*F. Vergès* – Je ne voudrais tout de même pas qu'on réduise l'émergence des mondes noirs à une file d'attente devant un guichet. Il y a quand même des personnes qui posent d'autres questions ! Après les émeutes de novembre, il y a aussi des mouvements qui se sont engagés pour l'inscription sur les listes électorales et qui se sont organisés pour intéresser les jeunes gens à la vie citoyenne démocratique (« AC le feu », par exemple). L'idée était d'intéresser des jeunes aux rouages de la vie de la cité, qu'ils comprennent comment agir profondément sur la société, avec elle. Il s'agissait de faire réfléchir les jeunes à la question de savoir ce que cela signifie de devenir citoyen. Il ne faudrait donc pas réduire tous les mouvements politiques à un seul modèle...

*S. Smith* – Devenir électeur est un autre moyen de peser politiquement et avoir un moyen d'action public et légitime...

*F. Vergès* – Oui, « légitime » précisément, ce n'est donc pas la même chose que la simple revendication. Le déficit du politique, c'est de s'intéresser aux identités plutôt qu'aux inégalités. Il faudrait s'interroger sur les causes des inégalités, ainsi que sur la part d'ethnicisation de la personne qui s'ajoute à l'inégalité. On ne va pas résoudre ces problèmes en distribuant des biens ou des avantages à des groupes à qui on assignerait des identités ; il n'est évidemment pas question que l'assignation d'une identité soit la seule chose qui leur permette d'exister. Mais justement, il faut d'abord se débarrasser de cette assignation d'une identité. C'est là ce que le politique ne parvient pas à faire.

*S. Smith* – Il n'est pas question de disqualifier une approche. Mais on voit tout de même qu'on est dans une démarche qui finira par une « obligation de résultat » : la discrimination n'aura cessé pour chaque individu, qui se sent victime d'exclusion, qu'au moment où il aura obtenu ce à quoi il aspire – pas toujours à juste titre et en ayant les qualités requises… Il ne faut évidemment pas nier les discriminations et le poids supplémentaire qu'elles font peser sur une partie de nos concitoyens. D'un autre côté, il ne faut pas s'enfermer dans une situation où l'obligation de résultat serait telle qu'elle rendrait l'échec scolaire ou l'échec professionnel impensables, ou dans tous les cas imputables à la société. Or il y a une tendance qui va en ce sens. Cela n'enlève évidemment rien à la légitimité de la revendication.

*F. Vergès* – Bien sûr. Si j'insiste là-dessus, c'est parce que je veux garder une position de débat. Le débat, c'est aussi *confronter* des idées, la démocratie c'est accepter l'idée d'un dissensus, de travailler les causes d'un conflit, pas seulement d'émettre des souhaits ou de distribuer des bons points.

A. *Finkielkraut* – Un mot, quand même, sur la question de l'échec scolaire. À partir du moment où on a décidé, avec les meilleures intentions du monde, que l'échec scolaire était exclusivement l'échec de l'école et celui de la société, l'élève est devenu, à ses propres yeux, un ayant droit à la réussite. Quand une mauvaise note, une réflexion de travers d'un professeur excédé, un redoublement ou un recalage bafouent ce droit, il est fondé à se plaindre et, pourquoi pas, à incendier les sanctuaires des fausses espérances.

Mais, Françoise Vergès, vous appelez à l'ouverture d'un débat véritable, et aussi à des mesures effectives, car le débat ne doit pas être sa propre fin. De quelles mesures peut-il s'agir ? Vous ne voulez pas d'assignation à résidence dans l'identité. Faut-il en conclure que tout ce qui va dans le sens de la mal nommée « discrimination positive » est condamnable, ou bien estimez-vous ce coup de pouce provisoirement nécessaire, si tant est qu'une mesure de ce type puisse être vécue autrement que comme un avantage acquis et donc intouchable ?

F. *Vergès* – Je préfère nettement l'expression américaine d'« *affirmative action* » à celle de « discrimination positive ». En France, il faut constamment se souvenir qu'il y a de fait plusieurs territoires : il y a la France métropolitaine continentale, et il y a ces France de l'outre-mer. Les oublier, c'est négliger quelque chose d'important. Ce sont des sociétés issues de l'esclavage et d'un siècle de colonialisme, qui sont entrées en démocratie il y a à peine soixante ans, et qui connaissent des économies dévastées, avec un taux de chômage absolument désastreux. Voilà la situation là-bas, différente de celle de la métropole. Quelles sont les politiques publiques qui vont tant soit peu rétablir l'équilibre, pour que les personnes ne se sentent plus enfermées et prisonnières d'une condition imputable à leur lieu de naissance ou à leur couleur de peau ? Je pense donc à des politiques publiques qui doivent être à la fois culturelles, éducatives et économiques. On ne pourra pas transformer les choses si l'on ne s'attarde pas sur ces questions vraiment profondes. J'ajouterai ceci encore : il y a eu sur l'île de la Réunion une épidémie de chikungunya, une maladie émergente qui nous vient d'Afrique ; cela se passe sur un territoire français, mais aussi au centre d'un axe Afrique-Asie. Cela a été traité à la fois comme quelque chose se passant en France et comme quelque chose ne se passant pas vraiment en France. Mais cette tension était vécue comme une situation schizophrénique, alors qu'il faut penser singularité *et* parenté. Cette difficulté se pose beaucoup trop souvent…

*S. Smith* – Nous avons dit en début d'émission qu'il fallait constamment veiller à marcher sur les deux jambes. Je pense qu'il faut en effet revenir sur cette affaire. Je suis choqué quand je vois que les salles de rédaction ou les conseils d'administration ne correspondent pas à la France telle qu'on la côtoie tous les jours dans la rue : c'est le *white-white-white* qui l'emporte partout. La mixophobie de la société française est une réalité frappante. Voilà pour une jambe. De l'autre côté, la « discrimination positive » ne doit pas renforcer une assignation identitaire qui, de la sorte, collerait encore plus à la peau. Donc, n'enfermons personne dans une identité héréditaire. En revanche, les politiques publiques d'équité dans les territoires d'outre-mer, dont parle Françoise Vergès, sont absolument nécessaires.

*F. Vergès* – Je citerai la phrase de Frantz Fanon, qui disait : « Je ne suis pas esclave de l'esclavage qui déshumanisa mes pères. » Il demande un dépassement de ce passé, pas un oubli, un dépassement car il ne veut pas être assigné à une seule identité.

*A. Finkielkraut* – Dans le livre d'entretiens que vous avez fait avec lui, Aimé Césaire déjoue, en se contredisant magnifiquement, l'assignation à résidence par la culture dans l'identité. Il nous dit que *la* civilisation, ça n'existe pas, qu'il y a une civilisation africaine, une civilisation européenne, une civilisation asiatique, etc. Mais lorsque vous lui posez cette question : « Si un jeune Martiniquais vous demandait ce qu'il doit lire pour découvrir ce qu'il est, que lui conseilleriez-vous ? », il répond : « La culture universelle ! Tout doit nous intéresser : le grec, le latin, Shakespeare, les classiques français, les romantiques, etc. C'est à chacun de faire l'effort personnel de trouver une réponse. »

*S. Smith* – Cela veut dire aussi pour la France blanche que « nos ancêtres les esclaves » devrait avoir un sens pour nous tous. C'est ce que veut dire Césaire.

*A. Finkielkraut* – Bien sûr, mais de façon apparemment contradictoire, il tient les deux bouts de la chaîne !

*F. Vergès* – Il tient les deux bouts de la chaîne, et c'est pour cela que j'ai trouvé important de faire entendre de nouveau sa voix qu'on a longtemps oubliée…

*A. Finkielkraut* – Cette voix trop longtemps oubliée est aussi, aux Antilles, une voix contestée. Le thème paradisiaque de la *créolité* qui connaît aujourd'hui une fortune planétaire est la réponse d'Édouard Glissant et de ses disciples, Raphaël Confiant et Patrick Chamoiseau, au motif césairien de la *négritude*.

Là encore, l'unité est un leurre. Contrairement à ce qu'on pense ici, le discours antillais n'est pas homogène.

*F. Vergès* – C'est bien pour cela que sa voix me paraît importante : comment continuer à lutter pour plus de justice et plus d'égalité sans pour autant idéaliser les choses ? Césaire n'idéalise pas la Martinique, et je trouve cela très important. Beaucoup essaient trop souvent de nous ramener à l'endroit d'où nous venons comme si nous devions en être les porte-parole exclusifs. Je veux pouvoir parler aussi des contradictions internes de cette société. Quand Césaire parle de la culture universelle, il demande aussi à ce que les Français soient soucieux de cette culture et qu'ils connaissent des noms. Nous, nous connaissons très rapidement des noms qui comptent en métropole ; mais la réciproque n'est pas du tout vraie.

*A. Finkielkraut* – Donnez-nous des noms...

*F. Vergès* – Cimendef, Dimitile, Toussaint Louverture, Delgrès, Frederick Douglass... Tous ces gens qui ont écrit, agi et pensé, sont importants non seulement pour leurs témoignages mais aussi pour leur contribution à la pensée. Vous ignorez leur existence alors que nous connaissons celle d'écrivains, d'artistes, de chercheurs européens. Il s'agit de rétablir un équilibre, de dépasser une inégalité.

*S. Smith* – Pour la même raison, dans le monde politique, il faudrait que le prochain ministre noir en France ne soit pas responsable des Dom-Tom, mais d'un domaine qui nous concerne tous.

# L'école dans la France d'aujourd'hui

## Entretien avec Pascal Blanchard et Jean-Pierre Obin

*Alain Finkielkraut* – Sur le fait que l'intégration des immigrés et de leurs enfants dans la société française est en crise, mes deux invités d'aujourd'hui sont d'accord. Chacun constate et observe ce fait à sa façon. Mais l'inspecteur général et l'historien divergent quant aux raisons de cette crise et aux remèdes à lui apporter.

Pour entrer sans plus tarder dans le vif du sujet, je demanderai à Pascal Blanchard ce qu'il entend exactement par « fracture coloniale ».

*Pascal Blanchard* – La « fracture coloniale » désigne d'abord un rapport à l'histoire et à la mémoire. Avec le Japon, sans doute, la France est la seule nation au monde qui n'a pas encore pleinement intégré dans sa mémoire nationale – et collective – ce « temps colonial ». Cela constitue une sorte de fracture ou de césure dans l'identité nationale dans son rapport à l'histoire. La « fracture coloniale » désigne aussi les conséquences, les héritages coloniaux (ou postcoloniaux) liés à ce passé dans notre société contemporaine. Parmi ces conséquences, il y a l'immigration des outre-mers bien sûr, mais il y en a

43

d'autres – par exemple, notre relation au monde, la manière dont nous pensons la francophonie ou les processus d'intégration, la manière dont nous gérons nos relations internationales, la manière même dont nous pensons l'humanitaire ou l'altérité. D'une certaine façon, la société « postcoloniale » française ne se pense pas comme « postcoloniale » et semble même en conflit avec cet héritage. Cela a pour effet de créer un certain nombre de césures en France : certaines se manifestent à l'école, d'autres dans le monde urbain, d'autres encore dans les revendications mémorielles que nous voyons actuellement émerger. On a ainsi le sentiment que, au cœur de la société française, la question coloniale fait débat, parce qu'elle serait révélatrice d'une crise des idées et de l'identité françaises, mais aussi qu'elle oblige à repenser les valeurs originelles de la République à l'aune de l'engagement colonial. En fait, on a cru que cette page d'histoire été tournée au début des années 1960 mais, en fait, elle revient aujourd'hui, au galop, au premier plan de nos réflexions, parce que nous n'avons pas encore digéré ce passé...

*A. Finkielkraut* – Faut-il en déduire que si l'intégration par l'école ne se fait pas ou se fait mal, c'est parce que la société française refuse elle-même d'*intégrer* ce passé colonial ? Le progrès de l'islamisme dans les collèges et les lycées est-il, selon vous, une conséquence de ce refus ?

*P. Blanchard* – Non, ce serait caricatural de penser que tout est issu du temps colonial. D'autres pays, qui n'ont pas eu de passé colonial, connaissent des difficultés analogues d'« islamisation ». D'autres pays, avec des crises sociales plus ou moins fortes, connaissent aussi régulièrement des difficultés d'intégration et des mouvements racistes de rejet de l'autre et de xénophobie. Ce serait donc une erreur et une caricature de penser que tout vient du temps colonial, et ce serait une faute de séparer cette réflexion de la question sociale, de la question politique ou des enjeux internationaux.

Nous avons, donc, simplement voulu dire – dans ce travail collectif – que, dans le cas français, ce rapport non assumé au temps des colonies induit des éléments très particuliers dans la situation que nous connaissons aujourd'hui. Par exemple, ce n'est bien sûr pas l'héritage colonial qui génère les montées d'intégrisme islamiste – le phénomène est mondial –, mais il structure une certaine forme de relation (en France) à cet intégrisme montant (notamment notre approche spécifique dans ce pays à l'islam et a ses «représentants» depuis la fin du XIXᵉ siècle) ou aux difficultés de l'école à enseigner ce passé par exemple. Autre situation très particulière, propre à la France : les manuels scolaires présentent, aujourd'hui encore, l'histoire coloniale d'une manière qui peut rendre délicate la tâche des enseignants, notamment quand ils ont affaire à des classes constituées pour l'essentiel d'élèves originaires du Maghreb ou d'Afrique noire par exemple. En Angleterre, en revanche, il ne se pose que très rarement de problèmes mémoriels liés à l'Empire. Il y a bien sûr d'autres problèmes en Angleterre, mais ce ne sont pas ceux qui se posent en France. Il n'y a qu'en France (et au Japon) en effet que l'héritage colonial structure la relation à la mémoire et ainsi induit dans nos comportements politiques, historiques ou pédagogiques des problématiques très particulières qui viennent se superposer à la crise économique, à des problèmes religieux, à des difficultés urbaines et bien sûr au contexte international.

*Jean-Pierre Obin* – Avant tout, je précise que le rapport que vous m'attribuez est un travail collectif : nous avons été une dizaine d'inspecteurs généraux à nous rendre dans une soixantaine d'établissements, répartis sur vingt-quatre départements, pour y observer le développement des manifestations d'appartenance religieuse, parfois au sein même des classes lors de certains enseignements. C'est donc sur la base de ces observations que je souhaite réagir.

Ensuite et au sujet de ce que vient d'expliquer Pascal Blanchard, même si tous les auteurs de son ouvrage collectif ne donnent pas toujours forcément l'impression d'être sur cette ligne, il a raison de dire que la causalité du repli identitaire est complexe. Il est indéniable que ce qu'il appelle la « fracture coloniale », c'est-à-dire le fait que la période coloniale n'a pas été assumée par les historiens et par les manuels scolaires, correspond à une réalité. Mais elle n'explique pas tout à elle seule. On a trop tendance en France à chercher des causalités univoques – la colonisation pour certains, le chômage pour d'autres, ou encore l'échec scolaire – pour expliquer tous les maux sociaux. Ce que nous avons pu constater sur le terrain, ce sont des réalités complexes, avec des causalités multiples. Les crispations identitaires et le repli communautaire ne sauraient être réduits à leur composante religieuse : il y a indéniablement bien d'autres aspects à ces crispations de la société.

*A. Finkielkraut* – Parmi les causes de ce phénomène, vous mettez en avant, dans votre rapport, l'homogénéisa-

46

tion des quartiers ouvriers. La constitution de cités ghettos ne peut, en effet, que favoriser l'intégrisme. Mais quelle est la cause de cette cause ? Votre réponse défie les certitudes de la bien-pensance. Vous dites que la ségrégation sociale, ethnique et religieuse dont on peut maintenant mesurer les retombées scolaires n'est pas une conséquence mécanique des évolutions démographiques ou économiques : « Elle a été aussi le fruit de l'activisme de groupes religieux ou politico-religieux, ainsi que de l'action de certains bailleurs ou de certaines municipalités, tous favorables, pour des raisons différentes, à une forme de ségrégation des populations. » Vous dites également que « parfois le départ des anciens habitants a été accéléré par quelques violences bien ciblées », et vous citez le cas d'une préfecture, victime de la mixité sociale des années 1970, où les menaces et les agressions ont eu raison des derniers responsables des anciennes associations qui militaient pour la mixité et l'intégration. Bref, en montrant que les difficultés d'intégration procèdent de la ségrégation, mais que la ségrégation elle-même ne procède pas nécessairement du racisme de la société française, vous mettez les pieds dans le plat du politiquement correct.

*J.-P. Obin* – Si l'on regarde aujourd'hui le panorama des courants ségrégationnistes dans la société française, on s'aperçoit qu'ils sont très hétérogènes. À une partie de la droite et à l'extrême droite bien sûr s'ajoute une ultra-gauche de tradition libertaire ou marxiste, ou encore des groupes islamistes ou protestants. Toutes ces positions, ouvertement ségrégationnistes, mobilisent le thème de la légitimité ou de la nécessité de pouvoir rester entre soi. À côté de ces groupes, un certain nombre de municipalités ont par ailleurs agi dans le même sens : pour que le prix du foncier reste garanti sur le territoire communal, mieux vaut en effet faire la part du feu et mettre les immigrés d'un côté, et les classes moyennes de l'autre… S'ajoute à cela une certaine sociologie, elle aussi ouvertement ségrégationniste, et qui n'a pas été sans influence sur les travailleurs sociaux.

*A. Finkielkraut* – Pourquoi, et au nom de quelles valeurs, cette sociologie aurait-elle défendu le ségrégationnisme ?

*J.-P. Obin* – L'idée défendue est qu'il faut préserver, « conserver », la langue, les traditions et les coutumes des populations immigrées. Si l'on veut en effet préserver le mode de vie des travailleurs maliens (c'est l'exemple cité dans le *Rapport*), et notamment la polygamie, alors on doit leur réserver des immeubles communautaires… D'autre part l'aide sociale est plus facile à distribuer si les populations sont regroupées…

*P. Blanchard* – Je trouve très intéressant le débat sur la manière de « vivre ensemble ». On se rend compte, en effet, que la manière géographique de construire un pays et d'y organiser la vie des individus renvoie aussi très souvent à une vision coloniale de l'espace. On structure l'espace – de façon consciente et inconsciente – avec une immigration postcoloniale, qui était en fait arrivée bien avant la fin des colonies (dès les années 1930 ou 1940 pour les Maghrébins par exemple), comme si l'espace urbain devenait un espace de gestion de populations « spécifiques ». Prenons un exemple : dans les années 1930 existait à Paris un organisme de surveillance (municipal) qui ne gérait que les Maghrébins, et dont la

« mission » était de surveiller au quotidien la vie religieuse aussi bien que civile (les mariages, les déménagements, les contrats de travail, les lieux de vie…) des individus. Autrement dit, il y a une longue pratique de gestion très différenciée de l'étranger, lorsqu'il est ou non un colonisé ou ex-colonisé. On crée aujourd'hui des espaces en France qui commencent à être pensés, non pas comme des « espaces ethniques », mais comme des espaces hérités de la colonisation, dans la mesure où progressivement l'origine rattrape la situation sociale d'exclusion et forme dans les imaginaires un tout. Cela devient dangereux quand ces espaces sont souhaités par ceux-là mêmes qui veulent soit défendre une authenticité ou un discours spécifique, soit trouver un espace de mobilisation potentielle, ou par ceux qui veulent exclure de la collectivité nationale une partie de la population. D'une certaine façon, on reconfigure une société avec des segments assez proches de ceux qu'on a pu connaître au temps de la colonisation, sur lequel se superpose l'exclusion sociale.

*A. Finkielkraut* – Mais prenons la question de la polygamie. Interdite par le droit français, celle-ci est tolérée dans le cadre du regroupement familial, malgré les problèmes de logement qu'elle pose et malgré ses effets néfastes sur l'éducation. L'administration française est tiraillée entre les valeurs contradictoires de l'égalité des individus et de l'égalité des cultures. J'aimerais personnellement que sa politique soit plus claire et plus résolue, mais je ne vois dans son hésitation nulle survivance d'un passé honteux. La colonisation n'a rien à faire dans cette histoire !

*P. Blanchard* – Dans celle-là, non, vous avez entièrement raison. Elle a affaire avec elle à un seul niveau toutefois, qui tient à une sorte de confusion des genres (encore que cela était toléré au temps des colonies!). De fait, on prend un élément qui concerne une minorité seulement des familles installées en France, issues de l'immigration. Ce sont des familles généralement de primo-arrivants, qui souffrent beaucoup de leurs conditions de vie – de logement par exemple, vous le disiez (rappelons-nous les incendies d'immeubles tout récemment à Paris). Il n'y a donc plus aucun rapport avec le système colonial : c'est une « tolérance » par rapport au droit français – ce qui est d'ailleurs inacceptable –, justifiée par l'idée qu'il serait difficile de s'opposer à des « pratiques culturelles ». Cela fait trente ans que ce débat existe, mais on sait bien, dans le même temps, qu'on touche là à une minorité. À côté de cela, on a une majorité d'individus qui ne sont plus étrangers, mais citoyens français depuis deux ou trois générations, et chez qui les cas de polygamie sont réellement infimes. Or on juge à partir des cas minoritaires qu'« ils » ne veulent pas faire d'efforts pour intégrer la société française! L'amalgame domine, et brouille une lecture globale de la situation.

*A. Finkielkraut* – Amalgame, vraiment? Jean-Pierre Obin, je voudrais savoir ce que votre enquête vous a appris sur cette majorité-là. Les individus qui la composent et qui sont citoyens français depuis deux ou trois générations se sentent-ils français? Qu'en est-il de leur identité? Quel rapport entretiennent-ils avec l'héritage historique, philosophique ou littéraire que l'enseignement s'efforce de leur transmettre?

*J.-P. Obin* – Nous avons observé beaucoup de choses, mais, par prudence, nous avons tenu à préciser dans notre introduction que nos observations ne sont pas généralisables. La méthode que nous avons suivie ne vise pas à dresser un panorama exhaustif et représentatif de l'ensemble des établissements français – au contraire : nous avons souhaité aller dans les établissements où il y avait des problèmes, pas dans ceux où il n'y avait rien à voir. Nous avons donc sélectionné un échantillon peut-être représentatif de 10 % des établissements français, ce qui ferait environ mille établissements concernés. C'est quand même préoccupant.

Qu'avons-nous constaté ? Du nord au sud de la France, on voit toujours les mêmes types de régressions qui se développent chez les jeunes, sur une identité religieuse sans doute reconstruite et bricolée, en opposition parfois au type de pratiques religieuses des parents. On observe aussi très régulièrement l'importance de groupes religieux qui jouent la surenchère dans la radicalité pour influencer et contrôler cette jeunesse. Il est aujourd'hui difficile d'être, dans certains collèges et lycées, un élève d'origine maghrébine, même de deuxième ou troisième génération, sans y afficher de piété religieuse : on s'expose alors au risque d'être harcelé voire persécuté par ceux qui défendent l'orthodoxie d'une certaine forme de piété. C'est là une difficulté bien réelle que les chefs d'établissement ne savent pas bien comment traiter. Cela va parfois plus loin encore : on voit des familles se conformer au rituel du jeûne alors qu'elles ne sont ni pratiquantes ni même croyantes, pour se protéger et protéger leurs enfants. On a un indice de ce type de contrainte religieuse dans les reliefs de nourriture que l'on trouve de plus en plus souvent dans les toilettes en période de jeûne rituel :

51

certains élèves sont contraints de se cacher là pour manger !

On peut aussi s'inquiéter des contestations de plus en plus nombreuses de l'enseignement, principalement dans trois disciplines : l'éducation physique et sportive, l'histoire et les sciences de la vie et de la terre. Les lettres et la philosophie sont aussi concernées, mais dans une moindre mesure : ce qui est ciblé alors n'est pas tant la discipline elle-même que certaines œuvres ou certains thèmes…

*A. Finkielkraut* – On lit, dans votre rapport, que les philosophes des Lumières, surtout Voltaire et Rousseau, sont particulièrement visés, que *Madame Bovary* est dénoncée comme une œuvre trop favorable à la liberté de la femme et que le *Tartuffe* de Molière est également une cible de choix : refus d'étudier ou de jouer la pièce, boycott ou perturbation des représentations. Et ce que vous dites de l'histoire est plus impressionnant encore : refus d'étudier l'édification des cathédrales, ou d'ouvrir le livre sur un plan d'église byzantine ou encore d'admettre l'existence de religions préislamiques en Égypte ou l'origine sumérienne de l'écriture. Et la contestation se radicalise quand le professeur s'aventure à traiter des croisades, du génocide des Juifs, des guerres israélo-arabes, de la question palestinienne…

*J.-P. Obin* – Oui, et cela ne nous a pas trop surpris puisque ce sont des choses qui se savent depuis un certain temps. En revanche, nous avons été étonnés par les nombreux refus de tout ce qui peut toucher à la chrétienté. On refuse d'étudier le Moyen Âge et le temps des cathédrales. On refuse d'ouvrir un livre sur le plan d'une église byzantine. On refuse d'entrer dans un édifice religieux ou dans un musée qui a été auparavant un édifice religieux…

A. *Finkielkraut* – Que faites-vous, Pascal Blanchard, de tous ces symptômes ? Comment les analysez-vous ?

P. *Blanchard* – Ce sont des symptômes réels, qui sont décrits par beaucoup d'enseignants. On sait qu'il y a une difficulté aujourd'hui dans un certain nombre d'établissements à parler du génocide juif, de l'esclavage ou de la guerre d'Algérie, c'est une réalité. Je nuancerai simplement ce que vous avez dit en disant qu'il n'y pas de critique de l'histoire comme discipline. Il est ressorti d'un certain nombre d'entretiens avec des jeunes de la région toulousaine – enquête qui figure en annexe de l'ouvrage *La Fracture coloniale* – que ce n'est pas tant la pratique de l'histoire ou même la manière dont elle est racontée qui dérange que l'idée selon laquelle il n'y a jamais de « héros » dans ces histoires qui leur ressemblent ou qui leur fassent sentir qu'ils sont français. C'est important de le dire, je crois. Quand on discute avec des élèves de première ou de terminale par exemple, où la colonisation est enseignée, on comprend que nombreux sont ceux qui ne se sentent pas concernés par cette histoire, ils la trouvent « partielle » ou « partiale » : ils ne s'y sentent pas représentés et ils ont le sentiment que leur mémoire n'a pas sa part dans la mémoire nationale.

A. *Finkielkraut* – Oui, mais que faut-il répondre à un sentiment comme celui-là ? Après tout, je pourrais dire la même chose. Je ne suis pas un Français de vieille souche, je suis né de parents polonais et nous avons été naturalisés ensemble en 1950. J'avais un an. Mon père avait été déporté de France, mes grands-parents aussi (ils ne sont jamais revenus), et l'histoire qu'on m'enseignait n'abordait pas ou à peine le rôle de l'État français dans la mise en œuvre de la Solution finale. J'ai fait mes études secondaires à un moment où régnait encore le mythe d'une France unie dans la résistance à l'occupant. Le cours d'histoire ne prenait pas en compte l'histoire dont j'étais issu. Je l'apprenais pourtant, sans me sentir lésé ou offensé. Tout en étant très attaché à mes origines, je ne voyais rien d'humiliant non plus dans le fait que la France fût un pays de tradition catholique. Or voici que toujours plus de jeunes musulmans vivent ce patrimoine comme une insulte à leur identité !

*P. Blanchard* – Je nuancerais votre propos sur deux points. D'abord, je pense que cela va bien au-delà des enfants « musulmans ». Cela concerne aussi des enfants issus de familles pieds-noirs, ou des descendants de « rapatriés » juifs d'Afrique du Nord, ou des enfants issus de migrants vietnamiens, cambodgiens, laotiens ou antillais. Vous oubliez peut-être que, depuis l'époque dont vous parlez, la notion de guerres coloniales, donc de conflit, s'est ajouté dans la mémoire de ce passé. Quand il y a un conflit dans une histoire commune, cela provoque des traumatismes, mais aussi des attentes et des demandes de « mémoire », et lorsque ce conflit n'est pas raconté, cela génère une véritable frustration.

De plus, la manière dont on raconte (ou pas) l'histoire organise le présent, et je prendrai un exemple très simple. Aujourd'hui, les enfants pensent que l'histoire coloniale est un tout qui se résume à la torture en Algérie, parce que cette question est maintenant très présente dans l'enseignement ou dans les médias lorsque l'on parle de la guerre d'Algérie. Nous avons du coup affaire à des élèves de quinze ou seize ans (mais aussi des jeunes adultes) qui pensent que la colonisation est un acte de torture qui a duré cent trente ans en Algérie ! C'est dramatique ! À force d'avoir eu un trou de mémoire et de mal (voire pas) parler de la colonisation, on en arrive à donner le sentiment que cela n'a été qu'une longue violence et qu'il n'y a rien eu d'autre que cela. Vous comprenez alors pourquoi certains sont en train de s'engouffrer dans ce déficit de l'enseignement de l'histoire. Les prosélytes et les intégristes de tous ordres ont alors toute latitude pour leur dire que, depuis cent trente ans, la République exclut les Maghrébins mais intègre les Juifs. L'élève de quinze ou seize ans qui arrive en classes de première et de terminale et qui étudie la colonisation peut donc entrer en rébellion face à l'histoire, ou face à une lecture qu'il juge incomplète de l'histoire coloniale. Nous devons être extrêmement vigilants de tout cela.

*J.-P. Obin* – Il y a un vrai problème dans ce que vous dites, et qui est le suivant : est-ce que l'enseignement de l'histoire peut être la simple juxtaposition d'histoires particulières, celles des populations qui ont progressivement constitué la nation française ? Ou bien existe-t-il une histoire de France qui est celle d'une unité politique qui elle aussi s'est constituée progressivement ? L'histoire de France ne se réduit pas à celle des Français. Je vois une dérive dans l'idée, répandue à l'école aussi bien qu'ailleurs, selon laquelle ce sont nos différences qui nous rassemblent. L'idéologie républicaine a toujours mis en avant l'unité, et la promotion de ce qui nous fait nous ressembler. C'est la critique de fond que j'adresse à votre livre, d'ailleurs : de manière implicite le plus souvent, vous y développez une apologie morale de la diversité.

*P. Blanchard* – Ce n'est pas écrit dans le livre, et surtout je ne pense pas cela ! Je suis en vérité très surpris par ce que vous dites, parce que cela ne correspond pas du tout à notre manière de penser le monde. Même si ce livre a plus d'une vingtaine d'auteurs, je crois pouvoir dire qu'aucun d'entre eux n'y a développé ce genre d'idées. Nous ne considérons pas que l'histoire des colonisations soit une histoire de certaines populations en France : c'est une histoire *de* France ! L'unité nationale a peut-être échoué, mais c'est un échec de la mythologie républicaine. Si on ne la raconte pas, on ne pourra pas sortir du piège dans lequel nous a menés l'histoire coloniale. D'ailleurs, on parlait déjà de la diversité au temps de la colonisation, à ceci près que cette diversité avait un statut triple : c'était une République dans laquelle il y avait en effet, en plus des Français et des étrangers, des « indigènes ».

*A. Finkielkraut* – Votre discours, Pascal Blanchard, est passionnant et paradoxal. Vous observez que, au lieu d'enseigner l'histoire coloniale, on se fixe sur le moment paroxystique de la guerre d'Algérie, de sorte que l'on donne de cette réalité une image purement criminelle : la colonisation, c'est la torture. En même temps, dans le livre que vous avez dirigé avec Nicolas Bancel et Sandrine Lemaire, vous êtes très sévère quant à la loi du 23 février 2005 qui exprimait la reconnaissance de la nation « pour l'œuvre accomplie dans les anciens départements français d'Algérie, au Maroc, en Tunisie et en Indochine », et qui demandait aux professeurs d'histoire de mettre l'accent sur le rôle positif de la présence française outre-mer. Comme vous, l'ensemble du corps enseignant s'est insurgé contre l'imposition d'une histoire officielle. Mais où est aujourd'hui l'histoire officielle ? Vous le dites vous-même : dans la réduction de la colonisation à ses crimes. Les députés qui ont voté cette loi ont voulu réhabiliter au moins partiellement les pieds-noirs. Ils ont échoué : leur tentative restera un coup d'épée dans l'eau, car il n'y a pas de pouvoir politique qui tienne aujourd'hui face au pouvoir de la *doxa*. Et la *doxa* est critique, hypercritique même, comme en témoigne ce texte proposé à la sagacité des élèves lors de l'épreuve anticipée de français des baccalauréats technologiques de l'année 2005 : *Lily*, de Pierre Perret, une chanson qui a obtenu le prix de la LICRA :

On la trouvait plutôt jolie, Lily
Elle arrivait des Somalies, Lily [...]
Elle croyait qu'on était égaux, Lily
Au pays de Voltaire et d'Hugo, Lily [...]
Elle a déchargé des cageots, Lily
Elle s'est tapé les sales boulots, Lily [...]
Elle aima un beau blond frisé, Lily
Qui était tout prêt à l'épouser, Lily
Mais la belle-famille lui dit :
« Nous ne sommes pas racistes pour deux sous,
Mais on veut pas de ça chez nous. »

Voici le sujet d'invention proposé aux élèves : « Lili, un an après son installation à Paris, écrit à sa famille restée en Somalie. Elle dénonce l'intolérance et le racisme dont elle est la victime. » Autrement dit, il s'agit, pour avoir son bac en France, de faire le procès de la France. La loi du 23 février 2005 est mort-née. Ce n'est plus le patriotisme qui est obligatoire aujourd'hui, c'est le dénigrement de la patrie ; ce n'est plus l'exaltation, c'est la condamnation et qui demande même à sa jeunesse de requérir contre elle en faisant l'énumération de ses tares. Où est le progrès ? Où est la liberté ? Croit-on qu'en érigeant ainsi la franco-phobie en idéologie française on s'ouvrira enfin aux nouvelles populations ? Je pense, à l'inverse, qu'il est rigoureusement impossible d'intégrer des gens qui ont tendance à ne pas aimer la France dans une France qui ne s'aime pas, ou qui s'aime de moins en moins.

*P. Blanchard* – Dans cet enchaînement intellectuel, assez brillant, il manque néanmoins deux paramètres qui me paraissent essentiels. D'abord, ces Français dont nous par-lons (nos parents et nos grands-parents) ont eu droit à une mythologie historique racontée à l'école au sujet de la colonisation. On ne fabrique pas que du savoir à l'école, on fabrique aussi une culture et une manière de penser le monde. On ne peut pas oublier qu'il y a eu un « men-songe » et une « mythologie » dans cette histoire. Aussi, dire qu'il ne faut pas en parler aujourd'hui parce que cela pourrait créer des chocs peut avoir des conséquences très graves.

J'irai plus loin. Cet article 4 de la loi de février 2005 n'est en vérité que la partie la plus visible de quelque chose de très complexe. On le voit dans les attentes des éditeurs de manuels scolaires, qui demandent aux historiens de nuan-cer leur approche sur le fait colonial ou d'écrire les cha-pitres ou les ouvrages sur la colonisation. Or que nous propose-t-on comme titres ? Eh bien, par exemple, *La Déco-lonisation pacifique en Afrique noire* ! Autre constat : à Mar-seille se construit aujourd'hui le Mémorial national de la France d'outre-mer, et ce projet (prévu à l'origine pour promouvoir l'œuvre française outre-mer dans le texte gouvernemental de 2003 qui a préfiguré le vote de février 2005) est un « musée » qui risque de glorifier l'action coloniale de la France à proximité des quartiers nord, ce qui n'est peut-être pas très pertinent à faire aujourd'hui. À Montpellier, Georges Frêche a l'intention de faire construire un musée de l'Algérie française. Cela ne donne pas le sentiment d'une neutralité face à ce passé. D'ailleurs, la France est la seule nation européenne qui n'a pas de musée de l'histoire coloniale, cela est un signe. Alors que les seuls « musées » qu'on construit et dans lesquels nos enfants iront, du fait des partenariats avec l'Éducation nationale, sont des musées qui glorifieront l'action de la France au Maghreb et en Afrique. Je m'interroge donc sur le fait que, quarante ans après les faits, dans un pays qui a dix-sept musées du sabot, nous n'avons aucun musée sur l'histoire coloniale qui ne propose pas une lecture ouverte de ce passé et n'offre pas qu'une vision (celle du colonisateur) de ce passé ! Dans un pays qui se tait sur ce passé et où l'État agit dans la contre-mémoire, sinon dans l'anti-mémoire, il y a un débat de fond à ouvrir, car cela renvoie à des difficultés très concrètes.

*A. Finkielkraut* – Jean-Pierre Obin, vous êtes inspecteur général de l'Éducation nationale : comment les enseignants abordent-ils, majoritairement, la question coloniale ? Le font-ils de manière nostalgique, apologétique ou au contraire critique, voire hyper-critique ?

*J.-P. Obin* – Majoritairement, j'aurais tendance à dire qu'ils le font de manière critique, parfois hyper-critique. On sait que les enseignants sont majoritairement de gauche, certains d'extrême gauche. Au moment de la guerre d'Algérie, ils se sont massivement engagés dans la lutte anticoloniale. Cela a été mon cas par exemple. Cela explique d'ailleurs pourquoi les enseignants d'histoire ont réagi avec autant de vigueur et de vivacité à la loi dont vous avez parlé. Je crois qu'il faut laisser du temps au temps...

*P. Blanchard* – Cela fait quarante ans qu'on a décolonisé, c'est long !

*J.-P. Obin* – Quarante ans, c'est court ! Cela veut dire qu'il y a encore beaucoup de gens qui ont vécu personnellement ces épisodes et qui en ont une perception, non pas historique, mais personnelle, sensible et très souvent douloureuse. Je ne suis aucunement partisan de l'amnésie concernant ces épisodes de l'histoire, mais, en toute objectivité, je constate qu'il est d'autant plus difficile d'avoir une analyse distanciée que l'on a souffert de ces événements. Et ceux-là sont tentés de peser, notamment à travers les lobbies que vous connaissez, sur l'enseignement de histoire, comme dans une sorte de revanche. Il n'en reste pas moins qu'une histoire scolaire qui ferait la part des choses et qui essaierait de présenter la colonisation sous un jour ambivalent reste à faire.

*A. Finkielkraut* – Voici, à ce propos, ce qu'écrit Jean Daniel : « Le concept du colonisé, tel que Frantz Fanon, Jean-Paul Sartre ou Albert Memmi en ont fait le portrait, n'a été opérationnel que pendant la période où l'on croyait que le tiers-monde pourrait sauver l'humanité grâce aux damnés de la terre – ce que nous sommes nombreux à avoir espéré pendant quelques années. Mais ce concept ne permet pas de comprendre, par exemple, pourquoi le premier président de la République algérienne Ferhat Abbas a commencé par désirer avec passion une union fédérale de l'Algérie et de la France et, en attendant, l'octroi de la nationalité française à tous les Algériens d'Algérie. » L'histoire telle que vous la souhaitez nous aidera-t-elle à comprendre les motivations de Ferhat Abbas ?

*P. Blanchard* – J'irais même beaucoup plus loin ! Dans la trilogie que j'ai codirigée (*Le Paris noir*, *Le Paris arabe* et *Le Paris Asie*[3]), nous avons voulu montrer que Paris, capitale coloniale, est en même temps durant la période coloniale la plus grande ville de liberté où Africains, Antillais, Maghrébins ou Asiatiques ont pu se croiser. Que ce soit les Hô Chi Minh, les Ferhat Abbas, les Césaire, les Messali Hadj, les Deng Xiaoping, ou les Senghor, ils étaient à Paris, ville alors de liberté, d'échanges et aussi peut-être de construction révolutionnaire vers les indépendances qu'aucune autre ville au monde n'a connus. La colonisation est donc quelque chose d'extrêmement compliqué, pleine de paradoxes et d'ambivalences.

J'ajoute, concernant l'école, que ce qui s'y passe est très souvent le reflet de nos universités et organismes de recherches. Or il se trouve que, depuis quarante ans, on ne recrute guère de spécialistes du postcolonialisme ou de la culture coloniale à l'université aussi bien qu'au CNRS ! Aux États-Unis ou en Angleterre au moins, le débat a pu être nourri de différents travaux universitaires (y compris critiques). Et, de fait, une grande partie des collègues de ma génération, qui travaillent sur la culture coloniale, la question postcoloniale ou l'influence en métropole de la colonisation, enseignent en Angleterre, aux États-Unis, en Allemagne, en Suisse ou en Italie.

Autre détail significatif : il y a eu en 2005 plus de thèses soutenues sur le colonialisme aux États-Unis qu'en France ! Le fait que la culture coloniale n'existe même pas comme territoire de recherches dans nos universités a évidemment un très fort impact sur la société française et sur la culture nationale. Il ne faut pas s'étonner non plus, dans ces conditions, que nos enseignants aient des difficultés à transmettre ce type de savoir ou que nos manuels scolaires, dans les lycées ou les collèges, soient aussi déficients !

*J.-P. Obin* – J'ai un autre reproche à faire à votre livre, pour la critique que vous y faites de l'universalisme républicain. Vous faites comme si l'universalisme républicain avait intrinsèquement partie liée au colonialisme. Vous prenez pour exemple la manière dont l'esclavage est raconté aujourd'hui dans les manuels d'histoire. Vous savez sans doute que les manuels d'outre-mer ont été adaptés et qu'il y a des programmes spécifiques aujourd'hui ; on y parle beaucoup de la traite négrière. Et donc tout se passe comme si l'étude de l'esclavage était réservée aux descendants des esclaves, et comme si cette histoire n'était pas une histoire universelle ! On y donne aussi l'idée fausse que l'esclavage aurait commencé avec la traite atlantique, sans aucun passé oriental ou africain. Je trouve que vous n'y faites guère allusion dans votre ouvrage.

*P. Blanchard* – Nous avons fait un livre avec Françoise Vergès et Nicolas Bancel, *La République coloniale*[4], où nous analysons cette situation très complexe : en gros, il serait réservé aux victimes de cette histoire d'en avoir un petit bout, tandis que les Français en seraient dispensés. Tout

lecteur de la production sur ce thème, notamme
anglo-saxonne, sait très bien qu'il y a des traites an
rieures, ce n'est pas une nouveauté. Mais ce n'est pas
un débat d'historien, c'est une question idéologique, c
veut que le Blanc ne soit pas le seul fautif... Ici c'
l'histoire qui est utilisée et manipulée pour autre chc
que le savoir.

*A. Finkielkraut* – Olivier Pétré-Grenouilleau en a f
l'amère expérience, lui qui a été traité de négationni;
et de raciste, pour avoir eu le malheur de publier u
somme sur *les* traites négrières à l'heure de la gran
diatribe contre *le* crime occidental. Mais il y a dans c
taines dénonciations de la fracture coloniale la mêr
tendance à écarter tous les faits qui n'entrent pas da
le réquisitoire.

*P. Blanchard* – Bien sûr, certains manipulent l'histoir
C'est comme le mouvement «Jeune pied-noir» aujou
d'hui qui, par rapport à la mémoire pied-noir, instrume
talise l'histoire pour en faire un débat politique. Je vo
rejoins tout à fait dans cette dénonciation. Le livre sur l
traites dérange ceux qui voudraient passer pour les v
times de l'histoire. Vous remarquerez d'ailleurs qu
aucun moment nous ne tenons le discours de la victimi;
tion et de la réparation ou de la repentance, parce que
ne considère pas que j'ai (ou que la France a) à pay
pour ce que mes aînés ont fait: je ne me considère p
comme le descendant de celui qui a pensé l'Exposition (
1931. Je nie cette responsabilité, comme je nie à celui q
se dit victime de l'histoire le fait d'en être une de faç(
génétique, car c'est une approche quasi racialiste. No
n'en sommes pas là pour la grande majorité des França

63

et même si certains souhaitent manipuler ce passé (repentants/antirepentants), c'est inévitable, mais cela reste très minoritaire.

*A. Finkielkraut* – Ce que vous venez de dire, et qui risque de vous faire des ennemis dans votre propre camp, m'évoque le portrait de Monsieur R. récemment paru dans *Le Monde*. Monsieur R. est un rappeur, rendu célèbre par cet extrait de chanson : « La France est une garce/ N'oublie pas de la baiser jusqu'à l'épuiser/Comme une salope il faut la traiter mec/Moi je pisse sur Napoléon et le général de Gaulle. » Or Monsieur R. qui, comme on le sait, est très militant, appartient à l'association « Devoirs de mémoire ». Devoirs avec un *s* comme dans « *Shoa,* y en a marre ». Et à ce titre Monsieur R. confie : « La France a des obligations à l'égard de ceux qu'elle a humiliés, déportés, exploités. Ne pas en parler, c'est continuer à nier une partie de notre identité. » Ces propos amers justifient auprès du journaliste pénitent qui les recueille la rage du rappeur. Il conclut donc son gros plan en disant que l'exhortation à violer la France n'a rien de choquant, sinon pour les ouailles du Front national.

*P. Blanchard* – On est là au cœur du débat ! Rappelez-vous ce qu'on disait sur le rock dans les années 1960 : le rap est par définition, aux États-Unis comme en France, une musique de révolte. Mais vous avez là-dedans autant de marketing que de discours historique. Ces paroles sont provocantes, et il y a une surenchère dans le rap qui a toujours existé, on le sait bien. On sait aussi qu'on ne peut pas le juger à l'aune du mot premier, puisque le son a aussi une grande importance dans ce type de musique. Voyez Eminem aux États-Unis…

64

*A. Finkielkraut* – On ne peut pas s'en tenir à l'alternative édifiante de la révolte et de la récupération. Il y a aussi, hélas, des révoltés révoltants. Et c'est redonner vie à la pensée totalitaire que de dire que tout le mal du monde découle de la domination.

Mais venons-en maintenant aux moyens de sortir des difficultés que nous avons évoquées. Incombe-t-il à l'enseignement de l'histoire de combler la « fracture coloniale » ? Et un enseignement ainsi rénové est-il la condition première pour réconcilier avec l'école tous ces élèves qui aujourd'hui font sécession ?

*J.-P. Obin* – C'est accorder beaucoup de pouvoir à l'enseignement de l'histoire ! Je ne pense pas que cela soit une condition suffisante, même si, parmi beaucoup d'autres, elle est sans aucun doute nécessaire. Dans les propositions que nous faisons dans notre rapport, nous mettons l'accent sur la mixité sociale. Le défaut de mixité sociale est à l'origine de la création de ghettos scolaires, et j'y vois la responsable principale des difficultés que nous décrivons. Malheureusement, l'Éducation nationale est loin d'être suffisamment puissante pour résoudre ce type de difficultés. Elle pourrait toutefois apporter sa contribution, et nous pensons qu'elle ne le fait pas assez : les responsables académiques et les chefs d'établissement n'ont pas toujours comme ambition d'œuvrer ou de contribuer à la mixité sociale. Dès qu'un établissement se ghettoïse, dès que les élèves se retrouvent entre eux, de la même origine ou de la même culture, on ne fabrique plus de la France. On fabrique en revanche ce que certains sociologues appellent une « ethnicisation » de la vie scolaire et une société « multiethnique ». Je ne suis pas surpris par les résultats de l'étude que Pascal Blanchard a menée sur Toulouse auprès de jeunes gens de 18-25 ans : ce sont eux en effet qui sont le plus persuadés de la réalité de cette ethnicisation, parce qu'ils la vivent, et qui, plus que d'autres catégories d'âges, vivent le plus souvent comme un conflit la relation à l'autre.

*P. Blanchard* – Quelle fierté ce serait bien sûr pour l'historien que de dire que l'histoire pourrait tout changer ! Je pense qu'il faut chercher les remèdes au-delà de l'histoire, et je rejoins M. Obin sur l'idée que l'histoire serait l'un des éléments fondamentaux qu'il faut changer. Cela prendra du temps bien entendu...

Mais je souhaite aller plus loin : je crois en effet qu'il y a un problème d'État, parce que l'État a choisi sa mémoire : c'est là quelque chose de très problématique. Vous savez comme moi que, même si les enseignants vont dans le bon sens (et Dieu sait que nous recevons la visite de très nombreux enseignants qui souhaitent disposer de nos films, de nos livres, de nos dossiers pédagogiques ou de nos expositions pour avoir un matériel pédagogique à destination des élèves), la mémoire n'est pas neutre. Certes, on est sortis du silence ; mais quand des musées sont construits, financés par l'État, quand des programmes pédagogiques sont mis en place ou quand la présidence de la République a décidé d'installer la Cité de l'immigration (CNHI) dans l'ancien Palais des colonies (porte Dorée, dans le XII^e arrondissement de Paris), on peut dire que nous sommes ici dans un cas où l'on fait disparaître un lieu qui fait sens dans son rapport à l'histoire et cela aura des effets pour les prochaines générations. Si, dans quinze ans, je veux montrer à mon fils ce qu'étaient les colonies, je ne pourrai plus l'emmener au Palais de la porte Dorée qui sera devenu la CNHI. Il y a là un problème de fond... et une sorte d'effacement de la mémoire d'un lieu.

*A. Finkielkraut* – Tout aussi dangereuse que l'effacement de la mémoire est aujourd'hui la constitution d'une mémoire du ressentiment. Je pense notamment à l'Appel des indigènes de la République. Au nom de l'oppression coloniale endurée par leurs aïeux et de celles qu'ils affirment subir aujourd'hui, les signataires de ce texte fracassant se posent en créanciers de la nation : la France leur doit tout, ils ne lui doivent rien. Les difficultés, les malheurs, les échecs des immigrés et de leurs enfants sont intégralement imputables à l'État français. Et il n'y a pas que les indigènes imaginaires à raisonner ainsi. C'est la parole la plus ministérielle, la plus officielle qui dit maintenant que l'échec à l'école est l'échec de l'école. Ainsi l'institution elle-même perçoit-elle l'enseignement comme une fabrication et l'élève tout à la fois comme le produit de la manufacture scolaire et comme son client. Si le produit est défectueux, le consommateur rouspète, avec l'appui de ses parents, auprès du fabricant, c'est-à-dire des professeurs. Cette clientélisation est désastreuse parce qu'elle oublie que l'éducation est une ascèse. Alliée à la mémoire revendiquante, elle n'ouvre pas une voie vers l'intégration. Elle offre un *alibi* à ceux qui refusent de s'en donner la peine.

*P. Blanchard* – Vous n'avez pas forcément tort, mais en même temps nous sommes obligés d'en passer par là. Sinon, le grief qui sera fait sera d'avoir été privé de sa mémoire et de son histoire. Je prends un exemple : quand on raconte aux enfants l'histoire de El Ouafi, un travailleur algérien qui a eu une médaille d'or aux jeux Olympiques de 1928, alors ces jeunes issus de l'immigration découvrent que cela fait trois, quatre ou cinq générations que les Maghrébins sont légitimes dans ce pays. Ils sont présents dans ce pays depuis longtemps. Les Kabyles par exemple ont participé à la construction du métro parisien. On ne peut tout de même pas ne pas transmettre cette histoire, au motif que l'on craint les dérives ou les manipulations ! Quelle histoire n'a pas été à un moment ou à un autre manipulée par une minorité ou par un parti ? Entre le silence et la construction d'une mémoire commune, je choisis pour ma part la seconde solution – en sachant qu'il faudra être très prudent –, tout en sachant très bien que je peux moi-même être manipulé. Mais ce n'est pas dans le déni, ce n'est pas dans l'absence d'une construction historique et mémorielle de la période coloniale que la France a connue et qui a touché plusieurs générations de Français, que l'on pourra construire un destin commun.

*J.-P. Obin* – Souvent, les professeurs savent se démarquer de ce qui peut rester, dans les programmes, de scories idéologiques. Ils savent aussi tenir compte de leur public d'élèves. Ils savent donc tout simplement adapter la présentation d'un contenu à leur auditoire. Une de nos propositions est d'améliorer la formation des maîtres : très souvent, trop souvent, les jeunes enseignants qui sortent des IUFM sont affectés dans les établissements les plus difficiles, et sans aucune formation spécifique.

# Les difficultés de l'intégration

## Entretien avec Hakim El Karoui et Michèle Tribalat

*Alain Finkielkraut* – Avec la démographe Michèle Tribalat et Hakim El Karoui, président du Club XXI^e siècle qui, entre 2002 et 2005, fut plongé au cœur de la fabrique du discours politique comme plume de Jean-Pierre Raffarin, nous allons prendre notre courage à deux mains et aborder une question épineuse, scabreuse, passionnelle, obsédante et qui ne manquera pas de s'inviter dans la prochaine campagne électorale : l'intégration des immigrés et des enfants d'immigrés dans la société française. Je me jette donc à l'eau sans tarder : y a-t-il un problème de l'immigration en France ou y a-t-il un problème français de refus de l'autre, de crispation, de phobie des immigrés ?

*Hakim El Karoui* – Je formulerais la question de façon quelque peu différente. Aujourd'hui, en France, on ne sait plus que faire des immigrés, on ne sait plus quel chemin leur indiquer. On ne sait pas si on est prêt à les accepter et quand on les accepte, de gré ou de force, on ne sait pas où les emmener. Cette confusion a des conséquences pour les immigrés eux-mêmes, pour leurs enfants et pour l'ensemble de la population française. Elle induit une absence de discours, une absence de projet et sans doute cette violence que l'on connaît.

*A. Finkielkraut* – On ne sait pas où les emmener, dites-vous, mais les immigrés ou certains d'entre eux savent-ils eux-mêmes où ils veulent aller, y a-t-il, pour la majorité d'entre eux, volonté d'intégration ou peut-on parler, dans certains cas, d'un refus de s'intégrer ?

*H. El Karoui* – Il y a dans certains cas des problèmes très spécifiques, très violents qu'on peut analyser, qu'on peut chercher à comprendre pour essayer de les combattre, de les prévenir. Il y a aussi, dans une majorité des cas, un phénomène d'assimilation et non d'intégration.

*Michèle Tribalat* – Il est difficile de répondre à pareille question. Je suis démographe. Il me faudrait avoir des éléments concrets pour y répondre correctement. Le problème français, si problème spécifique à la France il y a, c'est bien de n'avoir pas construit les outils de la connaissance. Pour le reste, les difficultés dont on parle en France sont aussi, de plus en plus, celles de nos voisins, qu'il s'agisse du Royaume-Uni, des Pays-Bas, de l'Allemagne ou de la Belgique. La spécificité française, à cet égard, est faible. Comme en France, les concentrations ethniques à la périphérie des grandes villes posent problème. En France, elles sont très fortes en Île-de-France et elles s'y sont terriblement accrues au cours des trente dernières années ; en Seine-Saint-Denis tout particulièrement où ces concentrations reflètent à la fois une fuite des familles d'origine française et une formidable croissance du nombre de familles immigrées. Dans ce département, en

1999, plus de la moitié des jeunes de moins de dix-huit ans avaient au moins un parent immigré. Cette concentration culminait à Clichy-sous-Bois où 70 % des jeunes du même âge étaient d'origine étrangère. Mais on retrouve ce type de phénomène chez nos voisins, y compris dans des pays qui ont connu une immigration plus récente comme le Danemark ou la Norvège. À Copenhague, par exemple, la proportion de personnes d'origine étrangère (immigrées ou nées au Danemark de deux parents immigrés de tous âges) a dépassé 19 %, contre 7,9 % en 1980.

A. *Finkielkraut* – Je vais plonger plus profond. Vous avez participé, Michèle Tribalat, à un ouvrage collectif, *L'École face à l'obscurantisme religieux.* Vous commentez, ainsi qu'une vingtaine d'autres personnalités, le rapport Obin sur les signes et manifestations d'appartenance religieuse à l'école. Ces manifestations, dit d'entrée de jeu le rapport, ont pour but de mettre à distance la France et ceux, professeurs ou élèves, que l'on nomme « les Français ». Exemple : deux adolescents ont une altercation dans la cours de récréation d'un collège. Le principal s'interpose. L'un d'eux lui dit : « Ce n'est pas moi, c'est le Français qui a commencé ! » Or celui qui parle ainsi n'est pas moins français que son adversaire. Seulement, français par le passeport, il se veut musulman par l'identité. Nul intégrisme dans cette affirmation, juste un sentiment d'extériorité à la France. Ce qui pose un problème vertigineusement nouveau : la France est un pays d'immigration non depuis toujours mais depuis la fin du XIX$^e$ siècle, et l'on sait traiter ou, au moins, condamner le rejet des immigrés par les Français. On a les mots pour ça, on a l'énergie, on a les références, on a la mémoire. Mais le rejet de la France par les immigrés ou, pire encore, par leurs enfants, nous prend au dépourvu et nous laisse sans voix. Est-il au moins possible de mesurer l'ampleur du phénomène ?

*M. Tribalat* – Je suis incapable de mesurer aujourd'hui l'importance de ce phénomène. L'absence de données systématiques ne le permet pas. C'est une lacune du rapport Obin qui n'avait d'ailleurs pas de visée statistique. Il pose les problèmes liés aux manifestations d'appartenance religieuse constatés lors de la visite de certains établissements scolaires. Ces problèmes sont très graves et probablement sous-estimés en raison de la tendance au déni, les établissements soucieux de leur réputation n'aimant pas afficher leurs difficultés, et de l'absence d'incitation à la remontée d'informations. Mais les rapporteurs n'avaient pas d'instruments pour en mesurer l'intensité et l'étendue. Cette pauvreté des données invalide aussi un diagnostic résolument optimiste. D'ailleurs je ne suis pas convaincue que les tendances démographiques soient aussi favorables que vous l'écrivez dans votre ouvrage, monsieur El Karoui.

*H. El Karoui* – J'ai utilisé plusieurs enquêtes. La première de Vincent Brouard et Sylvain Tiberi qui est une enquête d'opinions conduite dans le cadre du CEVIPOF. Ils ont comparé les réponses de deux échantillons de populations. Un échantillon de Français originaires d'Afrique du Nord, d'Afrique noire et de Turquie, et un échantillon de Français de toutes origines. La deuxième étude provient de l'INED, elle porte sur la fécondité des femmes immigrées et sur les mariages mixtes. Il est de bon ton de parler de la crise du modèle français de l'intégration. Je rappellerai deux chiffres : aux États-

Unis, il y a des Blancs et des Noirs qui vivent ensemble depuis deux cent cinquante, trois cents ans. Aux États-Unis, les mariages mixtes entre une femme noire et un homme blanc sont compris, selon les années, entre 2, 3, 4 %. En France, au moment où Michèle Tribalat a mené son étude, les mariages entre une femme d'origine maghrébine et un homme français de souche, je vous laisse donner le chiffre…

*M. Tribalat* – Vous me parlez de mariages, mais les chiffres que j'avais construits alors portaient sur les unions, légitimes ou non. Ces chiffres, qui datent de 1992, et que l'on ressasse encore aujourd'hui, concernent les premières unions de jeunes gens nés en France d'origine algérienne, et non pas maghrébine, âgés de vingt à vingt-neuf ans, unions qui étaient en général des unions libres. Je mettais alors en garde contre le fait d'étendre ces résultats aux mariages. Il n'est pas sûr du tout que ce que l'on observe pour les unions vaille pour les mariages. Les jeunes filles se mariant plus jeunes que les garçons, j'avais, en 1992, quelques éléments pour conclure que leurs premiers mariages étaient très peu mixtes – la mixité, qui était de l'ordre de 24 % pour les premières unions, passait à 14 % pour les premiers mariages déjà célébrés au moment de l'enquête.

*A. Finkielkraut* – La mixité, c'est-à-dire…

*M. Tribalat* – La mixité, c'est-à-dire le fait de partager sa vie avec ce que vous appelez, et que je n'appelle plus, un Français de souche…

*A. Finkielkraut* – Pourquoi vous ne parlez plus de Français de souche ?

*M. Tribalat* – Parce que cela m'a valu une volée de bois vert, un procès moral en bonne et due forme. Je parle donc de Français d'origine française. Jusqu'à présent, ça passe. L'étude dont nous parlons date de 1992. On l'avait alors mal interprétée mais, en plus, on considère ces résultats datant de quatorze ans comme décrivant aussi la réalité actuelle. En fait, nous n'avons aucune donnée permettant de faire une réelle mise à jour de ces informations.

*H. El Karoui* – Je ne parle pas de *vos* résultats. Je pars de votre enquête. Je pars des résultats d'Emmanuel Todd et de l'enquête Brouard-Tiberi. On voit alors que 33 % des personnes d'origines africaine et turque, et qui se disent musulmans, considèrent qu'il n'est pas possible que leur fille se marie avec un non-musulman. Vous allez juger que ce pourcentage est considérable. Moi, je soutiens que c'est très faible parce qu'il faut admettre que les immigrés sont en train de suivre un chemin qui les conduit de leur culture d'origine à la culture française. Si vous posez la même question en Turquie, dans les pays d'Afrique noire ou au Maghreb, la réponse sera de 3 %. Dans une grande majorité des cas, pas dans tous les cas, l'intégration, c'est-à-dire l'adhésion aux valeurs, fonctionne, y compris dans les comportements des femmes immigrés. Vous ne pouvez pas nier ce point.

*M. Tribalat* – Je le nie absolument. On ne peut pas déduire d'une enquête d'opinions la réalité des faits. Je suis absolument opposée à cette démarche.

74

*H. El Karoui* – Vous remettez en cause tous les sondages qui sont faits aujourd'hui.

*M. Tribalat* – Non, je ne remets pas en cause le sondage du CEVIPOF. J'ai félicité les auteurs. C'est en effet la première enquête réalisée par un institut de sondage privé sur le sujet pour laquelle les concepteurs ont manifesté un vrai souci de la représentativité de l'échantillon. Cependant, elle n'est pas parfaite et comporte encore certains défauts de représentativité. Par ailleurs, cela reste une enquête d'opinions. On ne peut sauter directement des opinions aux faits. Prenons l'exemple des Américains. En 2003, une enquête menée par le Pew Research Center s'est intéressée à l'opinion des Américains sur ce qu'ils appellent le *dating*[5], c'est-à-dire les relations amoureuses, entre Noirs et Blancs. Elle a montré que près de 80 % des Américains y étaient favorables. Cette proportion n'a cessé d'augmenter : elle n'était que de 48 % seize ans auparavant. Pourtant, en 2003, seuls 9 % des couples mariés comprennent un Noir et un Blanc. Il est donc impossible de déduire la réalité de la mixité ethno-raciale à partir des opinions largement positives des Américains sur les unions entre Noirs et Blancs. On ne peut pas inférer une réalité d'une enquête d'opinions.

*H. El Karoui* – Je ne suis pas d'accord.

*M. Tribalat* – Il faut prendre la réalité statistique.

*H. El Karoui* – Enfin, votre réalité statistique. Vous dites que ce n'est pas possible. Parce que cela ne correspond pas à l'image que vous vous formez, vous en concluez que ce n'est pas la vérité. J'essaie, pour ma part, de croiser plusieurs sortes de données et mon expérience, ma subjectivité, et quand je crois à ces données, comme, par exemple, celles portant sur la fécondité des femmes immigrées, ce que je vois c'est que, dans la majorité des cas, le processus d'assimilation fonctionne.

A. *Finkielkraut* – Revenons sur le mot. Qu'est-ce que vous appelez l'assimilation ?

H. *El Karoui* – Il y a des débats en France sur le modèle français d'intégration. J'ai voulu poser la question autrement. Je ne me suis pas demandé quel modèle français d'intégration je souhaitais mais quel est le modèle français d'intégration, comment on le pratique en France. Je pars d'une vision qui est celle des Français, la vision de l'universel et de l'égalité de tous les hommes. Je constate alors qu'il y a une contestation par les immigrés de ce modèle-là à partir du moment où ils manifestent une grande différence. Les problèmes que nous avons aujourd'hui, de façon atténuée, nous les avons eus avec les Italiens, avec les Polonais. Je cite, dans mon livre, un tract hostile aux Italiens. On remplace Italiens par Maghrébins, on a le même texte aujourd'hui. La xénophobie est très forte parce qu'on ne supporte pas la grande différence qui vient contester la croyance en l'universel. Et je comprends que ce modèle-là, ce n'est pas un modèle d'intégration – mot qui ne veut rien dire, qui dit tout et son contraire – mais c'est un modèle qui à la fin assimile et qui assimile d'abord par les mariages.

*M. Tribalat* – Vous dites que c'est ma vision. Je me fonde sur des chiffres. Encore faut-il que ceux-ci soient correctement établis. Ceux dont vous vous servez pour démontrer l'importance des unions mixtes (il s'agit en fait d'unions avec des natifs) sont tirés de l'enquête « Famille » de 1999 sur laquelle j'ai longuement travaillé et que je connais bien. Ils portent sur ce que vous appelez les immigrés. En réalité, il s'agit d'hommes et de femmes nés à l'étranger, et comprenant donc les rapatriés. Or ces derniers se sont souvent mis en ménage avec un conjoint de la métropole. Chez eux, les unions « mixtes », dans ce sens, ont été nombreuses. Il faut savoir que, en 1999, plus de la moitié des personnes nées en Algérie étaient des rapatriés. Ce sont eux qui expliquent la proportion relativement élevée des unions conclues par les personnes nées en Algérie avec des natifs de métropole. Dans les pays européens, le phénomène qui inquiète aujourd'hui est celui des « mariages pour migrer ». Des jeunes gens et jeunes filles venus dans leur enfance ou nés en Europe, et donc scolarisés en Europe, continuent de se marier avec des « compatriotes » de leurs parents qui les rejoignent ensuite en Europe. Aujourd'hui, ils représentent une partie importante des flux migratoires dans la plupart des pays européens. Dans les pays qui ont les outils statistiques adéquats, on évoque la possibilité d'une régression sur ce terrain. Par ailleurs, à considérer les chiffres de l'enquête « Famille » de 1999 sur laquelle vous vous appuyez, et pourvu que l'on mette de côté, en faisant un certain nombre d'hypothèses, les enfants de rapatriés, il n'est pas sûr que ces mariages de personnes d'origine algérienne avec des conjoints immigrés se soient raréfiés, par rapport à l'enquête que j'avais réalisée en 1992.

*A. Finkielkraut* – Il y a les chiffres et il y a ce que l'on voit. Les sociologues, les démographes, les chercheurs peuvent dire que toute vision de la réalité est partielle ou subjective. Il n'en reste pas moins que ce qui est frappant aujourd'hui avec les nouvelles vagues d'immigration, c'est précisément le refus de certains enfants d'immigrés de s'intégrer. « Nous sommes français, disent-ils, on n'a pas à nous en demander davantage. » Le tampon administratif fait office d'intégration, la carte d'identité française les dispense d'identité française. Vous avez également parlé, Hakim El Karoui, d'un discours xénophobe. Je vais renverser votre proposition : l'antiracisme est très fort dans le discours dominant et il n'a jamais été aussi obsessionnel : au nom de l'antiracisme, il semblerait qu'on ne puisse plus être quoi que ce soit, puisque être ceci, c'est exclure cela. On préfère alors n'être rien et s'y tenir : « Est français celui dont l'État dit qu'il est français », lit-on dans un dossier récent de *Télérama*. Et le magazine rive leur clou à ceux qui veulent davantage en ces termes : « Y a-t-il, au fond, une autre définition plus juste et moins excluante ? » Français, autrement dit, et *fier de ne pas l'être*. Pour en finir avec l'exclusion, il faut se délivrer de toute consistance, de toute francité : un pur accueil, une France en creux, une France qui n'est plus un héritage mais une convention, qui n'est plus une appartenance mais une compagnie d'assurances, qui n'est plus une histoire partagée mais un État protecteur, qui n'est plus un passé et un projet mais un passeport et des droits. C'est vers cet idéal caritatif de l'inclusion universelle que le *politiquement correct* nous demande d'aller et le *politiquement correct*, c'est, par exemple, Alain Badiou disant « celui qui est ici est d'ici » ou Jamel Debbouze, mariannisé par une couverture du *Nouvel Observateur*, disant « on est des "icissiens" ».

Je me demande ce que peut donner une communauté d'« icissiens ». Il y a quelque chose de tout à fait singulier et inédit dans notre situation : la coïncidence entre un *refus grandissant d'être français* et un plastronnant *refus français d'être.*

*H. El Karoui* – Je suis en grande partie d'accord avec vous. Il y a deux problèmes distincts. Le premier, celui que vous appelez le *refus français d'être.* Le mot qu'il y a derrière, c'est le mot d'intégration, qui ne veut rien dire. Dans une enquête sociologique récente intitulée « Liberté, égalité, carte d'identité », la sociologue Evelyne Ribert conclut que les enfants d'immigrés, de toute immigration, européenne et africaine, ne sont ni plus ni moins français que les autres. Leur appartenance à la nation, comme celle de leurs camarades français de souche, est interrogée par la difficulté de construire un discours sur ce qu'est la France d'aujourd'hui. Derrière le mot d'assimilation que j'utilise, il y a l'idée de projet. Ce projet nécessite un moment de transition, qui est un moment de transition par définition violent. Ce projet doit être énoncé, explicité pour justifier cette transition et cette violence que n'importe quel immigré, de quelque origine qu'il soit, et particulièrement ceux qui sont d'origine maghrébine et probablement d'Afrique noire, a à faire pour arriver à ce projet final, qui est ce projet de francité.

*A. Finkielkraut* – Mais où est-il, ce projet ? Si la France s'absente ou s'abstrait d'elle-même, si elle ne veut plus entendre parler de civilisation française, si elle n'est plus une identité mais une sécurité, si l'assistanat social géné-

ralisé tient lieu de communauté nationale, où voyez-vous
poindre un projet ?

*H. El Karoui* – C'est l'objet de mon livre, *L'Avenir d'une
exception*[6], l'exception française, c'est l'attachement pour
l'égalité que je trouve non dans l'égalitarisme ou dans les
services publics – contre lesquels je n'ai rien –, mais dans
la capacité à considérer l'autre comme l'égal de soi. On
n'arrive plus à définir l'altérité parce qu'on échoue à
définir qui l'on est. Pour redonner du sens à cela, il faut
des projets politiques, le projet européen que j'essaie de
décrire dans mon livre et aussi un projet national qui
passe non pas par de vieilles recettes qui ne marcheront
plus parce que la société a changé, parce qu'il y a un désir
d'individualisme et de puissance de l'individu. Dans l'idée
d'égalité, on peut trouver beaucoup de sens et beaucoup
d'incarnation de cette francité qu'on cherche.

*M. Tribalat* – Vous avez dit, Alain Finkielkraut, que,
dans l'esprit de certains, aujourd'hui, la question de
l'intégration n'aurait plus à être posée, qu'elle serait résolue d'emblée. Il faut ajouter que la sociologie a beaucoup
aidé à convaincre ces populations que tel était le cas. Le
pire qui puisse arriver aux nouveaux venus est que l'on
manque d'exigences à leur égard, ce qui est le cas aujour-
d'hui. Ils ne savent pas ce que l'on attend d'eux. De plus
en plus se développe une tendance à concevoir la distinction entre l'espace privé et l'espace public à la britan-
nique. Il suffirait donc aux nouveaux venus de respecter
les lois pour qu'ils soient considérés comme des Français
à part entière. Ce n'est pourtant pas le cas parce que,
traditionnellement, en France, l'espace privé est conçu
de manière plus restreinte : c'est « ce qui ne se voit pas

en public ». Je renvoie à un excellent article de Philippe d'Iribarne paru dans la revue *Le Débat* et à un livre récent du même auteur qui l'expliquent très bien [7]. Les Français demandent que les comportements en public soient conformes à ce qu'ils attendent, que les nouveaux venus respectent les codes sociaux auxquels ils sont habitués. Au Royaume-Uni, on se croise dans l'espace public en tolérant la diversité des codes sociaux, pourvu que l'on puisse voisiner avec ceux qui partagent les mêmes codes sociaux, d'où la ségrégation. Même si, au Royaume-Uni aussi, les choses sont en train de changer.

*A. Finkielkraut* – Les choses, en effet, changent. Je me souviens de la réaction de scepticisme en France, *a fortiori* dans les autres pays européens, lors de la première affaire du voile islamique à l'école. J'avais moi-même pris parti avec d'autres, Régis Debray, Catherine Kintzler, Élisabeth de Fontenay, Élisabeth Badinter, pour une définition claire et stricte de la laïcité, et on nous regardait au mieux comme des excités, comme des bovarystes politiques qui s'enivraient de grands mots pour colorer la prose des jours (« le Munich de l'école républicaine » !), au pire comme des racistes, ou, pour le dire d'un mot qui a pris son envol à cette époque, des *islamophobes*. Et voici que la Hollande et l'Angleterre multiculturalistes font entendre, à leur tour, le langage de l'interdiction. Le gouvernement néerlandais se prononce contre la burka, et le blairiste Jack Straw dit tout haut son malaise devant les femmes qui portent le voile intégral. Il se plaint de cette manière brutale et violente d'affirmer la séparation ; on lui répond en invoquant les droits de l'homme ; il pourrait répondre à cette réponse par une autre interprétation des droits de l'homme, mais la civilisation européenne n'est pas née avec les droits de l'homme. L'affichage de la séparation contrevient à une grande et ancienne tradition occidentale de visibilité de féminin. Comme l'écrit justement Claude Habib : « Ce qui a été élaboré au long des siècles comme forme de la coexistence des sexes est bel et bien condamné par l'islam dans ses dormes rigoristes. Une femme voilée affirme tacitement que tout homme inconnu est un danger dont il faut se garder. L'homme en soi est un péril[8]. »

Confrontée à cet autre régime de la coexistence des sexes, la vieille Europe de la mixité ne défend pas seulement les droits de l'homme, elle se retrouve autour de ses propres codes sociaux.

*M. Tribalat* – Le multiculturalisme est en effet remis en cause depuis un certain nombre d'années, y compris par Trevor Phillips, président de la Commission for Racial Equality (CRE), qui a conseillé de mettre au rancart le terme « multiculturalisme » – « *We are sleepwalking to segregation*[9] » – pour adopter une politique d'intégration positive. Mais cette remise en cause ne conduit pas les Britanniques à nous rejoindre. En témoigne l'accueil absolument horrifié, par le même Trevor Phillips, de la loi sur les signes religieux en France, la qualifiant de décision vraiment répressive, faisant de l'œil à l'extrême droite et propre à conduire au désastre[10] ! En France, la contradiction est profonde entre ce fonds traditionnel – on souhaite que les nouveaux venus adaptent leurs codes sociaux – et le discours encourageant à vivre librement sa différence. Comment voulez-vous qu'ils s'y retrouvent ?

*H. El Karoui* – D'où l'importance de leur tracer un chemin, de mettre les mots sur les choses. Je suis d'accord avec Michèle Tribalat quand elle distingue la sphère privée et la sphère publique. L'intérêt de la laïcité, c'est précisément de dresser une frontière entre ces deux sphères. Les immigrés doivent accepter que la frontière se situe à un endroit qui n'est pas nécessairement le même que dans leur culture d'origine. Dans toutes les sociétés européennes, il y a une égalité entre les hommes et les femmes, dans les règles d'héritage par exemple (je m'appuie sur les travaux d'Emmanuel Todd), ce qui n'est pas le cas dans les pays arabes où la femme ne reçoit que la moitié de l'héritage ou au tribunal où son témoignage ne pèse que la moitié de celui d'un homme. Un des enjeux fondamentaux est donc cette égalité des sexes. C'est pourquoi le débat sur le voile est si important, lequel porte moins d'ailleurs, selon moi, sur la laïcité comme frontière que sur l'égalité des sexes.

A. *Finkielkraut* – Il y a bien une difficulté. Certaines jeunes femmes voilées invoquent les droits de l'homme et l'égalité pour dire : « Nous voudrions pouvoir, dans l'espace public, nous habiller comme nous le souhaitons. » Il est difficile de leur répondre en leur disant qu'elles sont manipulées car il y a d'autres formes d'aliénation aussi criantes que celle-là. Je vois d'ailleurs avec tristesse la laïcité se polariser sur le voile et laisser les marques envahir l'école. Mais l'Europe, ce n'est pas seulement un catalogue de droits, l'Europe ce sont aussi des mœurs auxquelles il est légitime de faire droit, même si elles sont antérieures à l'affirmation des droits de l'homme.

Plus généralement, l'égalité est un mot-valeur, un nom unanimement acclamé et qui abrite, de ce fait, des significations contradictoires.

Exemple : le grignotage progressif du thème républicain de l'*égalité des chances* par le nouvel idéal régulateur de l'*égalité de résultats* et de la réussite pour tous. Des sociologues expliquent que si vous habitez le V$^e$ ou le VI$^e$ arrondissement de Paris, vous allez à Henri-IV, et vous êtes assuré de faire de belles études, tandis que, si vous habitez Clichy-sous-Bois ou La Courneuve, vous êtes sûr d'échouer. Les notions de mérite, de travail, d'effort personnel cèdent la place à la certitude « scientifique » que tout est joué d'avance. On oublie que la majorité des enfants nés coiffés n'obtiennent pas d'assez bons résultats pour être admis au lycée Henri-IV et l'on impute automatiquement au système les éventuelles mauvaises notes de l'élève socialement ou géographiquement défavorisé.

L'excellence est frappée de suspicion et la réussite scolaire est de plus en plus conçue comme un droit qu'il incombe à l'école de garantir, en se réformant, à tous les élèves. Ceux qui ne font rien ou qui ont du mal sont donc fondés non à essayer de faire mieux mais à dénoncer l'injustice dont ils sont victimes. En mettant le feu à leurs bahuts, les émeutiers de novembre 2005 ont montré qu'ils avaient très bien, trop bien peut-être, entendu le message.

Au nom de la lutte contre toutes les inégalités, ce sont les principes mêmes de la république qui sont mis à mal.

*H. El Karoui* – On est bien d'accord. L'égalité, ce n'est pas l'égalitarisme. L'égalité, c'est l'égalité de tous les hommes. M'appuyant toujours sur les travaux d'Emmanuel Todd et les règles d'héritage, on voit que cette idée d'égalité est spécifique à la France, et notamment au grand Bassin parisien, égalitaires. On ne retrouve pas ces règles d'héritage égalitaires en Allemagne ou en Grande-Bretagne.

A. *Finkielkraut* – Permettez-moi une incise. La Déclaration universelle des droits de l'homme proclame l'égalité de tous. La démocratie, disait Tocqueville, c'est le fait de voir son semblable en tout homme. Le processus démocratique a touché l'Europe tout entière, l'ensemble du monde occidental, quelles que soient les règles d'héritage. On ne peut pas dire que la France pense le semblable mieux que l'Angleterre ou l'Allemagne.

H. *El Karoui* – Il ne s'agit pas de distribuer des bons points. Mais la passion égalitaire française, qui se transforme parfois en égalitarisme, qu'on ne retrouve pas en Grande-Bretagne ou aux États-Unis où l'on est plutôt animé d'une passion inégalitaire, influe exactement sur la société et sur la représentation qu'on se forme de la société. Pour sortir de ces aspects démographiques et à la question des immigrés, en Grande-Bretagne, le taux de pauvreté est de 24 %, or vous n'entendrez jamais un Anglais dire de cette situation qu'elle est intolérable, en France, il est de 12 % et cette situation est quotidiennement dénoncée. Il y a, à travers cette idée de représentation de soi et de l'autre, une consistance anthropologique majeure dans l'organisation des sociétés. La façon dont, il y a dix ans, pour reprendre les travaux de Michèle Tribalat et d'Emmanuel Todd, les Français assimilaient leurs immigrés était différente de celle dont les Américains assimilaient les immigrés ou leurs Noirs. On peut reprendre l'exemple des unions mixtes entre les Noirs et les Blancs aux États-Unis qui sont pratiquement nulles alors que, même sans parler des Maghrébins, on ne peut dire que les unions entre les Espagnols ou les Italiens et les Français sont nulles.

*M. Tribalat* – On ne peut pas comparer nos migrants espagnols avec les Noirs américains. Le problème noir américain est tout à fait particulier.

*H. El Karoui* – Cela fait trois cents ans qu'ils vivent ensemble.

*M. Tribalat* – Ils ont connu l'esclavage, et l'on ne peut éliminer cette expérience d'un trait. Les « Latinos » arrivés plus récemment se marient beaucoup plus souvent avec des Américains que ne le font les Noirs.

*H. El Karoui* – Je vous renvoie au *Destin des immigrés* d'Emmanuel Todd. Il y a deux catégories aux États-Unis : les Noirs et les non-Noirs. Les Américains ont réussi à assimiler, par le mariage, tous les non-Noirs, les Italiens, les Juifs, les Polonais, les Asiatiques, mais pas les Noirs. Aujourd'hui, on retrouve aux États-Unis une crainte liée aux Latinos qui, dans l'inconscient, renvoient aux Indiens et reprend ce triangle Blancs-Noirs-Indiens.

*A. Finkielkraut* – Aux États-Unis, il y a eu le 11 septembre, et un de ses effets, non commenté en France, a été une recrudescence du patriotisme américain. Une même douleur et le même sentiment d'une communauté de destin ont uni alors les Noirs et les Blancs. Ce sentiment se raréfie en France sous l'effet conjugué de la culpabilité historique (la France a honte de son passé colonial et vichyste) et de l'euphorie technique (ceux qui surfent sur Internet n'ont plus conscience d'être de quelque part ni d'habiter la terre).

*M. Tribalat* – Des enquêtes internationales récentes sur la fierté nationale[11] montrent que les Américains sont très nombreux à être très fiers d'être américains plutôt que citoyens d'un autre pays : 74 % contre 32 % des Français. Les Français, comme beaucoup d'autres Européens, sont moins fiers de leur histoire, des performances scientifiques et techniques, des performances sportives de leur pays, etc. Ils sont également très peu fiers de leurs forces armées (12 % des Français en sont très fiers contre 74 % des Américains). La seule chose dont les Français soient beaucoup plus fiers, c'est leur système de sécurité sociale (27 % contre 13 %). Ce manque de fierté et d'estime nationales ne favorise pas l'identification des enfants d'immigrés à la France.

*A. Finkielkraut* – On revient à ce que je disais tout à l'heure. La France qui n'est plus une patrie mais un État protecteur, une compagnie d'assurances. Si la formule française, c'est un passeport et des droits, je ne vois pas à quel type d'intégration on peut s'attendre.

*H. El Karoui* – Le patriotisme des Noirs américains n'est pas un patriotisme d'immigrés. La situation du patriotisme, en France, et en Europe, est beaucoup moins le fait de l'arrivée d'immigrés que de la montée d'une forme d'individualisme qui n'est pas liée à Mai 68 mais à une montée de l'instruction, projet qui date des Lumières. Quand il y a 10 % de gens instruits, on accepte l'autorité, on en a besoin ; quand aujourd'hui on a 70, 80 % de gens qui ont le bac…

*A. Finkielkraut* – Ce qui ne veut pas dire qu'ils sont instruits...

*H. El Karoui* – Certes, cela veut quand même dire que les Français ont la capacité intellectuelle de remettre en cause les idéologies et la question nationale. Les immigrés qui ont besoin d'avoir un référent très fort au bout de leur cheminement s'en trouvent du coup dépourvus. Mais ce n'est pas la question des immigrés mais celle de savoir comment on invente la France d'aujourd'hui et de demain.

*M. Tribalat* – Les Américains ne sont pas moins éduqués que nous...

*H. El Karoui* – Non, mais ils ont une autre histoire et un autre rapport à l'individu...

*M. Tribalat* – Ce n'est donc pas le seul niveau d'éducation qui compte. C'est bien aussi l'histoire et le rapport à l'individu, comme vous dites.

*A. Finkielkraut* – Le rapport à l'individu, justement. Younes Amrani, coauteur avec Stéphane Beaud de *Pays de malheur!*, expliquait en ces termes la violence de la révolte des banlieues : « Comment ne pas péter un câble et ne pas faire de conneries quand tu n'as pas de fric ? » À cette question exclamative, voici comment répond un autre écrivain immigré, Andreï Makine : « Il faudrait des mots clairs pour parler de l'immigration qui pour la première fois dans l'histoire de ce pays devient un échec, après tant de vagues intégrées par la France pour son plus grand bien. Dire que ces vagues humaines se sont intégrées dans des conditions cent fois plus dures que celles que connaissent les immigrés d'aujourd'hui. Et que c'était peut-être la chance de ces Italiens, de ces Polonais, de ces Russes, de ces Arméniens, de ces Portugais et de tant d'autres, car, malgré la misère, ils avaient évité l'actuelle machine à transformer l'homme en parasite social, ils avaient échappé à cette broyeuse idéologique qui engloutit un être humain et recrache un assisté bouffi de ressentiment et de haine[12]. »

Cette mentalité fustigée par Andreï Makine et excusée voire exaltée par Younes Amrani procède de la passion individualiste du bien-être. Toujours plus d'État; toujours plus de droits: la même obsession des jouissances matérielles réunit ces deux exigences. Et c'est leur frustration qui débouche aujourd'hui sur une rage destructrice. Celle-ci se réclame de l'islam et de la lutte contre le postcolonialisme, mais elle est avant tout insatiablement consumériste et relève, en ce sens, d'un occidentalisme échevelé. Le discours est tiers-mondiste et communautariste, mais la volonté à l'œuvre, c'est celle du « tout, tout de suite ». Dans la révolte des banlieues, je vois le choix de la promesse technique d'accès immédiat aux êtres et aux choses, contre la promesse d'émancipation par la médiation de ceux qu'on appelait autrefois les *instituteurs*. La phrase « le fric ou je fais des conneries » n'est pas une phrase de rupture avec la société actuelle, mais une phrase d'adhésion à ce que cette société a de pire.

*H. El Karoui* – Vous parlez des jeunes de banlieue qui, encore une fois, sont un groupe spécifique minoritaire, minoritaire parce que les banlieues sont minoritaires. Il y a trois ou quatre problèmes qui ne leur sont peut-être pas spécifiques mais qui en tout cas s'additionnent. Le problème qu'on essaie de masquer et qu'on ne perçoit plus qu'à travers les jeunes de banlieue d'origine immigrée est celui des enfants d'ouvriers et de l'espoir que les ouvriers peuvent avoir pour eux et leurs enfants. Cet espoir est quasiment nul. Et ce désespoir, on le retrouve dans les banlieues où les jeunes, qui sont enfants d'immigrés, sont deux fois plus enfants d'ouvriers que les jeunes Français de souche, et trois fois plus enfants d'employés. On a donc le problème des milieux populaires en général. Ensuite se pose le problème de la violence anthropologique qui est ce chemin entre la culture d'origine et la culture française. Le chemin que d'autres sociétés font en cinquante, cent, cent cinquante ans, on demande aux immigrés de le faire en cinq ans, dix ans. On demande souvent : « Que font les parents ? » Ils sont absents, ne font montre d'aucune autorité, il faut les sanctionner. Plaçons-nous dans une situation concrète : prenons une fille de parents ouvriers, maghrébins, âgée de seize ou dix-sept ans, qui sort avec un camarade de sa classe. Pour nous, rien d'anormal, pour le père, c'est inimaginable. Il va s'y opposer. Dans 5 % des cas, il va tenter d'enfermer sa fille. Dans 95 % des cas, la liaison continuera. Quelle sera alors la relation entre la fille et le père, sachant que la fille est rapidement plus instruite que le père ? Elle va prendre son autonomie. Le grand frère essaiera de suppléer, se targuant de posséder les codes de la société que son père ignore pour exercer son autorité. De là les difficultés que l'on connaît. La famille, notamment maghrébine, où règne l'inégalité entre les hommes et les femmes, cette famille de type communautaire et non nucléaire, où se manifeste une autorité forte entre les générations, explose lorsqu'elle arrive en France. Ce qui produit de la violence mais aussi une forme de liberté absolue parce qu'il n'y a plus les cadres symboliques qui structurent les enfants. Le troisième problème, c'est celui de l'islam dans le monde. Les sociétés non pas musulmanes mais arabes, hier perses, peut-être turques mais pas indonésiennes, en tout cas moins, quelle est leur situation aujourd'hui? Elles sont en train de passer d'une société traditionnelle à une société qu'on appellera moderne. Comment mesure-t-on ces évolutions? Avec des données démographiques et, là aussi, avec des taux d'instruction. L'Iran, par exemple, sous l'autorité des mollahs, a connu la plus rapide transition démographique de l'histoire et en même temps une augmentation du taux d'instruction considérable. Ces mouvements produisent, à l'intérieur des sociétés, des changements fondamentaux. Dans ces moments de crise, crise parce que l'on passe d'un modèle à un autre, il y a des gens qui trouvent des solutions et font leurs ces modèles. Les jeunes de banlieue disent «je ne suis pas français, je ne suis pas non plus maghrébin, algérien, marocain», ils disent, en revanche, «je suis musulman, c'est mon identité». Comme d'ailleurs dans les pays arabes de confession musulmane où l'on rencontre des gens parfaitement éduqués qui, les premiers à affronter la question de la modernité à inventer, affirment être musulmans avant tout.

*A. Finkielkraut* – On assiste aujourd'hui, dans le monde musulman, au processus de dénationalisation par l'appartenance religieuse. Il semble que ce soit désormais l'identité islamique qui compte avant tout. N'y a-t-il pas des retombées de ce phénomène en France? N'est-il pas légitime de parler d'un problème spécifique de l'islam?

*H. El Karoui* – Bien évidemment. Il y a un problème spécifique de l'islam en France parce qu'il y a un problème spécifique de l'islam dans le monde.

*A. Finkielkraut* – Vous seriez d'accord avec cela, Michèle Tribalat ?

*M. Tribalat* – Je serais d'accord. J'ajouterai à cela des effets paradoxaux de la migration. On a remarqué, aux Pays-Bas et en Belgique, que les jeunes filles d'origine marocaine les plus éduquées avaient une propension plus forte à aller chercher un époux au Maroc. À la pression s'exerçant dans le pays d'origine pour migrer s'ajouterait l'appréciation qu'elles portent sur les jeunes hommes vivant en Europe, trop souvent au chômage et paradoxalement jugés plus traditionnels. Contrairement à ce que l'on aurait pu attendre, le niveau d'éducation, les projets d'une taille de famille réduite et le recul de l'âge au mariage s'accommodent fort bien des pratiques matrimoniales traditionnelles et donc du mariage arrangé [13].

*H. El Karoui* – Les dirigeants de l'UOIF en France, qui est une branche non officielle des Frères musulmans, sont pour la plupart des scientifiques et certains possèdent des doctorats. Le secrétaire général est docteur en neuropsychologie. Les dirigeants du FIS n'étaient pas des paysans attardés, c'étaient des gens éduqués.

*A. Finkielkraut* – C'est le phénomène, tout à fait surprenant pour les Français, de l'ingénieur intégriste.

*H. El Karoui* – Ce n'est pas surprenant: l'ingénieur intégriste, c'est celui qui constate que la société change, que les valeurs se désagrègent, et qui se met en quête d'une solution. Hassan El Banna, le fondateur des Frères musulmans, était un instituteur. Enfin, pour prendre le cas extrême de l'Afghanistan, *taliban* signifie « étudiant ».

*M. Tribalat* – Étudiant du Coran.

*A. Finkielkraut* – Comme j'avais pu le constater au Caire, dès 1980, les facultés de médecine sont des foyers d'intégrisme religieux. Or la médecine, pour nous, c'est le lieu *moderne* par excellence où la santé et le bien-être se substituent au salut de l'âme. La médecine, c'est le positivisme, les blagues de carabin, la primauté du corporel. Nous n'avons pas d'équivalent dans notre tradition de cette modalité du fanatisme. Quelle réponse devons-nous lui apporter ?

*H. El Karoui* – Il y a une évolution globale des sociétés arabes ou perses et il y a en France des immigrés qui viennent de ces sociétés qui ont eux-mêmes un travail considérable à faire pour devenir français et qui connaissent la tentation d'entrevoir la solution à l'extérieur, sachant en plus que l'horizon pour eux n'est pas clair. C'est un problème social, ce n'est pas un problème politique qui trouverait sa solution dans une loi. La loi sur le voile avait du sens parce qu'elle était symboliquement importante et qu'elle traçait la frontière entre l'espace public et l'espace privé et qu'elle affirmait le refus de l'inégalité entre les hommes et les femmes. Dire que l'on va faire une loi et que les musulmans deviendront de bons laïcs, non. Il faut du temps. Ces moments de crise entre sociétés traditionnelles et sociétés modernes, on les a connus en Europe. Il faut donc éviter de jeter de l'huile sur le feu, comme on le fait régulièrement.

*M. Tribalat* – Je ne suis pas d'accord avec l'idée que le temps suffira pour régler la question et qu'il nous faut attendre que le temps fasse son œuvre. Si l'on reste les mains dans les poches à ne rien dire, sans leur révéler qui l'on est et ce que l'on attend d'eux, il se produira peut-être le pire.

*H. El Karoui* – Ce n'est pas ce que j'ai dit. Quand je parle d'assimilation, il s'agit bien de rappeler quelles sont les règles et quel est le projet.

*M. Tribalat* – Pour moi, cela reste vague. Quand vous parlez de projet, je ne comprends pas ce que vous entendez concrètement par là.

*H. El Karoui* – J'étais à Matignon. J'ai participé de très près à l'élaboration de la loi sur le voile. Il me semble que c'est relativement concret.

*M. Tribalat* – Vous dites que, après la loi sur le voile, on ne peut plus rien faire, qu'on leur a tracé la frontière entre le privé et le public et que l'on ne peut plus espérer qu'une chose, qu'ils tomberont d'eux-mêmes du bon côté.

*H. El Karoui* – On ne dit pas qu'on espère. On sait qu'ils vont tomber du bon côté, comme nous nous sommes tombés du bon côté.

*A. Finkielkraut* – Pour qu'ils puissent tomber du bon côté, comme vous dites, encore faut-il avoir le droit de critiquer le mauvais. Or ce droit nous est retiré : depuis que l'islam se montre violent, en invoquant ses propres principes, toute allusion à la violence de l'islam est suspecte d'islamophobie, c'est-à-dire de racisme, ni plus ni moins. Islamophobe aussi la loi sur le voile à l'école, selon l'UOIF, la principale organisation du Conseil représentatif des musulmans de France. Comment fixer des règles, et comment les rendre acceptables dans un tel climat de chantage ?

*H. El Karoui* – Je ne crois pas que cela relève du racisme pur et simple. Ils utilisent, et ils ont raison de leur point de vue, les faiblesses de notre système.

*A. Finkielkraut* – La mauvaise conscience, sans doute.

*H. El Karoui* – C'est un rapport de forces. Ils utilisent aussi la voix au chapitre qu'on leur donne. Il y a beaucoup de solutions qui sont de petites solutions. On peut d'abord s'appuyer sur les réussites au lieu de parler toujours des échecs, ce qui est une tentation constante. On peut aussi, au lieu de donner le pouvoir au sein de la CSCM aux islamistes et de mélanger religieux et représentants des musulmans, cantonner ces derniers aux questions qui concernent la religion.

*A. Finkielkraut* – Il ne faudrait peut-être pas accuser ceux qui essaient de regarder la réalité en face de mettre de l'huile sur le feu. Avec cette expression…

*H. El Karoui* – Je pensais aux caricatures du Prophète. Des deux points de vue, c'est un scandale : du point de vue danois, relativement à la liberté d'expression ; du point de vue des musulmans qui sont dans ce processus d'évolution, c'est aussi un scandale.

*M. Tribalat* – Je ne vis pas au Danemark, je vis en France. Mais, comme les Danois, je souhaite que l'on continue, en Europe, de caricaturer les prophètes, comme le reste. Il n'y a pas de liberté d'expression sans le consentement à être choqué par l'opinion d'autrui. Aujourd'hui, les dessinateurs danois vivent sous protection policière. C'est maintenant aussi le cas d'un professeur de philosophie en France. C'est insupportable.

# La laïcité dans tous ses états*

## Entretien avec Maurice Agulhon et Lionel Jospin

*Alain Finkielkraut* – Qu'est-ce que la laïcité ? À quelles conditions l'école peut-elle être laïque ? Y a-t-il une spécificité, voire une exception française en la matière ? Si oui, cette spécificité doit-elle être renforcée ou résorbée ? L'affirmation de la tolérance suffit-elle à l'exigence de la laïcité ? Une laïcité plus souple doit-elle aujourd'hui succéder à l'intransigeance des hussards noirs d'hier ? Telles sont les questions que nous aborderons avec Lionel Jospin et Maurice Aguilhon.

Sans surprise, nous commencerons avec l'affaire qui, depuis cinq ans, met périodiquement le feu aux poudres et la laïcité en débat – je veux parler bien sûr du foulard islamique. En septembre 1994, François Bayrou adressait

* Cette émission a été diffusée le 29 octobre 1994. Elle est postérieure à l'avis du 27 novembre 1989 du Conseil d'État relatif au port de signes d'appartenance à une communauté religieuse au sein de l'école publique et antérieure à la loi du 15 mars 2004 encadrant, en application du principe de laïcité, le port de signes ou de tenues manifestant une appartenance religieuse dans les écoles, collèges et lycées publics.

aux chefs d'établissement et aux inspecteurs d'académie une circulaire[14] où il était notamment stipulé que, en France, « le projet national et le projet républicain se sont confondus autour d'une certaine idée de la citoyenneté. Cette idée française de la nation et de la République est par nature respectueuse de toutes les convictions, en particulier des convictions religieuses, politiques et des traditions culturelles. Mais elle exclut l'éclatement de la nation en communautés séparées, indifférentes les unes aux autres, ne considérant que leurs propres règles et leurs propres lois, engagées dans une simple coexistence. La nation n'est pas seulement un ensemble de citoyens détenteurs de droits individuels, elle est une communauté de destin ». On lit un peu plus loin : « C'est pourquoi il n'est pas possible d'accepter à l'école la présence et la multiplication de signes si ostentatoires que leur signification est précisément de séparer certains élèves des règles de vie commune de l'école. Ces signes sont en eux-mêmes des signes de prosélytisme, à plus forte raison quand ils s'accompagnent de la remise en cause de certains cours ou de certaines disciplines, qu'ils mettent en jeu la sécurité des élèves, ou qu'ils entraînent des perturbations dans la vie en commun de l'établissement. Je vous demande donc de bien vouloir proposer au conseil d'administration, dans la rédaction des règlements intérieurs, l'interdiction de ces signes ostentatoires, sachant que la présence de signes plus discrets, traduisant seulement l'attachement à une conviction personnelle, ne peut faire l'objet des mêmes réserves comme l'ont rappelé le Conseil d'État et la jurisprudence administrative. »

Lionel Jospin, vous êtes le premier ministre de l'Éducation nationale à avoir été confronté à ce problème. Vous avez en quelque sorte essuyé les plâtres. En 1989, vous préconisiez le dialogue plutôt que l'interdiction : ce n'est pas, disiez-vous, en provoquant le refus et en pratiquant l'exclusion qu'on favorisera l'évolution de l'islam dans le monde occidental. Depuis lors, le nombre des foulards a considérablement augmenté. Dans ce nouveau contexte, approuvez-vous la mise au point de votre successeur ? La jugez-vous, ou non, adaptée à la situation et conforme aux principes ?

*Lionel Jospin* – Ce sont des questions difficiles et qui, à mon sens, ne doivent pas s'examiner d'abord sur le terrain de l'attitude, favorable ou hostile, qu'on peut avoir à l'égard du foulard. Que les choses soient bien claires : je suis personnellement non favorable au port de signes religieux (notamment de foulards religieux) à l'école. Ce n'est pas non plus la question de savoir si l'on est plutôt pour le dialogue (dont je me réclame), ou bien pour l'interdiction. Je me souviens d'avoir été assez touché à l'époque de ce que, quand des problèmes locaux étaient devenus un débat national, l'on puisse penser que j'étais guidé par un esprit de trop grand laxisme ou de trop grande complaisance à l'égard du port des foulards à l'école ; certains disaient même que c'était ma nature hésitante et mon manque de courage qui expliquaient mon attitude. En réalité, mon attitude s'expliquait par une raison simple qui reste au cœur des problèmes d'aujourd'hui : peut-on, ou bien ne peut-on pas, interdire dans l'État de droit qu'est la France la présence de signes religieux à l'école ? J'avais une conscience aiguë que cela ne serait pas possible de façon générale, parce que cela n'est pas conforme aux textes fondamentaux de la République et à la conception de la liberté qui est celle du Conseil d'État depuis toujours. En revanche, et ceci pour

99

montrer que ce n'est pas le choix entre dialogue ou interdiction qui est au cœur de la discussion, il y a des choses
que l'on pouvait interdire dès le départ, et que l'on peut
toujours interdire : ce sont les manifestations de prosélytisme d'une part, et le non-respect de l'assiduité à des
cours fondamentaux d'autre part. On ne peut pas décider, au motif de telle ou telle conviction religieuse, de ne
pas assister au cours de biologie ou d'éducation physique.

*A. Finkielkraut* – Dans cette circulaire, précisément parce
qu'on veut s'appuyer sur l'État de droit, le ministère dit
que les signes religieux ostentatoires (le foulard islamique
en tête) sont *en eux-mêmes* des éléments de prosélytisme : le
fait même de les porter est un acte de prosélytisme. Êtes-
vous d'accord avec cette interprétation, ou bien pensez-
vous qu'elle est tirée par les cheveux et qu'elle va trop
loin ?

*L. Jospin* – J'observe en passant que c'est au sujet de
jeunes filles que la question est portée : on ne dit pas ce
qui se passerait si quelques jeunes hommes barbus
venaient dans les établissements... Cette remarque faite,
je dirai que j'ai toujours eu dans cette affaire un esprit de
responsabilité et de prudence à l'égard de l'institution.
Je ne veux pas mettre la laïcité en position de faiblesse
par rapport à l'intégrisme radical : c'est là un principe
qui m'a toujours guidé dans ma démarche. Il a donc
fallu prendre fermement appui sur le droit, parce que
toute décision mal fondée et qui aboutirait à lui donner
raison devant des tribunaux administratifs serait une
défaite pour la laïcité. Or je ne veux pas d'une défaite
de la laïcité, surtout si le problème, au lieu de rester
localisé au niveau d'un établissement, devait remonter

vers des décisions de principe, au plus haut niveau de nos instances politiques.

Pour en venir maintenant à votre question, je crois que l'interprétation faite par le ministère est un peu tirée par les cheveux. Le Conseil d'État dit qu'un signe religieux ne peut pas être en lui-même un signe ostentatoire, en parfaite cohérence avec le principe de la laïcité selon lequel le spirituel ne peut pas être juge du temporel, et réciproquement. L'habileté de la circulaire Bayrou, dont je crains cependant qu'elle ne puisse être efficace, consiste à dire que des signes religieux sont en eux-mêmes ostentatoires. Mais comment dire cela à partir du moment où on ne les nomme pas ? La circulaire Bayrou en effet ne nomme pas le foulard islamique parce qu'elle ne peut pas le faire.

*Maurice Agulhon* – Je ne peux évidemment pas me situer sur le même plan que M. Jospin, d'abord parce que je n'ai pas été ministre et ensuite parce que je ne suis pas juriste. Mes rapports directs avec l'enseignement secondaire remontent par ailleurs à un très grand nombre d'années... Je ne me sens par conséquent pas autorisé à conseiller ou à contredire des gens qui sont sur le terrain ou qui, comme M. Jospin, ont eu la charge de connaître et de gérer toute cette affaire. Si vous m'avez invité, c'est pour rappeler que, en plus des problèmes de négociation sur le terrain et des problèmes de pédagogie ou de discipline, se posent les problèmes de droit que M. Jospin vient d'évoquer. Il y a aussi des problèmes d'opinion publique. Je crois que, au-delà des questions d'applications ou de circulaires, il doit y avoir un débat fondé sur les principes les plus anciens et les plus généraux pour dire qu'on est contre le foulard islamique. Je crois qu'on doit être sans complaisance à l'égard de cette tentative tout spécifiquement, pour deux raisons au moins. D'une part, il ne s'agit pas d'une religion, mais de la version intégriste et fanatique d'une certaine religion ; d'autre part, dans l'intransigeance d'une certaine lecture de l'islam, il y a une discrimination inadmissible à l'égard des jeunes filles musulmanes dont beaucoup sont en l'occurrence des citoyennes françaises.

*A. Finkielkraut* – Voici, à cet égard, ce qu'écrit le grand juriste François Goguel : « Il n'est pas contestable que la fraction intégriste de l'islam récuse toute égalité entre personnes de sexe masculin et de sexe féminin – ce que condamnent en France de manière absolue des textes de valeur constitutionnelle. Le port du tchador par les jeunes filles et les femmes musulmanes a pour raison d'être de concrétiser et de manifester cette discrimination entre les sexes, ce qui ne saurait être accepté en France dans un établissement d'enseignement. Voilà pourquoi il ne saurait en aucune manière être reçu à invoquer la règle constitutionnelle du respect de toutes les croyances pour faire admettre dans nos établissements d'enseignement des pratiques absolument contraires à la fois au principe de laïcité, à celui de la liberté et à celui de l'égalité. » Ce raisonnement juridique ne permet-il et même n'exige-t-il pas de prendre une position claire ?

*L. Jospin* – Je voudrais dire d'abord que, au plan des principes qui ont été rappelés par Maurice Agulhon (un éminent spécialiste de la tradition républicaine et des questions liées à la sociabilité), je crois comme lui qu'on doit être contre le foulard islamique. Encore faudrait-il bien sûr savoir jusqu'où on pousse cette affirmation : cela

102

pourrait nous mener à considérer que ce n'est pas seule-ment dans les salles de classe qu'il faudrait ne pas le tolérer, mais aussi dans les rues ! Après tout, il y eut au Proche-Orient et en Asie des hommes politiques (je pense notamment à Mustafa Kemal Atatürk) qui ont fait enlever le foulard à une population il est vrai beaucoup plus nombreuse. De toute façon, nous ne sommes pas ici confrontés à cette question. En tout cas, nous devons être, pour une question de principe, contre le foulard islamique. Nous devons être contre la version intégriste de l'islam. Cela ne veut évidemment pas dire que nous devons être contre l'islam : je le dis, car il y a souvent en ces matières des risques d'amalgame. On a d'ailleurs vu dans cette affaire du foulard apparaître de singuliers défenseurs de la laïcité, qui ne l'avaient pas défendue dans d'autres moments ou pour d'autres causes (je pense bien sûr à l'extrême droite). Je pense que nous devons être contre les signes de discrimination entre les hommes et les femmes – laquelle n'existe pas seulement dans la religion musulmane, puisqu'on la trouve aussi, sur certains terrains au moins, dans d'autres religions.

Le problème qui, sans nous séparer, introduit néan-moins des plans différents, est le suivant : comment fait-on passer cette opinion de principe dans des établisse-ments ? Il semble qu'il ne soit pas possible de le faire sur le mode d'une interdiction générale. Si François Goguel a raison, si donc il suffit de partir de la caractéristique de discrimination sexiste du foulard pour fonder une inter-diction générale du foulard, en le nommant au besoin de manière explicite, alors cela offre une solution. Je serais personnellement favorable à une telle attitude, car je ne suis pas pour le foulard à l'école. Mais je ne suis pas du tout sûr que ce soit possible : je me demande pourquoi le

Conseil d'État n'en aurait pas tiré cette conclusion. Je crains au contraire que dire cela ne soit une interprétation du signe religieux; or, au nom de la séparation du confessionnel et du temporel, le pouvoir politique ne peut pas se faire interprète du spirituel. Je crains donc que nos positions ne soient alors différentes.

*A. Finkielkraut* – Comment faire passer dans la réalité ce principe que vous avez affirmé, Maurice Agulhon?

*M. Agulhon* – Je reprends mes réserves : moi qui suis loin de tout cela, je ne vais pas me mêler de donner des conseils pratiques aux hommes de terrain que sont les chefs d'établissement ou les inspecteurs d'académie. Mais il me semble que le problème serait plus aisé à résoudre si les gens qui sont sur le terrain étaient adossés à une opinion nationale, républicaine, tout à fait lucide et qui ne soit pas intimidée par un rejet de principe. Or, sur ce refus-là, il y a des timidités à gauche qui s'expliquent très bien par la raison que M. Jospin vient de mentionner : il y a des gens à l'extrême droite surtout qui sont contre le foulard par pure et simple xénophobie. Beaucoup de gens de gauche sont par conséquent inhibés dans leur sentiment laïc, car ils ne veulent pas avoir l'air de faire chorus avec ceux que je viens d'évoquer. Nous gardons aussi de notre ancienne position colonisatrice une sorte de mauvaise conscience à l'égard du monde musulman et des immigrés en général. Tous ces sentiments, bien compréhensibles, nous paralysent et nous empêchent d'affirmer un principe juste dans la situation actuelle. Je crois qu'il faut que chacun prenne conscience de cette situation pour qu'on s'achemine enfin vers des solutions. La solution dans l'opinion publique devrait en effet être favorable à l'aboutissement des solutions pratiques sur le terrain.

A. *Finkielkraut* – Il me semble d'ailleurs que le texte lui-même de la circulaire reflète la gêne et l'inhibition dont vous parlez tous les deux. On pense au voile et on vise tous les signes religieux, alors même que seul le voile est discriminatoire. Mais le ministre ne voulait pas être accusé de stigmatiser une religion particulière. Ce fut d'ailleurs peine perdue : il n'a pas coupé au reproche d'islamophobie. Ne serait-il pas temps pour la gauche de sortir du sentiment de culpabilité qu'exprimait encore récemment un professeur de philosophie, Jean-Jacques Delfour, qui écrivait ceci dans *Libération* : « Peut-on ôter au foulard sa capacité de nous rappeler notre histoire récente avec l'Algérie ? Arracher le foulard islamique, n'est-ce pas pouvoir refouler ce rappel des heures pénibles du colonialisme et de la décolonisation ? » L'invocation rituelle des heures-les-plus-sombres-de-notre-histoire nous fait oublier les heures sombres d'aujourd'hui, et notamment les femmes qui, dans les pays arabes, refusent, au péril de leur vie, de porter le voile. Dans ce contexte et en vertu de ce que nous devons à ces femmes, ne faudrait-il pas trouver un consensus qui briserait les difficultés dont vous avez parlé tout à l'heure ?

L. *Jospin* – Je ne crois pas que le problème soit là où vous le situez. Il me semble en effet que le consensus existe en réalité. Ceux qui défendent la position selon laquelle il faut autoriser sans réserve le port du foulard à l'école parce qu'il faudrait avoir une école multiconfessionnelle et pluraliste me paraissent être extrêmement minoritaires. Le problème me semble donc ailleurs.

105

Quelqu'un qui, comme ce fut mon cas, a été pour la décolonisation pendant la guerre d'Algérie n'a aucun sentiment de culpabilité à cet égard et n'est nullement motivé par ces ressorts psychologiques. Je ne crois pas, comme Maurice Agulhon, que le scrupule de l'historien lui interdise de s'exprimer sur les questions du droit. Nous travaillons dans le cadre de la Déclaration universelle des droits de l'homme, reprise dans le « Préambule » de la Constitution. Autrement dit, c'est le même article qui affirme la laïcité de la République française (affirmation qui date de 1946 seulement) et qui stipule que « Nul ne peut être inquiété pour ses opinions, même religieuses » dont il faut pouvoir garantir l'exercice – j'admire au passage ce « *même* » qui traduit ce qu'était l'attitude des grands républicains vis-à-vis de la religion après la Révolution de 1789… Nous travaillons par ailleurs dans le cadre de l'article 9 de la Convention européenne des droits de l'homme, selon lequel la liberté implique la liberté religieuse. Tout cela dit que nous devons respecter la liberté religieuse et même l'expression des opinions religieuses. Le problème est donc que nous travaillons dans ce cadre juridique. Nous ne pouvons donc pas faire prendre aux chefs d'établissement ou aux communautés éducatives des décisions qui seraient ensuite cassées par le juge administratif ou par le Conseil d'État.

*A. Finkielkraut* – Cela pourrait-il arriver, selon vous ?

*L. Jospin* – Qu'est-ce qui différencie ma démarche de celle de Bayrou, dont la circulaire ne me pose pas de difficultés puisque je vois les choses un de peu de cette façon ? C'est que, dans ma circulaire aux chefs d'établissement, j'ai attiré l'attention sur le fait que la situation du droit est fort complexe et qu'elle ne peut pas permettre d'interdire par principe tout signe religieux. Je leur ai dit qu'ils seraient jugés sur des cas d'espèce et que, s'ils pouvaient prouver qu'il y a soit non-respect de l'assiduité aux cours, soit prosélytisme et donc atteinte à la liberté des autres, alors ils pourraient agir sans crainte de voir leurs décisions cassées. M. Bayrou, lui, renverse la logique : il fait croire aux chefs d'établissement qu'ils disposent désormais d'une règle simple puisqu'il suffit de dire qu'on bannit les signes ostentatoires, étant entendu que les signes religieux sont considérés comme étant par définition ostentatoires. Malheureusement, ensuite il les laisse se débrouiller pour l'application de cette règle. Je crains donc qu'il ne piège les chefs d'établissement en les conduisant à prendre des décisions qu'ils ne peuvent pas prendre et qui seront cassées. De telles cassations seraient évidemment des victoires pour les intégristes radicaux. Le seul moyen d'éviter cela est de prouver le prosélytisme, ce qui était déjà dans ma circulaire et dans la proposition du Conseil d'État.

*M. Agulhon* – Vous avez bien entendu raison, il faut se mettre du bon côté au point de vue du droit : il faut chercher et sanctionner les signes de prosélytisme et aussi ce qui, au-delà du voile, marque le refus de certains enseignements. Cela dit, la République a vécu pendant plus d'un siècle sans que l'on juge incompatibles l'interdiction de signes confessionnels dans l'école et l'expression de la liberté religieuse. Quand on a fondé l'école laïque par exemple, on a pris grand soin de créer un jour de congé au milieu de la semaine afin que le caté-chisme n'ait pas lieu pendant les heures de classe. Il est vrai que la donne a aujourd'hui quelque peu changé, ce qui ajoute à la complexité des choses : quand Jules Ferry et les siens ont créé l'école laïque, ils n'avaient en face d'eux qu'une religion antagoniste, alors qu'il y en a aujourd'hui plusieurs. Cela complique la situation, mais il me semble que les principes restent les mêmes.

Au sujet de la phrase de ce professeur de philosophie que vous citiez précédemment, je voudrais rappeler à quel point les femmes d'Algérie qui refusent le voile, au péril de leur vie parfois, nous mettent en garde contre le tiers-mondisme.

*A. Finkielkraut* – Je voudrais ajouter un témoignage à ce que vous venez de dire, Maurice Agulhon. Lorsque j'étais au lycée, dans les années 1960, il n'y avait aucun signe religieux : les filles ou les garçons qui arboraient une croix par exemple étaient invités par le proviseur à la mettre sous le pull-over. La laïcité a fonctionné comme cela un moment, mais elle ne le fait plus aujourd'hui. Cela peut nous permettre peut-être d'élargir le problème, car il me semble que nous assistons à la convergence de deux phénomènes – d'une part l'intégrisme (notamment islamique) qui veut soumettre l'école à la loi transcendante de la religion, et d'autre part tout un mouvement qui veut soumettre l'école à la loi immanente de la société. Dans le premier cas, il n'y a pas de place pour des valeurs spirituelles autonomes et distinctes du surnaturel, et il n'y a pas de culture libre de la religion. Dans le second cas, plus moderne, il n'y a, en quelque sorte, pas d'au-delà du social : l'école n'est plus un service public, c'est un service tout court. Dès lors que les élèves sont des usagers, voire des clients, on prend le client comme il est et on satisfait sa demande. L'école est devenue un carre-four de besoins et les professeurs des prestataires de services, assujettis aux demandes et aux impatiences des parents d'élèves, de l'économie, des élèves eux-mêmes, ou encore des mass media. Mais que reste-t-il de la laïcité si l'école n'est plus là que pour répondre aux sollicitations de la société ? Cette absorption de l'école par le social n'est-elle pas aussi l'une des raisons pour lesquelles des règles élémentaires, très longtemps pratiquées, sont aujourd'hui si difficiles à mettre en œuvre ?

*L. Jospin* – Je suis tout à fait prêt à vous donner mon sentiment sur cette question, mais Maurice Agulhon ouvrait tout à l'heure un champ de débat possible sur lequel il faudrait peut-être revenir : il s'agit des problèmes nouveaux auxquels nous confronte, sinon l'islam lui-même, en tout cas sa version caricaturale de l'intégrisme islamique. La laïcité s'est constituée en France contre la religion, même si elle a établi un message et des institutions équilibrées. Par la suite, le débat s'est pacifié et nous n'avons donc plus jamais été confrontés à une religion offensive. Il est vrai que la concurrence entre école publique et école privée ou le débat suscité par la projection du film de Martin Scorsese, *La Dernière Tentation du Christ*, ont fait parfois ressurgir ici ou là des formes d'intégrisme dans certains milieux catholiques. Mais, en gros, on ne perçoit plus la religion véritablement comme une menace. Plus encore, le totalitarisme a fait de la religion, non pas une force potentiellement menaçante pour le pouvoir politique de l'État, mais un courant de pensée à nouveau réprouvé et menacé : il reste donc de cette expérience tragique du siècle l'idée que la religion aussi peut être à protéger et qu'il n'y a pas seulement à se protéger de la religion. En revanche, l'islam radical et intégriste peut être valablement perçu comme une menace pour une certaine conception de la société. Cette menace est directe, parfois physique sur les femmes algériennes ; elle prend la forme d'une pression psychologique sur un certain nombre de jeunes filles ou de jeunes gens, voire sur l'école. Il va donc falloir traiter ces questions nouvelles avec le sens de la nuance bien sûr, dans le respect du droit mais aussi avec une grande fermeté de principe. Voilà ce que j'avais envie de dire pour réagir à ce qu'a dit Maurice Agulhon.

*M. Agulhon* – Certes, le problème de l'islam existe, mais n'oublions pas que la majorité des citoyens français qui se réclament d'une religion sont catholiques. Cela pose le problème suivant à la laïcité : lorsque les Républicains des années 1870-1880 ont fondé notre système scolaire, ils avaient en face d'eux un catholicisme qu'on pourrait qualifier, en allant vite, d'intégriste, puisque c'était tout de même celui du *Syllabus*. C'était un catholicisme traditionaliste, souvent royaliste et de préférence autoritaire. Je ne dis pas qu'il n'existait pas de virtualité d'évolution vers une démocratie chrétienne et républicaine, mais elle était très marginale. C'est cela qui a changé. Cela a eu pour conséquence, dans le camp laïc et par rapport à ce qu'est le catholicisme aujourd'hui, deux possibilités d'erreur symétriques. Les uns considèrent que le catholicisme a tellement bien changé qu'il n'y a plus de risque de conflit majeur avec lui et qu'on peut régler ce qu'il reste de litigieux en faisant les concessions nécessaires. D'autres au contraire minimisent les changements et considèrent que le parti du mal commence aux limites du CDS, le parti de la démocratie chrétienne, anciennement MRP, aujourd'hui UDF, quand ce n'est pas à celles du Delorisme, du nom de Jacques Delors, catholique entré à l'aile droite du PS. Il me semble qu'il y a entre ces deux extrêmes que je caricature un peu deux choses à considérer. Oui, c'est vrai, le catholicisme dans sa version intégriste est devenu très minoritaire en France et c'est heureux ; néanmoins, il existe encore et il n'est pas du tout exclu qu'on puisse encore assister un jour, non seulement dans la lointaine Vendée mais aussi dans Paris, en plein Quartier latin, à des actions militantes sur la question de l'avortement ou de la contraception par exemple. À l'inverse, il faut tenir compte aussi du changement : on est bien obligé de tenir compte du fait que la majorité des catholiques français s'est ralliée à la forme républicaine et démocratique du gouvernement, ou bien de cet autre fait encore qu'elle a été du bon côté de la Résistance. Ce sont ces deux considérations – vigilance d'un côté, reconnaissance du changement et fraternisation possible de l'autre – qu'il faut avoir en tête.

*A. Finkielkraut* – Êtes-vous d'accord avec cette double exigence, Lionel Jospin ?

*L. Jospin* – Oui, bien sûr. Je l'avais formulée à ma façon, mais je crois que cela allait dans le même sens. Simplement, je dirais que si un million de personnes se sont mobilisées dans la rue début janvier pour ne pas voir remis en cause l'équilibre auquel nous sommes parvenus entre l'école publique et les écoles privées, essentiellement confessionnelles, c'est bien que les Français restent profondément attachés à l'idée d'une école publique.

À cet égard, et pour répondre enfin à la question que vous me posiez, je suis personnellement pour que l'école reste un service public et qu'elle ne devienne pas un service comme les autres. Je suis opposé à ce que j'appellerais le consumérisme scolaire, qui nous ferait considérer les enfants ou leurs parents comme des clients. Je ne suis pas pour que l'acte d'enseigner et de transmettre le savoir puisse être identifié à la production et à la distribution d'une marchandise culturelle. Je ne suis donc pas pour que l'école soit simplement un « carrefour des demandes » ou qu'elle ait la moindre chose à voir avec le domaine de la grande surface. Là où je me différencie peut-être un peu d'une tonalité que vous avez souvent donnée vous-même, Alain Finkielkraut, dans vos écrits ou dans vos interventions, c'est dans le choix des formules. Je crois en effet que l'école doit être un lieu protégé, pour n'être pas seulement le reflet des conflits et des passions de la société ; mais elle doit rester quand même un lieu ouvert, ou en tout cas non fermé. J'ai l'impression parfois qu'un certain nombre d'intellectuels, dont vous faites partie, ont une vision trop fermée et trop abstraite de l'école.

*A. Finkielkraut* – Je ne vais pas entrer dans un débat qui court-circuiterait le vôtre. Si j'ai posé cette question, c'est parce qu'il me semble qu'il y a là une menace moderne ou postmoderne sur la laïcité. La menace religieuse, quelque forme qu'elle prenne, est bien connue : c'est l'affirmation d'une transcendance, et même d'un monopole de la transcendance. La menace actuelle, c'est, à l'inverse, l'immanence absolue, le refus vindicatif de tout au-delà de la société, de toute indépendance des choses et de la vie de l'esprit. L'horizontalité règne : l'école ne connaît plus d'*élèves*, mais seulement des enfants-clients. Or le client est roi : on ne dit pas au client comment s'habiller, on ne le choisit pas, on le prend comme il est et lui-même estime qu'il doit être pris comme il est. Dans l'interview que vous avez donnée au *Nouvel Observateur* en 1989, vous dites d'ailleurs ceci, Lionel Jospin : « Les jeunes ne sont pas choqués par le foulard, mais ils le sont par l'interdit. Écoutons-les un peu. » Précisément ! Le droit subit les mêmes difficultés que l'école : c'est de plus en plus l'usage qui fait la norme, rien n'échappe au débat et au contrat. L'autorité manque pour fixer les limites, affirmer des règles et dire la loi. Le droit est en péril, mais aussi la laïcité elle-même : si, dans la perception dominante, l'école ne se détache plus du social, c'en est fait de la laïcité. Cette atteinte à la laïcité est la plus grave, car elle se présente comme un combat contre l'anachronisme de l'école-sanctuaire, et elle fournit un certificat de modernité au défi religieux.

*M. Agulhon* – Je reviens un instant, à titre d'exemple simplement, au foulard. Tout récemment, un membre de l'Académie française a dit dans un journal conservateur parisien que, pour résoudre l'affaire du foulard, il n'y avait qu'à revenir au bon vieux temps où les écoliers et les lycées avaient des uniformes. Je ne suis pas sûr que c'était une plaisanterie. Objectivement, c'en est une pourtant : il est certain que l'uniforme aujourd'hui serait insupportable, comme le serait la moindre prescription vestimentaire, parce que la tendance générale est au contraire à la liberté et à la recherche de la diversité, du plaisant et même parfois de l'excentrique. Pourquoi pas ? On peut toutefois percevoir là-dedans une vague réminiscence du vieux slogan « Il est interdit d'interdire » qui s'avère finalement dangereux : s'il est interdit d'interdire, même dans des domaines d'importance, alors on s'engage sur une pente un peu inquiétante et on va au-devant de difficultés qui ne seront plus seulement vestimentaires.

*L. Jospin* – Je pense qu'il est encore tout à fait loisible d'interdire. Je crois même que l'uniforme existe dans les lycées aujourd'hui, c'est le jeans. Le plus important pour moi, c'est que l'école continue à créer le savoir et à le transmettre ensuite. Ce qui est important, c'est qu'elle transmette l'esprit de libre examen, dans le respect des textes, des faits historiques ou des données scientifiques. Il importe aussi qu'elle véhicule des valeurs, des savoirs et des connaissances dans le respect des opinions. Je pense que c'est par cela, plus que par l'interdit vestimentaire ou autre, que l'école se fera respecter par les jeunes. Cela n'empêche évidemment pas qu'il y ait des règlements stipulant que les élèves doivent arriver à l'heure, ne pas fumer à tel endroit, etc. L'exigence laïque est dans ce qu'est l'école en tant qu'institution, non pas d'abord disciplinaire, mais de transmission.

*A. Finkielkraut* – Je voudrais pour finir vous poser une question sur la possibilité d'une morale laïque. L'une des définitions minimales de la laïcité, c'est la neutralité ou la non-intervention. Mais, à ses débuts, la laïcité était active et positive ; elle voulait propager une morale autonome pour faire pièce à la morale religieuse. Elle visait à développer le sentiment de la responsabilité civique et à former une nation en communiquant un fonds commun d'idées et de représentations. À l'ère planétaire du *Do it !*, on a tendance à regarder de haut ce rigorisme des hussards noirs. Y a-t-il place, selon vous, pour une morale laïque ? Quelle serait-elle ?

*M. Agulhon* – Il importe de bien s'entendre : par « morale laïque », nous n'entendons pas la morale de ceux qu'on appelle parfois les Laïcs, c'est-à-dire de ceux qui n'ont aucune religion. Par « morale laïque », nous entendons la morale que peut enseigner l'école publique.

Or cette morale est forcément une morale sociale, et elle ne peut être qu'une morale minimale, dans la mesure où l'école accueille des enfants qui appartiennent à des familles de confessions religieuses et philosophiques diverses. Comme ces confessions impliquent des comportements différents sur un certain nombre de points, la sexualité par exemple, l'école doit être neutre sur tous ces points. En revanche, une morale doit être enseignée sur ce qui est social, de manière à prévenir les comportements qui sont incompatibles avec toute vie sociale élémentaire ou avec la sécurité des personnes. Elle pourrait même être enseignée plus énergiquement que jamais, en ayant le courage d'être à contre-courant de l'anarchisme ambiant actuellement hégémonique.

*L. Jospin* – Nous sommes là encore marqués par notre siècle : à partir du moment où nous avons connu le totalitarisme, la propagande officielle et les doctrines d'État, il est bien évident que l'on aborde la question de la morale ou de l'instruction civique avec des précautions bien différentes de celles qu'on pouvait prendre à l'aube de ce siècle. Comment faire de la morale (ce qui me paraît nécessaire) sans tomber dans l'ordre moral ? Comment enseigner l'instruction civique sans verser dans la doctrine officielle ? Telles sont les questions qui nous retiennent. Je suis assez d'accord avec ce que vient de dire Maurice Agulhon : je suis plutôt pour une morale minimale qui doit être celle du vivre-ensemble. Elle doit se constituer autour du rappel de préceptes simples comme il vient d'être dit, et elle doit en même temps exprimer un minimum d'exigences et de valeurs qui, même dans une version minimale, doivent rester fortes.

# Les nouvelles radicalités :
## une énigme française ?

## Entretien avec Daniel Bensaïd et Philippe Raynaud

*Alain Finkielkraut* – « Plus le capitalisme est triomphant, plus il est détesté », écrivait François Furet dans ce qui devait être son dernier article, « L'énigme française[15] ». Il précisait : « De ce que la patrie du socialisme n'existe plus, la critique des méfaits du capitalisme a gagné une virulence supplémentaire, à la fois parce qu'elle dénonce un mal dont la visibilité est universelle, et parce qu'elle est libérée du devoir complémentaire de célébrer un socialisme policier. »

Partant du même constat paradoxal d'une relance, par l'effondrement du communisme, des mouvements qui se nourrissent de la théorie révolutionnaire, Philippe Raynaud a choisi d'étudier les différentes sensibilités de la gauche radicale dans notre pays. Daniel Bensaïd appartient à cette extrême gauche, dont il est l'un des penseurs principaux. Je lui demanderai s'il juge exact le tableau dressé par Philippe Raynaud.

Au préalable et pour lever tout malentendu, j'aimerais que vous nous disiez, l'un et l'autre, ce que vous entendez par « radicale » quand vous parlez de la « gauche radicale ». Qu'est-ce que la radicalité ?

*Philippe Raynaud* – À l'origine déjà lointaine de ce livre, il y a une note de la défunte Fondation Saint-Simon, publiée en 1999, que j'avais choisi d'appeler « Les nouvelles radicalités » parce que je ne voulais pas lui donner une détermination trop immédiatement politique. J'étais très intéressé par l'apparition d'une sorte de colère contre le monde comme il va et par la remise en question qui allait avec. Elle ne pouvait plus emprunter les formes classiques du marxisme, malgré tous les efforts pour le faire renaître. J'ai tâché de montrer que ce qui s'exprimait dans les formes intellectuelles parfois très diverses de cette protestation était une volonté de non-réconciliation avec la société bourgeoise, quelle que soit la manière dont on désigne celle-ci (« mondialisation », « ultra-libéralisme », etc.). Cette volonté s'est formulée aussi bien dans des discours révolutionnaires, libérés désormais de la référence à un modèle socialiste accompli en URSS ou ailleurs, que dans l'expression incandescente d'aspirations qui sont en fait immanentes à la démocratie elle-même. C'est toute cette galaxie que j'ai appelée « nouvelles radicalités ».

*A. Finkielkraut* – Si je vous comprends bien, la radicalité, c'est la rupture, la non-réconciliation, le refus de passer des compromis avec un monde qui se veut démocratique, mais qui trahit ses propres principes.

*Ph. Raynaud* – On peut éventuellement passer un certain nombre de compromis stratégiques. Ces « nouvelles radicalités » marquent surtout le fait que, telle quelle, l'idée d'une fin de l'histoire est une illusion.

*Daniel Bensaïd* – Je propose de partir de l'histoire du terme pour le définir : au XIX$^e$ siècle, ce terme signifiait « prendre les choses à la racine ». Être radical, c'est donc prendre les choses à la racine de la mondialisation libérale et des ravages écologiques ou sociaux qu'elle peut causer. Or la racine de cette mondialisation marchande, c'est le logiciel du capital. Quelles sont les raisons qui expliquent l'élargissement de l'espace de marchandisation et l'accélération constante du capital ? La critique radicale est une critique qui devrait se situer sur ce terrain-là.

Maintenant, comme c'est le cas dans le livre de Philippe Raynaud, le terme est aussi utilisé dans un sens beaucoup plus vague et relatif. La radicalité ne définit pas un programme, mais une attitude par rapport à : on est le radical ou le moins radical de quelqu'un. La radicalité définit ainsi une échelle. À l'heure actuelle, l'expression désigne un mouvement très divers, sinon disparate, de résistance à la mondialisation et à ses dégâts. C'est ce qui permet de voir converger dans les forums sociaux mondiaux, depuis les années 1990, des défenseurs de l'écologie et des défenseurs des cultures indigènes d'Amérique latine, des syndicats et des mouvements féministes, etc. Il y a là toute une mosaïque de résistances qui est peut-être la composante nouvelle, justement, par rapport à l'idée du grand sujet prolétarien. Au-delà de leur diversité, tous ces mouvements se rassemblent face à un adversaire commun, qui est la logique marchande.

*A. Finkielkraut* – Cette mosaïque de résistances qui se fédèrent face à un adversaire commun permet-elle de définir la radicalité comme une vision de l'histoire selon laquelle deux forces s'affrontent ? Prendre les choses à la racine permettrait d'identifier un ennemi qui a une multitude de cibles, lesquelles s'unissent en conséquence face à cet ennemi. Il semble alors que l'histoire puisse se résumer à une confrontation entre ces deux blocs, les oppresseurs et les opprimés. Dans un entretien que vous aviez accordé au journal *Libération* à l'occasion de votre livre autobiographique, *Une lente impatience*, vous avez dit ceci : « Entre ceux qui prennent des coups sur la gueule et ceux qui en donnent, la frontière est assez facile à définir, non ? » N'est-ce pas là une phrase typique de la radicalité ?

*D. Bensaïd* – Si on veut. Elle est forcément simplificatrice, et d'ailleurs tout conflit est simplificateur. Habermas se demande si, depuis le 11 septembre 2001, son rêve de patriotisme constitutionnel n'a pas sombré dans le ridicule. Je crois au contraire que nous sommes dans un monde ultra-conflictuel. Cela dit, je n'interpréterais pas cette phrase de manière simplificatrice : il ne s'agit pas d'être pédant et de citer Gramsci et la notion d'hégémonie, mais ce sont des constructions. Il n'y a pas là d'intérêts et de blocs homogènes, mais il y a des constructions et donc des stratégies. Autant je partage l'attitude de résistance qu'ont eue des gens comme Badiou ou Negri dans ce que furent, selon moi, les pires années de l'euphorie libérale, autant je pense que nous devons aujourd'hui relever le défi d'une reconstruction stratégique. Le moment utopique s'épuise.

*A. Finkielkraut* – Vous dites que la logique du conflit l'emporte sur l'espérance un peu molle du consensus ; mais vous affirmez aussi la possibilité de ramener la multitude des conflits à une opposition fondamentale qui leur donne sens.

120

*D. Bensaïd* – Non. J'ai parlé dans l'un de mes livres de ce que j'appelle la « diagonale du conflit de classes » : il y a un conflit qui module et traverse les autres formes de conflictualité, qu'elles soient de genre national, religieux ou autres ; ou, dans la terminologie d'Althusser, qui les « surdétermine » sans pour autant les absorber. À mon avis, suivre le fil de la « diagonale de classes » permet de construire des solidarités par-delà les clochers, les chapelles et les communautés closes. Cela me semble fournir un fil conducteur d'actualité pour résister à tous ces enfermements dans des identités vindicatives, qui sont aujourd'hui dans l'air fétide du temps.

*Ph. Raynaud* – La définition dont est parti Daniel Bensaïd nous conduit immédiatement à la reconstitution du logiciel marxiste. En dernière analyse, même s'il y a diverses « contradictions secondaires », comme aurait dit le président Mao, c'est toujours le conflit autour du capital qui est déterminant. Je crois tout simplement que cela n'est pas vrai, et tout d'abord en ce qui concerne le XX$^e$ siècle : vous parlez des désastres écologiques ou des gens qui reçoivent des coups et de ceux qui en donnent, mais je ne crois pas qu'on puisse faire l'histoire du communisme réel en expliquant tous les dégâts produits par la logique du capital, qui n'a rien à voir ici. Ce n'est pas la logique du marché qui a produit Tchernobyl et les autres désastres écologiques ou humains en Union soviétique. De la même manière, je pense que le moment totalitaire n'avait pas grand-chose à voir avec la question du capital, même si, bien entendu, il y a eu parmi les soutiens du nazisme des intérêts qui rencontraient ceux des classes dirigeantes allemandes. Je ne vois donc pas comment on peut réconcilier cette vision avec une interprétation à peu près plausible du XX$^e$ siècle.

Maintenant que le communisme s'est effondré, on peut évidemment dire qu'on va enfin passer aux choses sérieuses et voir que le vrai problème, c'est celui du capital. Je veux bien admettre que le problème soit celui du capitalisme, au sens où mon ami Castoriadis parlait du capitalisme, comme une formation sociale dominée par une signification imaginaire qui est la maîtrise complète de la nature et de la société. Mais cet imaginaire est tout aussi présent dans les mouvements anticapitalistes que dans ce qu'on appelle communément le capitalisme : il n'a pas grand-chose à voir avec le marché. Je ne crois donc pas qu'on puisse présenter les choses ainsi. Je suis certes d'accord avec vous pour dire que nous sommes entrés, avec la mondialisation libérale, dans une ère nouvelle qui donne une coloration à toutes choses, mais, dans ce cas, je ne peux m'empêcher de penser que ce que vous appelez la mondialisation libérale est la seule révolution, au sens marxiste du terme, que j'aie jamais vue dans ma vie. C'est un mouvement dans lequel, conformément à ce qui est dit dans la *Contribution à la critique de l'économie politique,* des forces productives en pleine croissance font éclater les vieux rapports de production qui étaient aussi des rapports de protection, pour atteindre un développement nouveau.

*D. Bensaïd* – C'est en partie le discours de Negri.

*Ph. Raynaud* – Negri n'est donc pas un mauvais auteur, dans ce cas… Il n'y a d'ailleurs pas de mauvais auteur chez ceux dont je parle dans mon livre. Cela dit, je ne crois pas qu'on puisse dire que tous les conflits s'ordonnent autour de la résistance au capitalisme. Prenez l'exemple des luttes homosexuelles ou féministes : elles sont entièrement structurées par l'imaginaire de la démocratie moderne, et le capital, non seulement n'a rien à voir là-dedans, mais n'a même certainement rien là-contre. Tout cela s'est développé dans le monde américain de l'ère clintonienne, c'est-à-dire de l'ère de la réconciliation de la gauche américaine avec le capital. Je ne vois donc pas comment vous pouvez faire cette réduction…

*D. Bensaïd* – Je voudrais d'abord préciser quelque chose. En dépit de ma rusticité assumée, je n'ai pas l'impression que tout ce qui s'est passé en Union soviétique ou en Chine relève de la responsabilité du capital. Cela a sans doute à voir en partie avec les rapports de force et l'existence du marché mondial, mais il y a un mécanisme de bureaucratisation qui est spécifique au $XX^e$ siècle. On peut l'aborder à travers la problématique de Castoriadis, de Trotski ou de David Rousset, mais ce n'est pas une innovation.

On peut dire, comme le fait Negri, qu'on a affaire à une révolution analogue à celle du $XIX^e$ siècle avec le développement de la première mondialisation des années 1850-1860, où la bourgeoisie avait une capacité d'innovation et de transformation qui a eu un rôle positif – d'où les phrases admiratives de Marx, dans le *Manifeste du Parti communiste* entre autres. On pourrait dire que la seconde mondialisation en cours, du point de vue technologique et du point de vue des transformations sociales qu'elle entraîne, a la même vigueur. La conclusion qu'en tire Negri est que cela rapproche finalement d'un affrontement à nu (simplifié !) entre l'Empire et la Multitude – ce dont je doute. Il me semble qu'on est là dans la reconstitution simplificatrice de grandes entités et de grands sujets. En revanche, je crois que la crise actuelle est une vraie crise de civilisation : ce n'est pas une crise passagère ; on assiste au contraire à une crise généralisée de la valeur, de la mesure de la richesse et du travail, et des échanges. Alors que la productivité s'est développée, au lieu de produire de la créativité humaine et de la disponibilité civique, on a une montée inédite de la pauvreté et de l'exclusion, y compris dans les centres européens et états-uniens (trente-sept millions de chômeurs, quarante-sept millions hors couverture médicale aux États-Unis). C'est une aberration, il n'y a aucune explication logique à cela : pourquoi la croissance devrait-elle créer davantage de pauvreté et d'exclusion ? Ensuite, comment le marché peut-il arbitrer, en temps réel de la Bourse, les dégâts écologiques que représentent le stockage des déchets, les dérèglements climatiques, la pollution des océans ou la déforestation en Amazonie ? À l'évidence, cela ne marche pas. Enfin, comment gérer, par une logique marchande, la possibilité que les technologies génétiques donnent aujourd'hui d'intervenir sur l'espèce humaine elle-même ? Je ne suis absolument pas opposé à ce type de recherches, mais en confier les applications à une concurrence marchande me paraît très dangereux. On est devant une crise de ce type et de cette ampleur.

Derrière cela, il y a le capital. Il n'absorbe pas tout, mais je l'aborde autrement. Je ne réduis pas tout à la contradiction unique ; il y a d'autres contradictions et d'autres relations de domination (entre genres, entre cultures, etc.), et il ne s'agit aucunement à mes yeux de « contradictions secondaires », mais elles relèvent de temporalités ou d'espaces sociaux différents bien qu'articulés. L'oppression des femmes n'est évidemment pas réductible au capital, ce serait idiot de le dire. Mais il y a tout de même un nœud : les femmes qui sont exploitées domestiquement sont en plus les premières, comme c'est le cas en Amérique latine, à subir les effets des dégâts écologiques alors qu'elles ont la charge de la famille et de l'alimentation. Il y a donc des oppressions qui se croisent et qui se combinent.

*Ph. Raynaud* – Je ne peux pas dire que je sois vraiment d'accord avec la manière dont vous rapprochez puis diffé-renciez ce que dit Negri de ce que disait Marx à la fin des années 1840. Il y a, certes, quelque chose de comparable : Negri fait la même chose que Marx, et ce qu'il dit est aujourd'hui tout aussi intéressant et tout aussi faux que ce que disait Marx à son époque. À l'époque où Marx analyse assez génialement certaines tendances du « capitalisme », il en conclut que l'affrontement du prolétariat et de la bourgeoisie sera essentiel et qu'il trouvera un débouché dans le communisme, alors que les décennies qui suivent vont être dominées par la croissance de la démocratie et par le développement des nationalismes, deux mouve-ments certes contradictoires mais qui ont en commun de faire passer au second plan le conflit de classes. Negri aujourd'hui ne veut pas être dialecticien parce qu'il est deleuzien, mais il fait la même opération « dialectique » en faisant sortir le communisme de la logique du capita-lisme. Là où je vous suivrais, ce serait pour dire que cela manque un peu d'oreille…

*A. Finkielkraut* – Un mot tout de même pour aller dans le sens de Daniel Bensaïd. Vous avez dit, Philippe Ray-naud, que la seule révolution qui marche vraiment est la révolution capitaliste. Mais les dégâts qu'elle fait sont

125

terrifiants ! Je voudrais citer deux auteurs, dont l'inquiétude m'apparaît d'autant plus symptomatique qu'ils n'appartiennent ni l'un ni l'autre à la mouvance de la radicalité. Jean Peyrelevade d'abord, dans un livre au titre éloquent, *Le Capitalisme total*[16], décrit les ravages d'une «vision fondée sur le primat de la liberté absolue d'entreprendre, au service de l'enrichissement sans bornes des détenteurs du capital». À cette tyrannie des actionnaires il oppose la conception d'Helmut Schmidt : «Les profits d'aujourd'hui sont les investissements de demain, qui créent les emplois d'après-demain.» Et il demande : «Que devient le capitalisme, quelle est la justification sociale du profit si cette règle n'est plus respectée ?» Deuxième exemple, Daniel Cohen : «Le manager était autrefois un salarié comme les autres, puis il y a eu une rupture. Aujourd'hui, le management, à l'image des actionnaires, sait, au travers des stock-options ou des golden-parachutes, se protéger individuellement ou collectivement du risque. Mais il ne protège plus ses salariés. Autrefois, le salarié profitait de la sécurité de la condition salariale, le risque étant laissé aux entrepreneurs qui pouvaient en contrepartie s'enrichir. Le capitalisme contemporain a inversé cette équation : c'est le salarié qui est exposé aux risques industriels, et c'est l'entrepreneur (ou l'actionnaire) qui en est protégé.»

*Ph. Raynaud* – Je suis tout prêt à signer ces deux excellents textes de deux très bons esprits. Simplement, et c'est là sans doute le cœur de mon différend avec Daniel Bensaïd, je ne vois aucune raison que, sous prétexte que le monde marchand est incapable à lui seul de produire les régulations suffisantes pour dépasser les problèmes contemporains (j'en suis parfaitement convaincu), on dise qu'il n'y pas d'autre solution que la relance du projet socialiste ou de la révolution prolétarienne. C'est un passage à la limite que je crois totalement infondé.

*D. Bensaïd* – C'est ce qu'il faut décliner derrière le terme de « révolution » : il appartient à tout un réseau lexical qui gravite autour de la Révolution française. On peut concevoir que, si tout cet héritage conceptuel, de citoyenneté, de souveraineté, de peuple, de patrie, etc., est aujourd'hui malmené ou ébranlé, le mot de « révolution » n'est pas non plus sorti indemne du XX$^e$ siècle. Comme le dit Badiou, « le siècle a eu lieu ». Il n'empêche que le mot exprime toujours l'aspiration, irréductible depuis l'époque des grandes hérésies religieuses, à un monde meilleur, au royaume de Dieu sur terre, etc. On peut aussi donner à ce terme une signification profane, qui ne me semble pas liée à un élan lyrique (prise du palais d'Hiver, débarquement du grand-mât à Cuba, etc.) : il traduit l'opposition de plus en plus effective entre deux logiques, c'est-à-dire une logique de concurrence et de profit, qui se traduit par la lutte de tous contre tous et qui peut prendre la forme extrême de la guerre de tous contre tous, contre une logique qui, notamment dans les ailes radicales du mouvement social, cherche à redéfinir le principe de service public, de bien commun de l'humanité, et des droits sociaux qui doivent lui être associés ; à penser les conditions d'une extension du droit au revenu, à défaut de satisfaire le droit à l'emploi, par une socialisation accrue du salaire et à définir l'idée d'un bien commun de l'humanité. Cette dernière question se pose, non seulement pour la propriété de la terre, qui reste une question décisive en Asie ou dans la plupart des pays d'Amérique latine, mais aussi pour l'eau, pour l'air (à propos du marché sur les droits à polluer), ou bien encore pour les connaissances : peut-on accepter la privatisation du séquençage du génome ou bien celle des langages informatiques ?

*A. Finkielkraut* – Il y a peut-être un moyen de refuser cette perspective et de lutter contre ce qui nous y conduit, sans en passer par la révolution, même au sens désormais profane que vous entendez donner à ce concept. Et d'ailleurs ce que votre vision profane a de commun avec la présentation lyrique dont elle veut sortir, c'est ce que Kolakowski appelle le « schéma de l'unique alternative ». Le siècle a eu lieu, mais c'est toujours à l'affrontement de deux logiques qu'on a affaire. Deux logiques et une seule guerre : la guerre civile internationale de Dominants et des Dominés. Les amis de l'humanité souffrante ont beau voir dans l'islam la religion des pauvres, les attaques du 11 septembre ne visaient pas seulement la grande métropole du capitalisme mondial, mais « les Juifs et les Croisés », c'est-à-dire la civilisation occidentale tout entière. Et ce n'est pas la passion du réel, c'est la passion idéologique du Deux qui fait dire aux « Indigènes de la République » que « la loi antifoulard est une loi d'exception aux relents coloniaux ». Il faut mobiliser toutes les ressources intellectuelles de la radicalité pour ramener la pluralité des conflits et des situations à une guerre civile internationale.

*D. Bensaïd* – Pour ma part, je n'ai jamais parlé de « guerre civile internationale ». Ce serait plutôt la rhétorique d'un George Bush : quand on déclare une guerre « sans limites » au terrorisme, dans le temps et l'espace, une guerre sainte sans merci de l'Axe du Bien (absolu) contre le Mal (absolu), on prêche une guerre qui n'est plus une guerre politique entre États, mais une « guerre éthique » (comme le proclama Tony Blair), religieuse, ou civile planétaire. L'articulation de conflits qui sont multiples et croisés n'est pas nécessairement binaire. Sans vouloir rallumer de vieilles polémiques, j'observe que, au moment de la crise des Balkans ou du Kosovo, on n'était pas dans une logique binaire : on pouvait être à la fois contre l'intervention de l'OTAN et contre le régime de Milosevic. Aujourd'hui, on peut soutenir la cause tchétchène contre les atrocités russes, sans pour autant acclamer les formes d'islamisme que revêt parfois la résistance tchétchène. Les camps, si tant est que camps il y ait, sont à construire. Pour le reste, il s'agit de problèmes concrets – vous évoquiez le problème du foulard. J'ai sur cette question une position d'enseignant (même si, à l'université, je ne suis pas concerné par la loi) : j'ai des étudiantes voilées et, même si je considère le foulard comme un effet de l'oppression masculine ou religieuse, je ne pense pas que cet aspect relève de la norme disciplinaire. Pour moi, la laïcité est respectée dès lors qu'elles viennent assister à un cours sur Spinoza, sur Marx, sur Sade ou sur Darwin sans hurler au blasphème. En revanche, la transformation des mœurs, alimentaires, vestimentaires, a son rythme propre qui relève de la persuasion, du brassage culturel, et non de la contrainte.

*A. Finkielkraut* – Je rappelle que si, après des années de flou et d'indécision, le Parlement a fini par voter une loi qui interdit les signes manifestant une appartenance religieuse ou politique dans les écoles, collèges et lycées, c'est pour ne pas laisser les établissements scolaires se transformer en champs de bataille et c'est pour soustraire, autant que faire se peut, les jeunes filles musulmanes à l'empire des groupes religieux qui veulent les mettre sous tutelle. Mais puisque vous parlez de blasphème, une question : quelle est votre position sur l'affaire Redeker ? Je rappelle que Robert Redeker est ce professeur de philosophie qui vit aujourd'hui caché et sous protection policière parce que, à la suite d'un article où il mettait en cause la violence de l'islam, il a reçu des menaces de mort. Qu'en pensez-vous ?

*Ph. Raynaud* – Dans cette affaire, je crois qu'il faut raisonner à partir des caractères propres à la construction française. En France, les libertés publiques, la liberté religieuse et la laïcité supposent au moins deux choses. Cela suppose d'abord que l'État les fasse respecter sans état d'âme ; en l'occurrence, cela suppose que les ministres se dispensent d'apprécier les textes qui ont été écrits par ceux qui sont menacés de mort. Je dirais ensuite que ce qu'il y a de pesant et parfois de désagréable dans la modernité, c'est qu'on est obligé d'entendre des choses qui parfois nous déplaisent. Je ne dis pas que j'aurais moi-même écrit le texte de Redeker, parce que je n'ai pas le même style ; mais je ne vois pas ce qui autorise à s'indigner du fait qu'une religion est violemment critiquée dans un pays où, de toute façon, toutes le sont. La France après tout est un pays où l'on a pu dire « Écrasez l'infâme » et où, aujourd'hui, on peut écrire les pires horreurs sur le christianisme et le judaïsme sans risquer grand-chose. Il me semble donc, ici, que la seule attitude qu'on puisse adopter est la défense inconditionnelle de la personne qui est en cause.

Est-ce que cela a un rapport avec les nouvelles radicalités ? Il me semble que cela en a malheureusement un, dans la mesure où j'ai vu dans certains secteurs de la gauche radicale – et même au-delà – des prises de position assez fâcheuses. Je ne pense pas seulement au MRAP, mais aussi à la Ligue des droits de l'homme, dont un communiqué laisse entendre que *Le Figaro*, en publiant l'article de Redeker, avait mis en danger l'ordre public, ce qui, en bon français, veut dire en fait qu'il fallait l'interdire ! J'ai du reste lu des choses encore pires sur certains sites de la gauche de gauche...

*D. Bensaïd* – Le droit au blasphème est un droit imprescriptible. Les menaces dont Redeker fait l'objet sont inacceptables et doivent être fermement combattues. Toute la question porte alors sur le comment. Il y a eu deux appels, qui ont eu un écho médiatique inégal. L'un, venu des *Temps modernes*, n'avait pas seulement pour seul message la défense de Redeker, car il affirmait un « soutien sans réserve au contenu de son texte ». Personnellement, j'ai signé (avec Fethi Benslama, Étienne Balibar, Michel Surya et plusieurs dizaines de citoyens français d'origine arabe) un autre appel passé beaucoup plus inaperçu. Il condamnait tout aussi vigoureusement les attaques et les menaces contre Redeker, mais il critiquait aussi le contenu de son article. La binarité n'est pas là où on la croit : on peut très bien défendre Redeker sans partager ses thèses, ou critiquer son point de vue sans justifier ceux qui le menacent.

*A. Finkielkraut* – Il y a eu aussi une autre pétition signée essentiellement par des professeurs, publiée par la revue *Res Publica* et qui affirmait aussi un soutien sans réserve à Robert Redeker.

Je ne suis pas sûr, Daniel Bensaïd, que le fait d'assortir le *oui* à Redeker de toutes sortes de *mais* – « Mais il va trop loin, mais il exagère, mais il ne sait pas de quoi il parle, mais il conclut trop vite de l'islamisme à l'islam » – soit une preuve de résistance à la pensée binaire. Ce oui étranglé et ces mais tonitruants en sont plutôt, me semble-t-il, la manifestation. Si Redeker s'en était pris avec la même véhémence à Benoît XVI, s'il avait vu dans la conférence de Ratisbonne un appel à la haine en tout point conforme à la théologie, et si des lefebvristes fous furieux avaient juré sa mort, il aurait obtenu un soutien massif et sans « mais ». Seulement voilà : dans la vision radicale qui veut que tous les maux du genre humain proviennent de l'oppression, l'islam est opprimé et le catholicisme oppresseur. Cette vision se croit subversive, mais c'est faux : elle est dominante, la *doxa* la reprend chaleureusement à son compte comme en témoignent chaque jour les Guignols de l'Info, et, en l'occurrence, cette chronique *incendiaire* du journaliste Gilles Martin-Chauffier dans *Paris-Match* : « Il faut être d'une malhonnêteté intellectuelle stupéfiante pour signer une chronique aussi haineuse que celle de Robert Redeker. Et c'est cracher à la figure de la liberté de pensée que de prendre la défense de ce simplet qui ne songe qu'à acquérir la notoriété ouvrant la porte des grands éditeurs. »

On pourrait multiplier les exemples. Entre bonté et pusillanimité, entre amour des faibles et peur de la force, entre zèle compatissant pour les damnés de la terre et volonté d'apaiser les islamistes, on a trouvé mille raisons de *ne pas* se mobiliser en faveur de Redeker. L'indignation n'a pas été, loin s'en faut, à la hauteur du scandale. Car les menaces dont il reste l'objet sont une atteinte à la souveraineté nationale : il est privé de liberté d'aller et venir et d'enseigner en France alors qu'il n'a contrevenu à aucune loi française !

*D. Bensaïd* – Si vous présentez le problème en ces termes, il fallait manifester entre Bastille et République pour Redeker. Mais combien ont manifesté contre la guerre israélienne au Liban ? C'était infiniment plus grave, et aura infiniment plus d'effets sur l'islamisme radical que la prose de Redeker. Je crois qu'il faut savoir hiérarchiser ses indignations.

J'ai été clair, je ne suis pas Martin-Chauffier : j'ai indiqué que la défense du droit à la parole de Redeker est aussi inconditionnelle que tout droit à proférer des âneries (sans quoi le monde sombrerait dans un silence assourdissant), mais le droit à critiquer le contenu de sa parole et à critiquer l'ânerie où qu'elle se trouve l'est tout autant. Quand je disais que la logique binaire n'est pas où l'on croit qu'elle est, c'est parce qu'il existe aujourd'hui un discours sur l'islam qui me paraît d'une extrême ignorance – et Dieu sait pourtant que ce n'est pas ma culture native ! Michel Onfray, dont je partage pourtant certains engagements, dit dans son *Traité d'athéologie*[17] que les trois monothéismes sont mauvais (pour ce qui est dit des femmes, des homosexuels, etc.), mais que l'islam est le pire des trois, parce qu'il serait incapable évoluer. C'est méconnaître l'histoire de l'islam, qui est au moins aussi tumultueuse que celle du christianisme, en termes d'hérésies et de dissidences ! Soyons clair : je ne dis pas du tout que l'islam aujourd'hui représente la forme moderne de la résistance à l'impérialisme. Mais il y a des courants qui se réclament de l'islam, comme il y a des chrétiens qui se réclament du Vatican, et avec qui on peut faire de la politique et passer des alliances ponctuelles sur telle ou telle cause.

*Ph. Raynaud* – On peut toujours essayer et peut-être même y réussir parfois...

*D. Bensaïd* – C'est un problème concret en Tunisie par exemple, face à Ben Ali et à sa police...

*Ph. Raynaud* – Les Anglais, qui sont un grand peuple, ont eu Lawrence d'Arabie : tout le monde peut avoir des alliances musulmanes à un certain moment. La France en a eu également. Mais je ne suis pas très convaincu par votre manière de ne pas être binaire. Autant je ne crois pas du tout à l'idée qu'on puisse ramener l'essentiel des contradictions de notre temps à une contradiction unique qui se déclinerait ensuite, autant je crois que, en politique, on est de temps en temps obligé de choisir son camp sans se réfugier derrière la complexité.

*D. Bensaïd* – C'est exactement ce que disaient les bureaucrates staliniens à l'historien Piotr Yakir, dont le général de père avait été fusillé pendant les purges, lorsqu'il critiquait la période des procès : « Camarade Yakir, dans quel camp es-tu ? » Sa réponse fut cinglante et mémorable : « Du camp de la Kolyma ! » C'est une tout autre logique que celle du tiers exclu.

*Ph. Raynaud* – Des alliances impures, tout le monde en fait... Ce qu'il faut simplement, chez les intellectuels notamment, c'est garder la tête assez froide pour savoir ce qu'on fait et ne pas se lancer dans d'invraisemblables mensonges. Après tout, la Seconde Guerre mondiale supposait l'alliance des démocraties occidentales et de l'Union soviétique, avec un certain nombre de résultats qui n'ont pas été très heureux par la suite. Cela n'aurait pas dû autoriser les intellectuels progressistes américains à faire des films comme *Mission to Moscow* de Michael Curtiz, qui faisait l'éloge des procès de Moscou. Actuellement, je crois que, comme le disait très bien Alain Finkielkraut tout à l'heure, le *oui* un peu timide assorti d'un *mais* tonitruant ne contribue guère à la clarté. C'est plus un procédé rhétorique qu'autre chose. Finalement, vous nous dites que vous avez de temps en temps des ennemis qui sont clairement identifiés et qui sont incontestablement mauvais (c'est-à-dire, en substance, tout ce qui se ramène au mauvais impérialisme). Mais, comme vous trouvez aussi des horreurs à la périphérie des combats qui sont électivement les vôtres, vous adoptez des positions plus ou moins moralistes, qui n'ont rien en vérité de politiques. C'est la posture typique, me semble-t-il, de la radicalité.

*D. Bensaïd* – Ben Laden n'est pas à la périphérie de ce que je défends ! D'ailleurs, Ben Laden et une partie des mouvements islamistes radicaux sont aujourd'hui le fer de lance du libéralisme qui va s'implanter dans le monde arabe sur les décombres des États populistes répressifs et corrompus. Mais la montée en puissance de l'islamisme politique, dans le contexte de la mondialisation libérale, est aussi la conséquence de l'écrasement dans le monde arabe des tentatives de sécularisation dans le monde arabe. On peut lire sur cela de fort bons auteurs, d'Edward Said à Farouk Mardam-Bey, Elias Sanbar, Samir Kassir, de Mohamed Harbi à Gilbert Achcar.

135

*A. Finkielkraut* – Écrasées par qui ?

*D. Bensaïd* – D'abord par le coup d'État contre Mossa-
degh en 1953, en Iran, et par la mise en place du Shah...

*Ph. Raynaud* – Le Shah avait une politique de sécularisation qui a été écrasée par Khomeyni. C'est une autre présentation possible des choses...

*D. Bensaïd* – Tout à fait, mais là, on est dans un enchaînement qui tient de la spirale. D'avoir voulu éliminer le
Fatah, on a aujourd'hui le Hamas.

*A. Finkielkraut* – Le mal découlant de l'oppression, vous
divisez le monde entre deux types d'hommes : les hommes-
causes, les hommes-effets. Hommes-causes : Israël.
Hommes-effets : les Palestiniens et, de manière plus générale, les Arabes. Quand ils basculent dans l'intégrisme,
c'est le résultat de la politique israélienne.

La même logique vous faisait dire tout à l'heure que ce
qui a manqué en France, ce n'est pas une manifestation
pour Redeker, c'est une grande manifestation contre
l'offensive israélienne au Liban. Il faut, n'est-ce pas,
remonter à la cause : la cause c'est la domination. Et la
politique, dès lors, se présente comme la guerre qu'il
faut mener contre la guerre que font les dominants
pour maintenir leur domination.

*D. Bensaïd* – C'est votre interprétation. Mais je ne pense
pas du tout que la réalité soit aussi simple. Je ne crois pas
du tout que les Palestiniens soient les nouveaux héros de
l'émancipation de l'humanité. Arafat n'était pas non plus

mon champion. Je dis simplement que, dans cette affaire, il y a des droits qui ont été lésés. Quand on parle des « territoires occupés », il est bien question d'une « occupation », y compris du point de vue du droit international : c'est acté. Cela demande réparation, tout simplement. Ce que je trouve grave, dans la dynamique de ces dernières années, c'est qu'un conflit qui avait réussi à se formuler comme un conflit politique de droits nationaux et démocratiques se transforme en conflit confessionnel et religieux (jusqu'à réactiver le vieux mythe du peuple élu), à mesure que la rhétorique de la mondialisation impériale prend, elle aussi, une tonalité théologique. Je crois donc qu'on est dans une situation dégradée par rapport à d'autres opportunités qui se sont présentées à un moment donné, et qui ont été délibérément écartées. J'ai en mémoire un entretien de Ouzi Landau, alors ministre de l'Intérieur israélien, déclarant au journal *Le Monde* qu'il préférait avoir comme protagoniste le Hamas religieux que des organisations laïques. Il a réussi, hélas.

*A. Finkielkraut* – Situation dégradée, sans aucun doute, mais, pour comprendre quelque chose à cette dégradation, il faut traiter à égalité de responsabilité les différents protagonistes du drame. La charte du Hamas est antérieure aux négociations de paix, et donc à leur échec. Or cette charte ne définit pas la Palestine comme une nation mais comme un *waqf* islamique pour toutes les générations jusqu'au jour de la Résurrection. Et c'est aussi parce que le mouvement palestinien n'est pas seulement un mouvement national, parce qu'il est partagé entre ceux qui se veulent une nation et ceux qui se veulent autre chose, qu'un compromis est si difficile à trouver entre les deux parties.

137

Mais je voudrais maintenant revenir à l'*énigme française* dont je parlais au début. Pourquoi, selon vous, le courant dit antilibéral est-il si puissamment représenté dans notre monde politique, mais aussi, et peut-être surtout, dans notre monde intellectuel ?

*Ph. Raynaud* – Je crois qu'il faut d'abord se demander s'il y a une exception française en ce domaine. Tout le monde n'est pas d'accord là-dessus : Christophe Bourseiller par exemple dit dans son dernier livre[18] que l'extrême gauche existe partout, avec de petits groupes qui font ici ou là de bons résultats aux élections. Je crois pour ma part qu'il y a quand même une particularité française : les thèmes de la gauche radicale entrent en harmonie avec une bonne partie des aspirations nationales et trouvent un écho bien au-delà du discours politique radical. C'est la chose la plus déterminante, me semble-t-il. Après tout, nous avons bien un président de la République « de droite » qui reprend volontiers certains thèmes altermondialistes… On peut dire bien sûr que cela n'engage à rien dans la pratique, mais cela dit quand même quelque chose sur ce qui est perçu comme légitime en France. On peut en outre remarquer que la critique du libéralisme est tout spécialement incandescente en France. On peut, enfin, noter que le thème révolutionnaire est particulièrement vivace dans la culture sociale et politique française. Pour toutes ces raisons, je crois donc à une exception française. J'observe d'ailleurs que la production intellectuelle d'extrême gauche est souvent estampillée française – comme sur les campus américains où l'on parle de *french theory* même quand on parle des thèses de Negri…
Pourquoi cela a-t-il pris une importance politique particulière ? J'ai une explication (évidemment partielle) assez

simple à cela : la période que je trouve heureuse et qui a commencé dans les années 1980, au cours de laquelle on aurait pu avoir une évolution démocratique libérale de la France, se trouve malheureusement correspondre à une période de déclin relatif de la puissance française. Le modèle français, qui n'était certainement pas anticapitaliste, marchait plutôt bien : comme l'a très bien dit Marcel Gauchet, la France était assez en phase avec la période antérieure à la grande mutation libérale. Elle a certainement eu des difficultés à assumer cette transition. Voilà pour ce qui me semble être une des explications possibles à ce phénomène.

*D. Bensaïd* – Je ne parlerais pas, pour ma part, d'exception française. Je partage sur ce point l'analyse de Bourseiller : malgré la popularité de Lula au Brésil, il y a eu par exemple sept millions de voix pour la sénatrice Heloisa Helena, qui avait été exclue du PT pour avoir refusé de voter la réforme sur les retraites. En gros, il y a eu d'un côté la brutalité des attaques sociales subies au cours des vingt dernières années, et de l'autre un affaissement des organisations qui, traditionnellement, canalisaient les résistances ou les révoltes sociales. La social-démocratie ne s'est pas effondrée, mais elle s'est érodée. Les partis communistes européens en revanche, sauf en Grèce peut-être, se sont effondrés. Cela a pour effet de libérer un espace politique, que je définirais comme un champ de forces, dont tout l'enjeu est de savoir de quel côté elles vont s'orienter. Aujourd'hui, le contenu de cette nébuleuse altermondialiste est assez disparate : il y aura des néorégulationnistes, des néokeynésiens, des néolibertaires, etc., et, contrairement aux prophéties de Philippe

Raynaud, des néomarxistes, car l'actualité de Marx est celle du capital lui-même.

S'il n'y a pas d'exception, il y a tout de même une singularité française : comme en Angleterre en effet, il y a en France dans la gauche radicale une composante d'origine trotskiste significative. Elle s'est sans doute nourrie de l'antagonisme avec le Parti communiste, mais elle a aussi une légitimité culturelle et historique, d'André Breton et Benjamin Péret à David Rousset, en passant par Pierre Naville ou Maurice Nadeau. C'est un courant qui a une histoire politique et culturelle. En Angleterre, l'existence d'un courant analogue s'explique par des raisons opposées, qui sont la faiblesse du communisme stalinien et le poids du Parti travailliste : Orwell, par exemple, appartenait à ce courant, comme Isaac Deutscher. On retrouve ce phénomène ailleurs : au Portugal, le Bloc de gauche tourne autour de 7 %, et on trouve des partis de ce type en Italie, en Allemagne, en Turquie, et, dans un contexte culturel différent, au Danemark ou en Hollande. Tout cela n'est certes pas du même ordre, mais il y a tout de même un phénomène de déplacement à gauche de la gauche traditionnelle.

*Ph. Raynaud* – Tout cela mériterait d'être nuancé, surtout s'agissant de la gauche anglaise : Orwell a eu de la sympathie pour l'« opposition de gauche » sans jamais être vraiment trotskiste, et sa pensée n'a vraiment rien à voir avec celle d'un historien comme Isaac Deutscher, dont l'« antistalinisme » est finalement des plus douteux. Quant à la France, il faudrait faire la part de la diversité des descendants de l'opposition de gauche, qui n'ont pas tous eu la même complaisance pour le « communisme réel » que le courant auquel appartient Daniel Bensaïd.

*A. Finkielkraut* – Mais la France a quand même ceci d'originel et d'original qu'elle est le pays de Rousseau – « Je hais la servitude comme la source de tous les maux du genre humain » – et le pays de Robespierre – « la politique est la guerre de l'humanité contre ses ennemis ».

*Tout est politique,* rien n'échappe à la volonté : c'est en France que l'ontologie de la radicalité a été formulée pour la première fois. Ne sommes-nous pas tributaires de cette histoire ? La Révolution n'est-elle pas notre code et la table rase notre tentation permanente ?

*Ph. Raynaud* – Le paradoxe de la France moderne, c'est en effet qu'elle s'est fondée sur une révolution qui proclamait « notre histoire n'est pas notre code » (Rabaut Saint-Étienne) et qui a fini par être la source d'une ou de plusieurs traditions politiques, dont, notamment, celle qui voit dans toute révolte une cause juste et qui pense la politique sur le modèle de l'« instant parfait » révolutionnaire, comme le Sartre de la *Critique de la raison politique.* L'erreur de beaucoup de libéraux est ici de faire comme si l'histoire de France était une erreur et de vouloir contourner l'héritage révolutionnaire sans voir qu'il a été et peut encore être l'objet d'une appropriation civilisée. Il est tout à fait naturel que la critique des difficultés actuelles du monde libéral soit vivace en France, mais on peut aussi considérer que la complaisance des Français dans la répétition de leur passé révolutionnaire (répétition qui, si l'on suit Marx, a quelque chose d'une *farce*) est de nature à entretenir leur malheur politique plutôt que de les aider à en sortir : il reste donc à trouver un bon usage de cette maladie qu'est l'antilibéralisme français.

*D. Bensaïd* – En une seule question, vous levez au moins trois lièvres de taille.

Tout d'abord, je me méfie de toutes les ontologies, y compris celle de la radicalité. La formule du « tout est politique » eut son heure de gloire au lendemain de 68. Je serais aujourd'hui plus nuancé : tout est politique..., dans une certaine mesure, et jusqu'à un certain point, et différemment. Un des défis majeurs relancés par les effets de la mondialisation est bien de penser la pluralité des temps et des espaces de l'action, de s'orienter dans la non-contemporanéité et le contretemps. Le temps du droit, ou celui de l'écologie, des us et coutumes, qui sont des temps longs, ne sont pas rabattables sur le temps relativement court (un mandat, une législature) de la délibération démocratique. Les procédures de décision qui leur correspondent sont donc différentes.

Ensuite, la « guerre de l'humanité » évoquée par Robespierre prend aujourd'hui la forme discutable de la guerre humanitaire. Déclarer la guerre au nom de l'Humanité est bien aventureux : comment cette humanité prononce-t-elle ses jugements ? et si elle est muette, qui s'autorise à parler en son nom ? L'Occident, les Nations-Unies, le plus fort – aujourd'hui les États-Unis ? Je répète donc que l'Humanité est plutôt pour moi un horizon régulateur, une instance d'appel, une humanité à venir qui se construit dans l'échange (dans l'élaboration prudente de ce que Mme Delmas-Marty appelle un « droit commun »). En revanche, s'arroger le monopole de l'humain, au nom du monopole du bien, c'est ce que fait George Bush. La contrepartie, c'est le renvoi de l'autre au ban de l'humanité. Guantanamo et Abou Ghraïb n'apparaissent plus alors comme des accidents

142

ou des bavures, mais comme les effets collatéraux prévisibles de la « guerre de l'humanité ».

Enfin, bien sûr nous sommes tributaires de notre histoire et de sa singularité (comme les États-Unis de sa guerre d'indépendance ou l'Amérique latine de la chevauchée bolivarienne), mais de toute notre histoire : de la Révolution de l'An II et du massacre de juin 48, de la Commune et des enfumades de Saint-Arnaud, de la Résistance et des bombardements de Sétif. Je ne suis pas de ceux qui voudraient éteindre les Lumières et rejeter l'universalisme comme un simple masque des dominations. Olympe de Gouges ou Toussaint-Louverture, et tous les opprimés depuis, de Louise Michel à Frantz Fanon, ont su travailler dans cette contradiction entre une universalité abstraitement proclamée et son accomplissement effectif. L'égalité, la liberté, la solidarité restent donc, comme le souligne le jeune chercheur marocain Abdellali Hajjat, des « universalisables » indispensables à toute lutte d'émancipation.

# Europe, nation, démocratie

## Entretien avec Jean-Marc Ferry et Pierre Manent

*Alain Finkielkraut* – Il est inscrit sur nos passeports que nous sommes français et que nous sommes européens. Mais à quelle réalité ces mots renvoient-ils ? Que veut dire, par-delà l'évidence géographique ou le tampon administratif, « être français » ou « être européen » ? Ces questions primordiales deviennent aujourd'hui prioritaires : elles envahissent l'espace public et obsèdent tout le monde, comme ce fut le cas au moment du débat puis du vote sur la Constitution européenne. Plus récemment, les affrontements fiévreux sur Napoléon, l'esclavage, ou la colonisation (c'est-à-dire sur les chapitres les plus controversés de notre histoire nationale et européenne) l'ont encore montré. Pour nourrir cette discussion qui n'est pas près de s'éteindre et qui s'invitera, soyons-en sûrs, lors de la prochaine campagne présidentielle, j'ai invité deux philosophes éminents, Pierre Manent et Jean-Marc Ferry.

Vous écrivez, Jean-Marc Ferry, que l'Europe se trahirait en quelque sorte et manquerait à sa vocation « si, par fidélité à ce qu'elle fut, elle en venait à se replier sur ses valeurs patrimoniales en faisant de leur inventaire promotionnel un argument d'exclusion de tout ce qui reste étranger à l'héritage ». Vous précisez que « le principe de l'identité européenne consiste dans la disposition à s'ouvrir à d'autres identités ». Est-ce à dire qu'être vraiment européen, c'est savoir renoncer à tout être propre ?

*Jean-Marc Ferry* – Sûrement pas. C'est savoir faire de son identité une ressource plutôt qu'une limite. Une ressource, c'est un principe d'ouverture plutôt que de fermeture. Ce qui fait l'originalité de l'Europe, c'est cela, que vous avez bien voulu citer et qui n'est pas une pure invention de ma part. Cela fait suite à une longue tradition philosophique relative à ce qu'est le sens de l'Europe. Cette tradition va de Hegel à Patocka, et elle continue de vivre aujourd'hui dans le beau livre de Rémi Brague[19] sur la voie romaine, dont j'ai quelque peu paraphrasé le titre. Rémi Brague met l'accent sur le fait que le propre de l'Europe est de se référer à des héritages (Jérusalem ou Athènes par exemple) qui ne sont pas, en toute rigueur, les siens et dont elle n'a pas le monopole, mais qu'elle veut transmettre. Le propre de l'Europe, c'est donc une identité réflexive et communicationnelle en même temps, qui consiste dans cette aptitude à transmettre des messages qui lui semblent importants. Je tiens à la définition selon laquelle ce qui est original dans l'identité européenne, c'est son ouverture aux autres identités. Je pense en effet que, si l'on voulait réduire l'identité européenne à des particularités, elle ne se distinguerait pas des autres identités.

*Pierre Manent* – J'admets volontiers que je n'aimerais pas une Europe qui se limiterait à « l'inventaire promotionnel des valeurs patrimoniales ». Je trouve d'ailleurs

146

que les nations européennes mettent un accent excessif sur le patrimoine. Aujourd'hui prévaut une sorte d'obsession de la conservation des choses héritées qui risque de nous faire perdre jusqu'au souvenir de l'esprit qui les a créées.

Cela étant, je trouve qu'il y a quelque chose d'un peu abstrait dans le fait de dire que l'être propre de l'Europe, c'est son ouverture. Il faut accepter d'être quelque chose : c'est une condition première pour exister. Mais si l'on est quelque chose, on n'est pas pure ouverture. Je risquerai une métaphore un peu facile : une maison accueillante est bien préférable à une maison aux portes et aux fenêtres fermées ; mais c'est quand même une maison, ce n'est pas un terrain vague. S'il est vrai, comme le dit Rémi Brague, qu'il est spécifique à l'Europe de prendre ses sources ailleurs, il reste que chacune de ces sources est quelque chose qui n'est pas une simple ouverture. Le christianisme par exemple n'est pas un pur universalisme ni une pure ouverture à l'autre ; c'est une certaine proposition qui a un contenu très fort – si fort même que beaucoup de gens le refusent. Quant à l'idée romaine, elle est clairement quelque chose qui ne se laisse pas résumer par la notion d'ouverture. Je crois donc qu'il y a beaucoup d'abstraction dans cette idée, qui est techniquement la plus accomplie mais politiquement peu convaincante, me semble-t-il.

*J.-M. Ferry* – Vous avez utilisé la métaphore de la maison ; je vais en utiliser deux autres pour tenter de vous convaincre – celle du langage et celle de la personne. Chaque langue a ses particularités et exprime ainsi une singularité, une identité propre ; sans la langue cependant, il n'y a pas d'ouverture et de dialogue entre les personnes aussi bien qu'entre les cultures. Je veux dire par là qu'il ne faut pas mettre en opposition l'ouverture et le fait d'avoir une identité. Ouverture n'a jamais signifié le néant, au contraire. Pour s'ouvrir sur les autres, et pour se reconnaître aussi soi-même dans l'autre, il faut un médium ; or ce médium n'est pas rien, ce n'est pas un verre transparent. Le langage n'est pas quelque chose de tout à fait neutre qui ne ferait que laisser passer des messages : le langage est le moyen d'ouvrir son propre monde sur celui des autres. Je compléterai cette première métaphore par celle de la personne, qui est peut-être plus accessible au sens commun. S'agissant d'un individu, une forte personnalité se rencontre chez ceux qui s'ouvrent beaucoup plus aux autres qu'ils ne se replient sur eux-mêmes. La personnalité a tout à gagner dans cette ouverture : plus il y a d'ouverture, plus il y a de personnalité.

A. *Finkielkraut* – Avant que Pierre Manent ne vous réponde, je voudrais vous faire une objection que j'appuierai sur deux exemples. Premier exemple : j'étais en Suède il y a quelques jours pour un colloque ; le ministre de la Culture l'a ouvert en disant fièrement que l'année 2006 était pour la Suède l'année du multiculturalisme. Quand il parlait de multiculturalisme, c'était exclusivement pour parler de l'autre : dans le multiculturalisme, la culture suédoise n'avait pas de place, elle s'enivrait même de sa propre disparition. Deuxième exemple : le philosophe et sociologue Ulrich Beck[20], que vous citez dans votre livre, Jean-Marc Ferry, dit qu'il n'y a de salut pour l'Europe que dans le cosmopolitisme. Mais comme c'est un penseur conséquent, il ajoute que pour être vraiment cosmopolite, il faut n'être rien de consistant ; pour pouvoir adopter ou accueillir toutes les identités, il faut n'en avoir aucune. Pour faire le plein, il faut faire le vide. Le philosophe invite donc l'Europe à rejoindre, non sa définition, mais son indétermination en décollant d'elle-même. «Vacuité substantielle, ouverture et tolérance radicales», telle est, selon Ulrich Beck, la formule d'une Europe digne de ce nom.

Pierre Manent disait qu'il s'agit d'être quelque chose. Mais si on est quelque chose, on se détache, on se dissocie de ce qu'on n'est pas, on met l'Autre à part. Il semblerait que l'Europe, traumatisée par le XX<sup>e</sup> siècle, ait choisi de s'évaporer dans l'universel. Est-ce viable ?

*J.-M. Ferry* – Je dirai un mot d'abord sur Ulrich Beck avant de répondre sur le fond. Si je l'ai cité, ce n'est pas du tout à cause de ses thèses philosophiques : celles-ci me semblent assez creuses, et j'avoue par ailleurs ne pas beaucoup apprécier le goût qu'a cet auteur pour les formules un peu clinquantes... Mais le double intérêt de son dernier livre, c'est d'abord qu'il nous fournit beaucoup de données empiriques sur des phénomènes de transnationalisation du pouvoir ou de cosmopolitisation de la culture. D'autre part, sa thèse me semble assez juste quand il dit qu'il faudrait prendre un peu de distance à l'égard des catégories (la souveraineté ou la représentation par exemple) qui nous servent à penser le politique. On peut évidemment reprocher à Ulrich Beck de dramatiser quelque peu son propos en opposant l'optique cosmopolitique à un nationalisme méthodologique pris, selon son expression (un peu ridicule, peut-être), dans une « optique carcérale » ; mais il y a sur le fond des choses intéressantes qui peuvent nous être utiles. Je lui sais gré de secouer un peu le cocotier, parce que nous avons trop tendance à célébrer, comme on dit pompeusement, un « discours fort » sur la nation sans vraiment prêter attention à la réalité. C'est donc en tant que sociologue que j'apprécie Beck.

Pour répondre maintenant à votre question sur l'ouverture à l'autre et sur son lien avec la vacuité, je vous dirai que mon thème n'est pas l'ouverture à l'autre, mais la reconnaissance de soi dans l'autre. C'est tout de même très différent. Je considère que l'ouverture à l'autre est un thème idéologique qui est un peu rebattu. C'est une idée très simple que je veux faire valoir : se comprendre soi-même est une chose impossible quand on est totalement autocentré. Se comprendre soi-même se fait d'autant mieux qu'on le fait avec le regard des autres. Il est temps pour les mémoires nationales de se défaire de leur gestion nationaliste, qui a consisté jusqu'alors à se fermer de façon passablement narcissique au récit des autres. Nous avons besoin du regard des autres pour élargir notre champ visuel.

*P. Manent* – Je voudrais d'abord reprendre l'exemple de la langue qui me paraît en effet fort bon. Quelle est la meilleure façon de penser le monde ? Est-ce d'entrer profondément dans une langue, de l'habiter intimement et d'en posséder toutes les ressources et toutes les subtilités ? Ou bien est-ce de savoir superficiellement et médiocrement douze ou vingt-cinq langues ? Il me semble que nous nous plaçons de plus en plus dans la position de celui qui pense qu'il vaut mieux savoir le plus possible de langues pour dire toute la diversité et toute la richesse du monde. Pourtant, celui qui connaît très bien une langue a à sa disposition une ressource précieuse pour penser précisément le monde. C'est d'ailleurs l'un des problèmes de l'éducation aujourd'hui : on s'efforce d'internationaliser des enfants en leur faisant apprendre plusieurs langues, alors que le problème de ces enfants est la maîtrise d'*une* langue – leur langue maternelle.

En ce qui concerne les mémoires nationales, il faut faire attention à ne pas confondre deux choses : il y a sans aucun doute une vanité et une partialité nationales qu'il faut surmonter. Quand nous faisons l'histoire de France, il n'est pas nécessaire que nous nous donnions toujours raison dans nos débats ou nos démêlés avec les Espagnols, les Italiens ou les Anglais... En même temps, il faut que ce dont nous parlons corresponde à l'expérience réelle que nous avons faite du monde. Or c'est dans la rivalité des nations que les Européens ont fait leur expérience du monde. Cette rivalité n'était pas une simple mesquinerie qu'il faudrait abjurer aujourd'hui comme une chose honteuse : cela fait partie de l'être même de notre expérience. Une histoire de l'Europe qui en défalquerait tout ce qui relève des confrontations et des rivalités nationales serait une histoire dont aurait disparu toute la vie réelle de l'Europe. Ce serait quelque chose d'aussi abstrait qu'un rapport d'une commission européenne ! Faisons donc attention...

*A. Finkielkraut* – Qu'est-ce que l'Europe d'aujourd'hui doit retenir de son histoire ? La grande coupure de la Seconde Guerre mondiale a interdit à l'Europe de poursuivre son expérience au travers de la rivalité nationale. Cette rivalité pouvait jusqu'alors être encadrée dans le *jus publicum europaeum*, comme disait Carl Schmitt, qui rationalisait et domestiquait la guerre. La guerre totale ayant pulvérisé ce cadre, l'Europe a choisi de surmonter son histoire. A-t-elle fait le bon choix ? Une fois ce choix opéré, quel doit être son regard sur le passé ? Ce passé doit-il être entièrement discrédité et récusé pour avoir mené à Auschwitz ? L'Europe qui surmonte ses divisions doit-elle aussi, et du même mouvement, surmonter l'Europe ? Il me semble que les générations posthitlériennes ne savent pas comment regarder derrière elles.

*P. Manent* – Certainement, mais c'est une tâche continue. Je ne sais naturellement pas ce que sera l'avenir, mais j'ai l'impression que les doctrinaires du postnational, eux, ont le sentiment qu'ils savent... Pour eux, en effet, l'âge des particularismes nationaux est passé et nous sommes entrés dans une ère nouvelle. En ce qui me concerne, je ne sais ce qu'il en est. Je mesure la fragilité de la nation – ce serait difficile de ne pas le faire aujourd'hui en France ! J'espère qu'il y a un avenir pour cette nation et que des expériences nouvelles nous attendent, qui compléteront cette longue histoire.

Renouer avec notre histoire, c'est une tâche à la fois politique et intellectuelle. En ce qui concerne la France, si l'on laisse de côté la monarchie, il s'est agi à chaque refondation républicaine de prolonger notre être national. Il y a eu une refondation en 1958, et ce fut la dernière refondation substantielle. Nous sommes nombreux aujourd'hui à penser que nous avons besoin, sinon d'une sixième République, du moins d'une nouvelle refondation de la cinquième. Nul ne sait ce qu'elle sera. Mais peu importe : cela montre que nous vivons encore pour cet être national que nous sommes sommés par l'expérience de continuer à faire vivre. Cette responsabilité nous incombe et nous ne pouvons pas décréter que tout cela appartient à notre passé.

*A. Finkielkraut* – Jean-Marc Ferry, cette responsabilité nous incombe-t-elle, ou bien faut-il tourner la page et entrer dans l'ère du postnational ?

*J.-M. Ferry* – Il y a un malentendu sur le sens du mot
« postnational ». Mais je voudrais d'abord répondre aux
trois points qui ont été soulevés – les langues, les
mémoires conflictuelles et les nations. Sur la question
des langues, je suis pleinement d'accord avec ce que
vous avez dit : il faut profondément entrer dans sa propre
langue pour pouvoir comprendre le monde, et donc
aussi entrer dans des processus d'intercompréhension
culturelle. Vous avez à juste titre parlé des enfants et de
l'illettrisme qui est aujourd'hui véritablement inquiétant,
en France comme ailleurs. Pourquoi ce que vous dites
est-il vrai ? Peut-être est-ce parce que, au-delà de l'aspect
sémantique et de l'héritage que thésaurise une langue, il
y a d'abord ses potentialités grammaticales très fortes qui
permettent la traduction des langues les unes dans les
autres. Sans la grammaire fondamentale des temps, des
personnes, des modes, etc., que nous nous approprions
par l'approfondissement et la pratique de notre langue,
nous ne pourrions pas aisément entrer en communication avec les autres. Je suis donc tout à fait d'accord avec
ce que vous dites. Comme professeurs, vous et moi, nous
sommes bien placés pour savoir quelles sont les conséquences gravissimes de la dégrammaticalisation. En tout
cas, une fois encore, on voit bien que la reconnaissance
de l'autre n'implique pas le reniement de soi : elle
dépend largement de l'approfondissement de soi. Non
seulement la bonne connaissance de soi est une ressource pour reconnaître l'autre, mais on ne peut se
connaître soi-même en se fermant à autrui. Il y a là un
rapport dialectique.
  Sur les mémoires, je dirai simplement que vous avez
bien raison de faire remarquer que ces mémoires sont

rivales et conflictuelles. Mais, pour reconnaître cette rivalité, il faut reconnaître les autres mémoires, donc s'ouvrir
aux autres. C'est là quelque chose de nouveau aujour-
d'hui ; depuis une quinzaine d'années, on commence
enfin à s'ouvrir au récit des autres. L'histoire européenne
est en grande partie faite de conflits, mais nous n'avons
vécu le conflit franco-allemand par exemple que d'un
seul côté : nous avons besoin aussi de nous ouvrir à l'autre
côté. Cela importe à la connaissance de notre propre
histoire. Il y a par ailleurs une nécessité pratique de faire
l'Union européenne ; or la réconciliation est un préalable
à cette union ! S'il n'y avait pas eu les actes de la réconciliation, que l'on doit en très grande part à l'Allemagne de
l'Ouest, il aurait manqué les préalables nécessaires à
l'élargissement de l'Union européenne.

Enfin, en ce qui concerne le postnational, celui-ci ne
prétend pas se faire (du moins quand il est bien compris)
contre les nations. Il n'est pas du tout question de suppri-
mer les nations, mais d'abord de dépasser les nationalismes. Il ne faut pas confondre l'idée postnationale avec
une stratégie supranationale : c'est une stratégie trans-
nationale. Elle suppose une ouverture réciproque des
cultures politiques nationales ainsi que des mémoires historiques elles-mêmes, afin d'étayer substantiellement le
partage des souverainetés.

*P. Manent* – Je ne crois pas du tout que nous ayons vécu
notre expérience passée d'un seul côté. Je ne crois pas
plus que le temps de l'impartialité commence aujour-
d'hui. Prenons l'exemple de Montesquieu qui est, comme
chacun sait, le grand théoricien de la Constitution
anglaise. Il a confronté le modèle anglais au modèle français, il a montré les mérites de l'un et de l'autre, et il a

produit une théorie très favorable au régime anglais. Dans cette confrontation, il n'est pas vrai que nous nous sommes sans cesse donné raison. Dans le débat avec l'Allemagne, Dieu sait si les Français ont admiré la science et l'université allemandes ! Ils ont essayé d'appliquer la méthode des hautes études allemandes dans le domaine de l'exégèse biblique ou de la philologie grecque... Dans cette Europe des rivalités, il y avait donc une intense présence réciproque des nations les unes aux autres. Cela remonte au Moyen Âge ! C'est ainsi que l'expérience anglaise est devenue au XVIIᵉ siècle une partie de l'expérience politique française – et réciproquement. Je ne suis par conséquent pas d'accord avec l'idée que nous découvrons aujourd'hui l'impartialité grâce à la Constitution européenne.

*A. Finkielkraut* – Ce que vous dites, Pierre Manent, m'évoque une rêverie de l'écrivain tchèque Ludvik Vaculik, traduite par Milan Kundera et parue naguère sous le titre *Mon Europe.* Son Europe, c'est celle qu'il découvre, enfant, en regardant les cartes de géographie et qu'il oppose, adulte, à l'immense empire dont il est alors l'un des sujets. «L'âme compliquée» de cette Europe procède, écrit Vaculik, «de son terrain : du contenu ondulé de ses rêves, de la hauteur de ses montagnes, du climat et de la direction des rivières. Sur chaque baie, un duc différent régnait ; une île avait son roi. Et, comme de l'autre côté de chaque montagne on parlait une autre langue, il était impossible d'établir une administration unique. Nul conquérant n'a pu s'emparer de l'Europe d'un trait, il butait toujours sur un obstacle, perdant temps et force. Sur les territoires conquis, il laissait derrière lui des communautés insurgées qui, en dépit de leurs dimensions, se proclamaient État et firent de leur patois une langue administrative et rien n'a changé jusqu'à nos jours ! Chassés d'un endroit, prédicateurs, enseignants, artistes, savants s'établissaient un peu plus loin et personne n'y pouvait rien[21] ».

Dans ce micmac européen, il y avait toujours une frontière pour arrêter le pouvoir et pour rappeler que, de l'autre côté, le non pareil régnait. La liberté, l'impartialité et le scepticisme sont les enfants de cette diversité. J'ai du mal à croire que l'homogénéisation de l'espace et l'abolition des frontières instaureront un climat plus propice à l'épanouissement de ces qualités.

*J.-M. Ferry* – Ce que vous venez de dire, Alain Finkielkraut, pour revenir sur ce que j'aurais dit, me semble très symptomatique : vous présentez le projet postnational comme un projet qui consisterait à surmonter les frontières. Or je n'ai jamais dit que nous devions surmonter les frontières ; en revanche, j'ai dit que nous devions dépasser les nationalismes – ce qui, à mes yeux, est très différent. Pierre Manent me donne en exemple Montesquieu (soit un homme du XVIII$^e$ siècle qui n'était pas nationaliste), alors que je parlais pour ma part de la gestion nationaliste des mémoires. Or ce phénomène se développe surtout dans la seconde moitié du XIX$^e$ siècle et dans la première moitié du XX$^e$ siècle. Il ne s'agit pas enfin d'une fermeture aux apports de la culture intellectuelle (Goethe, Shakespeare...) : il est certain que beaucoup d'éléments de la culture politique et intellectuelle ont servi d'inspiration et ont été échangés. La culture française a impressionné l'Allemagne, et réciproquement. Les institutions politiques anglaises ont influencé Montesquieu, etc. Mais il ne s'agit pas de cela ! Il s'agit d'une gestion des mémoires qui occulte le vécu du conflit du côté des protagonistes. Les cultures des autres nations, c'est une chose ; mais le vécu des conflits qui nous ont opposés, c'est encore tout autre chose. Même Montesquieu n'a pas développé un intérêt particulier pour le vécu des Anglais pendant la guerre de Cent Ans... Ce vécu des conflits par les autres, par nos anciens adversaires, c'est quelque chose à quoi nous nous sommes fermés jusqu'à présent.

*A. Finkielkraut* – Depuis quelque temps déjà, Jean-Marc Ferry, vous insistez sur la nécessité, pour les pays européens, de s'infliger une salutaire blessure narcissique et d'accomplir un travail de repentance. Cette repentance aujourd'hui ne se limite plus aux sombres temps du fascisme et du nazisme. L'Europe a changé. Elle est devenue, malgré elle, une Amérique, c'est-à-dire une terre d'immigration. Cette nouvelle donne démographique – l'arrivée massive de populations venues d'Afrique et des pays arabes – impose, notamment en France, la révision de l'histoire de l'esclavage et de l'histoire de la colonisation. Il n'y a pas qu'un seul devoir de mémoire, il y en a plusieurs si l'on veut faire leur part aux injustices subies par les communautés immigrées, ou, plus exactement, par leurs ancêtres. Vous auriez raison de vous féliciter de cette déstabilisation autocritique des mémoires nationales, si elle n'encourageait, chez les nouveaux Européens, le découplage de l'identité et de la nationalité. Il devient désormais licite, sinon même louable, de cultiver un rapport sentimental aux origines, et un rapport purement instrumental à la nation. L'identité est un grief et la nationalité un droit ou une liste de droits. À la repentance des uns fait écho le ressentiment des autres.

157

« Sale Français ! » est aujourd'hui une injure courante en France, et elle émane majoritairement de gens qui ont la nationalité française. Devant cette réalité, j'ai, je dois le dire, la nostalgie de la nation, c'est-à-dire d'une communauté de citoyens coresponsables. Partagez-vous cette inquiétude et ce regret ?

*P. Manent* – Je ne sais que répondre. Je sympathise avec votre inquiétude... Nous affrontons là l'extraordinaire indétermination de l'histoire réelle. Les nations européennes ont été les premières à construire à partir du XVIIIe siècle une forme de domination sur le monde, comparable et même supérieure à celle de l'Empire romain. En quelques générations, elles ont couvert la planète pour exercer cette supériorité d'organisation politique et économique. Personne ne l'avait prévu ! Quand vous pensez à la France de Racine, ou même à celle du début du XVIIIe siècle, vous n'imaginez pas la carte du monde avec l'Empire français occupant une telle place. Il est donc arrivé que nous nous sommes répandus sur la planète et que nous sommes entrés en contact plus ou moins rudement avec des peuples et des cultures très différents. Le contrecoup de cette rencontre dure encore, sous des formes très diverses (l'indépendance de la plupart de nos anciennes colonies et la départementalisation des autres). Nous devons donner un sens à tout cela. Or ce sens est ouvert : nous ne savons pas si ces expériences que nous avons faites seront des occasions de recomposition, de refondation, de complexification et d'enrichissement de l'expérience française. Peut-être seront-elles au contraire des occasions de décomposition dans la surenchère des revendications que vous décrivez très bien.

158

*A. Finkielkraut* – Vous dites que nous ne savons pas ce qui arrivera, mais votre livre décrit comme un processus irrésistible l'effacement de soi des nations européennes. Vous montrez que les peuples d'Europe travaillent avec zèle au remplacement de leur histoire par les droits de l'homme. Si tel est le cas, si cette dynamique nous emporte, nous pouvons craindre de ne pas trouver les ressources pour faire face.

*P. Manent* – Je ne sais pas si nous aurons les ressources pour accomplir la continuation de l'histoire nationale. Mais je ne crois pas non plus que la vision tocquevillienne pure ou extrême soit possible : au point où nous en sommes, si nous ne nous refondons pas, nous nous autodétruisons.

*J.-M. Ferry* – Je partage votre inquiétude, Alain Finkielkraut, mais je ne partage pas votre interprétation. L'ennemi n'est pas l'universalisme, mais c'est le particularisme identitaire. Votre inquiétude est moins celle du postnational que du prénational ! C'est tellement clair que je ne comprends pas comment vous ne voyez pas cela ! Il est évident que dire « Sale Français ! » quand on est français ou tomber dans le multiculturalisme, ce n'est ni du postnational ni du national, mais c'est du prénational...

*A. Finkielkraut* – Sans doute, mais je voulais dire que la contrition favorise ce type de comportements. Dans un texte écrit à la mort de Sartre, Octavio Paz nous invite à faire la distinction entre l'esprit critique, gloire de l'Europe, et le masochisme de la moralisation, perversion du $XX^e$ siècle européen. Ce qui m'inquiète, je le répète,

159

c'est la rencontre, sur les diverses scènes nationales, de ce masochisme moralisateur et du ressentiment. Rien de bon ne peut sortir de là.

*J.-M. Ferry* – Eh bien là, nous sommes au cœur du problème et de notre désaccord ! Voilà quelque chose qui peut donc être intéressant... Je crois qu'il y a au moins deux rapports possibles à l'histoire : ou bien on considère que la culture de l'histoire sert à structurer ou à consolider une identité collective, nationale par exemple ; ou bien on peut se rapporter à l'histoire pour nous aider à comprendre comment la nôtre a pu être regardée par les autres et surtout comment nous en sommes arrivés à un certain état des relations internationales où les rapports sont marqués par des ressentiments et les contentieux. Nous sommes incapables de nous en défaire, et cela continuera si nous ne savons pas reconstituer les éléments du passé qui ont constitué ce passif. Il y a donc là un projet d'élucidation et de réconciliation.

Je voudrais dire aussi qu'il me semble y avoir une identification catastrophique dans les milieux intellectuels français notamment entre rapport autocritique et rapport masochiste à la mémoire. On stigmatise beaucoup la repentance, alors que le geste ne renvoie pas nécessairement au « masochisme » et à la « haine de soi » : la compréhension de soi peut en être le sens véritable, dans un souci de réconciliation avec autrui. Il n'y a enfin rien de déshonorant à reconnaître ses fautes, c'est même tout le contraire d'un signe de faiblesse. La véritable rationalité n'est pas de ne jamais faire d'erreurs, mais elle est de savoir reconnaître ses erreurs et d'en tirer des leçons.

*P. Manent* – Je ne peux que vous accorder qu'il n'y a rien de mal à reconnaître ses torts. Sur ce point, il n'y a pas de doute. Simplement, la question est de savoir dans quel esprit on fait cette repentance. Est-ce pour nous mettre en mesure de bien agir à l'avenir et ainsi continuer sur des bases meilleures l'histoire commencée ? Ou bien est-ce pour reconnaître le caractère définitivement condamné et coupable de cette communauté que nous avons formée au cours des siècles ? Là est la question. Elle n'est pas celle de la légitimité de l'examen des fautes, mais elle est celle de l'esprit dans lequel cet examen est fait.

*J.-M. Ferry* – L'esprit de la repentance, ou plutôt le sens d'une responsabilité prise à l'égard du passé, n'est pas, tel que je le valorise, celui de la délectation morose : c'est un esprit qui se veut reconstructif. Le geste de contrition qui amorce un processus de réconciliation est un geste éthique ; mais, comme toujours, il y a évidemment des dérives idéologiques possibles. Ce que je ne comprends pas, c'est qu'on regarde cet esprit de repentance sous le seul point de vue de la délectation morose et du masochisme, alors qu'il a des enjeux concrets considérables sur le plan national ou international.

*A. Finkielkraut* – La délectation de la repentance n'est pas obligatoirement morose. Dénoncer un passé dégoûtant, c'est impliquer qu'on est soi-même supérieur, plus fraternel, plus moral, plus courageux. Mais justement, l'autocritique doit-elle instaurer une coupure entre le présent clair et le passé obscur ? Pour Ulrich Beck, la réponse est oui. L'Europe, après Auschwitz, ne peut plus se reposer sur une ascendance commune ni même une histoire partagée, mais sur des principes universels. C'est

161

au nom de tels principes que les partisans de l'entrée de la Turquie dans l'Union européenne ont accusé leurs adversaires de considérer l'Europe comme un « club chrétien ». Pour eux, la Turquie doit faire partie de l'Europe car l'Europe elle-même ne fait plus partie de l'Europe, elle n'est même européenne qu'à condition de se délester de son particularisme. Pierre Manent, vous qui pointez dans votre livre la bizarrerie de l'actuelle prétention européenne à n'être qu'absence, que pensez-vous de cette expression : « club chrétien » ?

*P. Manent* – Comme vous le savez, c'est une expression qui est venue au monde par sa négation. Elle a ensuite été ressaisie par beaucoup d'Européens. C'est une expression que je trouve très curieuse : l'Europe est un club, mais il ne saurait y avoir de club chrétien parce que la définition de l'Église chrétienne est d'être une communion et pas un club. J'essaie d'avoir dans mon livre une approche politique des religions en général, du christianisme en particulier. Nous ne sommes pas maîtres de notre histoire comme nous sommes maîtres de nos opinions : nous ne sommes pas libres de séparer l'Europe de sa confrontation avec le christianisme. L'appropriation du christianisme a pris des formes très différentes dans les différents pays européens (y compris des formes parfois virulentes d'opposition). La thèse selon laquelle il faut prendre au sérieux l'expérience chrétienne de l'Europe signifie simplement qu'il faut prendre au sérieux notre histoire réelle.

*J.-M. Ferry* – La repentance n'est pas une coupure. J'insiste sur le fait qu'elle est le point de départ d'un processus de reconstruction et de réconciliation. Il n'y a

162

pas de réconciliation possible sans vérité, et pas de vérité sans reconnaissance des faits. La repentance est une disposition à la réconciliation, tout au rebours donc d'une coupure. Auschwitz a été un élément très important de l'expérience du mal radical, à partir de quoi nous devons effectivement nous acheminer vers une nouvelle identité. Cela ne veut pas dire, au contraire, que l'on se coupe de la mémoire et de l'histoire.

En ce qui concerne l'Europe comme « club chrétien », je dirai que l'Europe est chrétienne, mais elle n'est pas un club. C'est un contresens sur l'Europe. Elle n'est pas un club chrétien, parce qu'il faut distinguer l'Europe historique (chrétienne, effectivement) de l'Europe politique. Ce sont deux choses différentes : les limites de l'Europe politique n'ont pas à être préjugées par celles de l'Europe historique et culturelle.

# DEUXIÈME PARTIE

# INCARNATIONS

# L'héritage du général de Gaulle

## Entretien avec Paul-Marie Coûteaux
## et Nicolas Tenzer

*Alain Finkielkraut* – De Gaulle, c'était l'action, l'art de saisir l'occasion par les cheveux, de faire face, de répondre présent aux rendez-vous de l'histoire. De Gaulle, c'était aussi le verbe inimitable, un style, un ton, une façon saisissante de dire les êtres et le monde. Écoutons : « Toute ma vie, je me suis fait une certaine idée de la France. Le sentiment me l'inspire aussi bien que la raison. Ce qu'il y a, en moi, d'affectif imagine naturellement la France, telle la princesse des contes ou la madone aux fresques des murs, comme vouée à une destinée éminente et exceptionnelle. J'ai, d'instinct, l'impression que la providence l'a créée pour des succès achevés ou des malheurs exemplaires. S'il advient que la médiocrité marque, pourtant, ses faits et gestes, j'en éprouve la sensation d'une absurde anomalie, imputable aux fautes des Français, non au génie de la patrie. Mais aussi, le côté positif de mon esprit me convainc que la France n'est réellement elle-même qu'au premier rang ; que, seules, de vastes entreprises sont susceptibles de compenser les ferments de dispersion que son peuple porte en lui-même ; que notre pays, tel qu'il est, parmi

167

les autres, tels qu'ils sont, doit, sous peine de danger mortel, viser haut et se tenir droit. Bref, à mon sens, la France ne peut être la France sans la grandeur. » Nicolas Tenzer, vous dirigez la revue *Le Banquet,* vous avez publié naguère *La Face cachée du gaullisme,* Paul-Marie Coûteaux, vous dirigez *Les Cahiers de l'indépendance* et vous êtes l'auteur d'un ouvrage sur *De Gaulle, philosophe,* comment réagissez-vous, l'un et l'autre, à la lecture de ce passage ? Avec nostalgie, avec gratitude, avec admiration, avec une tendresse teintée d'ironie pour tant d'emphase ? Bref, la France selon de Gaulle, est-elle vivante ou relève-t-elle d'une époque et d'un style révolus ?

*Nicolas Tenzer* – Le charme exercé par la langue du général impose certes l'écoute. Il sera loisible de regretter que peu d'hommes politiques aujourd'hui, sinon aucun d'entre eux, parlent et écrivent ainsi. Toutefois, l'éthique intellectuelle comme la rigueur politique nous obligent à considérer cette ouverture des *Mémoires de guerre* avec distance, sinon avec froideur. Par ces termes, j'entends qu'il faut considérer plusieurs niveaux différents de discours et éviter de se laisser subjuguer par la musique en délaissant ce qui est dit. Je ne nierai pas que, en termes de séduction politique, ces phrases, qui expriment la quintessence de la conception du général, puissent sonner juste, pas seulement pour de mauvaises raisons, même si cette justesse n'est évidemment pas indépendante du locuteur. De fait, les Français ressentent le besoin tant d'une unité politiquement exprimée que d'un discours de grandeur, de puissance, en somme d'un dessein porteur d'une ambition qui dépasse les « contraintes » et les « régulations » qu'on nous présente si souvent comme le dernier mot de la politique.

Pour autant, il convient de mettre à plat ce discours, car il faut, pour en apprécier la portée, balayer cette séduction qu'il peut inspirer naturellement. On trouve assurément des éléments très contestables : songeons à cette personnification de la France et à une expression qu'il utilise – « la Providence l'a créée » – qui révèlent l'appartenance à une tradition respectable, la tradition catholique, sur laquelle est plaquée le patriotisme, mais qui n'est précisément qu'une croyance. On peut également balayer ce qui relève de la mythologie à proprement parler, la mythologie du destin, de quelque chose, finalement de très impalpable, qui aurait façonné le pays et lui conférerait une essence éternelle au-delà du temps et de ses habitants. Concrètement, je vois bien un homme de guerre faire appel à de tels sentiments et à de telles croyances – car l'essentiel est bien de mobiliser et de galvaniser –, mais je perçois mal ce que ces glorieuses trompettes ont à faire avec la politique d'aujourd'hui.

Toutefois, on peut discerner un autre aspect dans ce discours, aspect très concret pour un chef d'État ou pour un homme politique de quelque importance, et qui consiste à reconnaître que, si je n'aime pas mon pays, alors je n'ai aucune légitimité pour le diriger. Si je n'ai pas pour lui une ambition qui est une obsession de l'ordre de ces « vastes entreprises » dont parlait de Gaulle, un projet qui permette aux citoyens d'être toujours meilleurs qu'ils ne sont, si je n'ai pas pour préoccupation quotidienne de porter mon pays au meilleur niveau possible, en tant que tel et tel qu'il se projette dans le monde, alors je suis indigne de cette fonction. Si donc je prends quelque distance par rapport à ce discours et que je m'interroge sur l'*êthos*, l'éthique propre à un chef de l'État, je trouve une considération très forte

169

sur la nature du bon dirigeant, qui était, somme toute, déjà présente chez Machiavel.

Le problème tient à ce que le général a, pour partie, démenti, assurément sans le vouloir, le programme qu'il s'était lui-même fixé – et je parle là du de Gaulle politique, non celui de l'Appel. Et cela découle précisément d'une autre considération sous-jacente à son propos, régulièrement formulée par la suite et confirmée avec une insistance et une constance qui rendent impossible d'y apporter un démenti dans les propos que rapportent Claude Guy, Malraux, Peyrefitte et Foccart. De Gaulle parle toujours de la France pour l'opposer aux Français ; il pense que les Français ne sont pas véritablement à la hauteur de la France ; en conséquence il entend agir sur le pays, la France, bien plus que sur les Français, sorte de part maudite de la France. D'où ma question : s'est-il donné les moyens de faire en sorte que le pays atteigne *durablement* le rang qu'il lui assigne et réponde à l'ambition dont il a ainsi dessiné le programme ? Il n'est pas dans mon propos de dire que son action ait été nulle et qu'il n'ait rien accompli de grand, mais son pessimisme foncier, sa certitude qu'il était « le dernier des grands », sa croyance politique marquée sans doute du sceau du péché originel ont fait qu'il n'a pas entrepris d'agir en profondeur ni de léguer un héritage susceptible de lui survivre. Dès lors, pour reprendre vos quatre termes, Alain Finkielkraut, je me garderai bien de toute nostalgie, car ce n'est point une attitude politique que de regretter le passé en souffrant dans le présent, puisque cela nous empêche de considérer la spécificité de chaque temps. La gratitude ? Oui, assurément pour 1940, de manière inextinguible, et cette reconnaissance va jusqu'en 1946. Je suis prêt aussi à le remercier pour avoir rétabli l'État en 1958 et avoir sorti la France du bourbier algérien, même si je crois indispensable d'exercer un devoir d'inventaire sur les presque onze ans de présidence gaullienne. L'admiration va de pair, mais elle n'est pas sans ombre. Ces deux termes, en tout cas, je pourrais les concevoir pour l'homme et pour l'œuvre, non pour le propos. Vous me permettrez enfin de mesurer ma tendresse, mais aussi de me garder de toute ironie.

*Paul-Marie Coûteaux* – Vous avez utilisé de beaux mots, Alain Finkielkraut, je les reprendrai tous ; j'écoute en effet ce passage avec nostalgie, avec gratitude, avec admiration, avec tendresse. Vous avez raison d'utiliser d'entrée de jeu ce quarteron de mots désuets, qui restaurent la dimension perdue de la politique, celle de l'amour. Il ne s'agit pas seulement de l'amour pour un homme, quoiqu'on puisse avoir de la tendresse pour lui, notamment au regard de ce que font ses supposés héritiers ; il s'agit d'abord de ce qui fonde toute entreprise politique et que j'ai retrouvé à travers lui, l'amour de la France, à la fois l'amour d'une histoire, d'un peuple, et même de son prochain, toutes choses que porte par exemple le sentiment du *service* politique – et finalement l'amour de la chose publique qui anime aussi, je crois, Nicolas Tenzer. Nostalgie, gratitude, admiration, tendresse, ces mots conviennent. Évidemment, de ces quatre mots, l'un fait problème dans l'esprit de bien de nos contemporains, le mot *nostalgie*: mais je pense que l'on peut aussi l'assumer. Il me semble que l'on ne fait des choses sur la terre qu'au nom et en mémoire de ce que nous sommes, de ce qui fait que nous sommes ce que nous sommes, de ce qui nous fonde. Le 18 Juin est de ce point de vue emblématique : appel tendu vers l'avenir et créateur d'histoire, mais venu d'abord « du fond des âges », comme il l'a dit. Sans ce *nostos*, sans ce retour à ce qui nous fait tels que nous sommes, au nom de quoi résister ? Celui qui n'a nulle mémoire, celui qui ne se souvient pas, et notamment pas de ce qu'il est, n'a nul *être* à opposer à l'aliénation, au fait de puissance. Je n'ai pas peur de ce mot, bien qu'il soit déprécié en un temps obstinément moderne, au sens où il se délivre de toute gratitude pour ce qui l'a précédé. C'est une façon de vous répondre, Nicolas Tenzer, sur cette critique si souvent entendue, ce que vous appelez la « mythologie du destin », et qui serait une fabrication, condamnable notamment en ce qu'elle oppose la France et les Français. Or, cette mythologie, c'est tout de Gaulle : dans la fameuse phrase inaugurale sur la « certaine *idée* de la France » le mot important, c'est le mot Idée. Il y a ici quelque chose de platonicien : on peut sans cesse, et il me semble qu'on le doit, opposer l'idée pure, fondatrice, essentielle de soi, qui est de l'ordre de la vérité – et qui est certes plus ou moins difficile à approcher, à respecter, à honorer – à la réalité de chaque jour ; et les Français sont bien entendu dans la réalité. On se doit de faire cette distinction pour toutes choses, et d'abord chacun de nous : il y a une idée pure de nous-mêmes à laquelle nous ne correspondons pas tous les jours, mais que nous devons garder à l'esprit et nourrir en nous pour tenter de se tenir droit, vivre à la hauteur de nous-mêmes. Voilà la « mythologie du destin » qui inspire l'appel de 1940 : face à la réalité du jour, la chute, le désastre, opposons une Idée de la France qui seule nous renvoie à l'essentiel de nous-mêmes, donc à la résistance, et finalement nous sauve.

*N. Tenzer* – Je suis d'accord avec vous sur 1940. Il y a un certain moment où le devoir, guidé par l'intuition, l'évidence de l'action, pour certains, s'imposent. Ils nous obligent au nom d'une idée, pas nécessairement d'ailleurs une idée du pays, mais une idée de soi qui, naturellement, se projette sur une collectivité. La dignité qu'on s'impose rejoint celle qu'on se forme d'une nation. C'est d'abord à partir de cette idée de soi que le général de Gaulle a agi et que beaucoup de résistants se sont engagés pour des raisons, d'ailleurs, qui pouvaient être partiellement différentes ou, pour le moins, obéir à des priorités hétérogènes, pour n'en citer que deux, la lutte contre l'envahisseur ou le combat sans merci contre une idéologie innommable. Admettons toutefois que, en des temps plus calmes ou moins sombres, les ressorts de l'action soient en grande partie autres.

*A. Finkielkraut* – Idée platonicienne, dites-vous, Paul-Marie Coûteaux. Mais une idée platonicienne corrigée, infléchie par le XIX$^e$ siècle, c'est-à-dire par l'émergence philosophique et politique de l'histoire comme totalité en mouvement, et des singuliers collectifs : la nation, le peuple, l'humanité. Dans la lignée de Michelet et de Péguy, de Gaulle personnifie la France. Et il éprouve les plus grandes difficultés à concilier cette personne idéale avec les personnes réelles : l'épopée française s'accommode mal du prosaïsme des Français. Quoi qu'il en soit, de Gaulle appartient de plain-pied à l'ère moderne des grands récits. Son verbe transcende l'opposition platonicienne du *mythos* et du *logos*. Mais en est-on encore là ? La postmodernité n'a-t-elle pas déconstruit les singuliers collectifs et sonné le glas des grands récits ? Peut-on continuer à ériger, comme si de rien n'était, la France au rang de Sujet ? Doit-on le faire ou le refaire ?

173

*P.-M. Coûteaux* – La France est toujours à faire et à refaire. Elle n'a rien d'une évidence de nature, fixée pour toujours. Toute l'histoire de France, je persiste à utiliser ce vocable, est faite de hauts et de bas – sens de la formule que vous citiez sur la succession de « succès achevés et de malheurs exemplaires ».

*N. Tenzer* – Qu'est-ce, en effet, que cette histoire ? De Gaulle n'en a-t-il pas trahi la vérité en la racontant à sa manière ? Sans reprendre ici la querelle sur son expression « guerre de trente ans », ne faut-il pas considérer que, dans toute histoire nationale, il y a des périodes hautes et basses ? L'histoire qu'on choisit de valoriser n'est jamais qu'une partie de l'histoire et la ligne historique est une ligne brisée sans continuité de valeurs et d'intention. Je vois bien à quoi pourrait ressembler l'histoire de France ; permettez que j'éprouve quelque peine à en discerner une continuité autre que strictement chronologique.

*P.-M. Coûteaux* – Nous n'avons peut-être pas en tête le même type d'histoire… Aujourd'hui, nul n'en disconvient, nous sommes dans un creux, au point que l'on peut en effet se demander si, dans l'ordinaire des jours, il existe encore un peuple français – tant règne un sentiment de haine de soi qui renvoie plus que jamais à cet « amour » symbolisé par de Gaulle –, ce pourquoi le premier numéro des *Cahiers de l'indépendance* que vous avez bien voulu mentionner s'intitule « De Gaulle au regard de la haine de soi » ; je me demande toutefois si les Français n'attendent pas qu'une occasion pour se ressaisir, ou plutôt d'être ressaisis par l'histoire. On a eu l'impression qu'il existait un peuple français en 2003, lors de l'inva-

sion de l'Irak, quand la France a envoyé balader la première puissance du monde ; ou bien en 2005, lors du
référendum sur la Constitution européenne : elle dit non
et tout est par terre. Le récit continue, malgré tout...

*N. Tenzer* – Je voudrais revenir à ce qui fonde l'amour,
que nous partageons, j'en conviens, de la république,
c'est-à-dire pour une certaine idée de la France, de son
devenir, de sa place dans le monde, de son ambition,
même si nous n'y apportons assurément pas la même
réponse, en particulier en ce qui concerne l'Europe et,
plus partiellement, la relation transatlantique. Est-ce véritablement grâce à cette nostalgie, par le truchement
d'une histoire fausse que le général de Gaulle a voulu
que l'on racontât en des termes très iréniques, brisant
tout ce qui divise, tout ce qui heurte et tout ce qui salit,
que l'on peut accomplir quelque chose dans le monde
d'aujourd'hui ? N'est-ce pas en essayant d'être parfaitement clair sur notre héritage historique, d'avoir une
conscience historique aussi adéquate avec la réalité que
possible, que nous pouvons envisager de construire l'avenir ? Oui, nous devons faire fond sur le passé, mais sur un
passé apaisé, non parce que nous l'aurons dissimulé, mais
parce que nous aurons accepté de le connaître. Le mensonge ressurgit toujours en créant un trouble dans notre
conscience historique et nous interdit d'agir. C'est à partir de ce passé accepté que nous pourrons porter un
regard neuf sur nos ambitions et nos projets, sans chercher à gommer, à justifier ou à copier le passé. On ne
peut penser la place de la France qu'à partir d'une considération, en tous les sens du terme, pour aujourd'hui,
autrement dit en étant capable de créer, de faire œuvre
nouvelle et de créer l'événement sans regarder un

modèle qui n'est, par définition, jamais reproductible. Comme citoyen français et, permettez-moi d'ajouter, comme fonctionnaire, je cherche le mieux pour mon pays et je me reconnais dans la notion d'«intérêt national». Mais celui-ci n'est pas tiré de l'histoire du lieu où j'habite et d'une continuité avec le passé, dussé-je en tenir compte pour agir avec réalisme, mais d'une considération du futur. La recherche de ce mieux s'impose à moi comme Français, comme cela serait le cas si j'étais américain, anglais ou italien. Il constitue – ou devrait constituer plutôt – la base des débats politiques.

*A. Finkielkraut* – Que voulez-vous dire ? Convient-il de réviser le passé, d'en finir avec l'idée de la France des succès achevés et des malheurs exemplaires comme disait de Gaulle, ou des gloires communes et des souffrances à partager comme disait, avant lui, Renan ? Faut-il faire sa place, entre deuils et triomphes, à la repentance, à la contrition ? Lorsque vous parlez de jeter un regard nouveau sur l'histoire, rejoignez-vous ceux qui affirment que l'Europe doit reposer sur un rapport critique de chacune des nations qui la composent à sa propre histoire ?

*N. Tenzer* – Pas exactement. Il me paraît important d'avoir un regard critique et lucide sur son passé qui n'implique pas nécessairement une quelconque repentance. Nous n'avons pas, nous, aujourd'hui, à nous repentir des fautes ou des crimes de nos pères ou de nos mères. Nous n'avons pas plus à ceindre notre front de leurs lauriers. L'indignité comme la gloire sont les leurs et non les nôtres. Porter un regard critique signifie se contraindre à avoir la connaissance la plus juste possible de l'histoire. Cela veut dire savoir d'où l'on vient pour essayer d'être en paix avec son histoire, y compris avec les tourments que celle-ci a provoqués. Je n'entends certes pas ainsi que nous ayons à parvenir à un improbable stade postnational – ce qui ne m'empêche pas de militer pour l'Europe. Celui-ci n'est pas la conséquence logique, nécessaire ou souhaitable de cette déstabilisation des mémoires nationales que vous évoquez et de ce rapport critique au passé. Mais je ne crois pas que la grandeur et la puissance soient bien servies par les mythologies nationales, l'oubli des crimes d'État et des catastrophes provoquées par ceux qu'on présente encore souvent en héros – je pense à Napoléon. Je ne pense pas qu'un politique ait beaucoup à gagner à des exercices d'admiration à l'endroit de l'histoire de son pays – réservons-les plutôt aux grandes œuvres de l'esprit. Il n'en a pas plus à la repentance, qui est aussi une manière de gommer les responsabilités individuelles. J'estime seulement que le refus de la vérité finit toujours pas provoquer des catastrophes.

*A. Finkielkraut* – Pourquoi de Gaulle ne le permettrait-il pas ?

*N. Tenzer* – Parce que de Gaulle, sans doute pour des raisons en elles-mêmes respectables, a dissimulé la vérité sur ce qui s'est passé à l'époque de la guerre. Je pense évidemment à 1939-1945, au mythe résistancialiste, à l'exclusion de Vichy, de l'histoire française, à la sous-estimation de la dimension idéologique de la Révolution nationale, à ses silences sur la responsabilité *d'abord* des fonctionnaires français dans l'élaboration du statut des Juifs et à leur complicité dans la mise en œuvre de la « solution finale » et, sur un autre plan, à une certaine indulgence pour certains anciens proches du régime de Vichy. Mais cette séparation de la politique d'avec la vérité historique a eu des conséquences sur d'autres attitudes et conceptions, notamment sur le fait qu'il n'a pas légué de tradition politique. En somme, en raison peut-être de cette matrice originelle et de ce mensonge premier, il a toujours conçu la politique comme de l'ordre du discours, de la fabrication de récit et de la posture, ce qui pouvait rendre possibles la dissimulation, la tromperie et l'imagerie. Non seulement il pensait qu'il serait le dernier des grands, parce que jamais la France hors de lui ne pourrait plus se rassembler et penser son avenir, mais aussi que l'action était dans la galvanisation, dans la préservation coûte que coûte de l'idée, quelle que fût la réalité, et que lui seul pourrait y parvenir en raison du rapport secret qu'il avait noué avec elle. Il a comme répété la geste de 1940, mais l'outil s'était brisé.

*P.-M. Coûteaux* – Il y a là des choses souvent entendues : de Gaulle aurait inventé une France résistante, il aurait minimisé la collaboration, négligé l'importance de la « solution finale », etc. Cela est en partie vrai, mais très exagéré, par une sorte de retournement rageur de la légende ; dans les *Mémoires* publiés dans les années 1950, il revient à plusieurs reprises sur Auschwitz, l'horreur des camps, dont il avait eu le témoignage très tôt par sa nièce Geneviève de Gaulle.

*A. Finkielkraut* – N'a-t-il pas sous-estimé la part prise par la France à la collaboration ?

*P.-M. Coûteaux* – Il y a eu deux défaites en 1940, la défaite des armes et la défaite de l'amour de la France

178

dans le cœur des Français. Il fallait répondre à la première par les armes et à la deuxième, par une consolation : de Gaulle a certes fait preuve d'un certain volontarisme pour restaurer chez les Français l'idée de soi, mais cela fait partie, ou le devrait, de la charge d'un homme d'État. Je ne suis pas sûr que le fameux « regard critique » que vous évoquez, Nicolas Tenzer, permettrait de mieux asseoir l'effort collectif : le « bloc historique » construit de 1944 à 1974 sur ce que l'on appelle dédaigneusement le « mythe de la résistance » s'est d'abord signalé par une impressionnante modernisation du pays, après laquelle la France méritait bien mieux qu'en 1945 son siège de « grand » à l'ONU : la restauration d'un État efficace, doté d'un des trois ou quatre premiers dispositifs militaires du monde, de finances assainies (au point que, en 1967, le franc concurrençait le dollar sur plusieurs places financières), du plus étendu réseau diplomatique avec celui des États-Unis, assorti d'un ensemble hors pair d'accords de coopération, d'une diplomatie écoutée dans tout l'univers, de fleurons industriels inégalés, dans l'aéronautique, le transport ferroviaire, l'automobile, l'industrie pharmaceutique, le pétrole (où nous concurrencions des États-Unis prétendant déjà au monopole mondial de l'énergie) les industries alimentaires, sans parler de l'aménagement du territoire ou de l'effort de recherche dans le domaine marin, ou spatial (le seul sérieux en Europe), une formidable démocratisation de l'Université, j'en passe…

*N. Tenzer* – Et des pires aussi, car nous subissons encore les séquelles de sa politique africaine… Il faut aussi apprécier les réussites sur la durée et faire la part des illusions et des postures sans lendemain en matière de politique étrangère. Je crains là aussi que nous ne portions encore les séquelles durables de cette maladie du verbe. Mais, bien sûr, il serait absurde de ne dresser qu'un portrait à charge et d'imputer au général les insuccès de ses successeurs.

*P.-M. Coûteaux* – La démocratisation de l'Éducation nationale n'allait pas sans risque, que l'on a vu, je n'en disconviens pas ! Mais l'effort est admirable comparé à ce qui a été fait avant et après. Le bilan de dix années d'un authentique pouvoir est vertigineux comparé au visage que l'État offre aujourd'hui, dépourvu de souveraineté et réduit à l'impotence, mis en demeure d'indemniser les élèves parce qu'ils n'ont pas eu de cours mais empêché de toucher au droit de grève, etc. Au nom de quelle période flamboyante instruisez-vous le procès ? Lui reprocher d'être un homme du XIX$^e$ siècle, de n'avoir pas construit, c'est énorme. Aujourd'hui encore, nous vivons en bonne part sur cet acquis !

*A. Finkielkraut* – Vous avez dit, Paul-Marie Coûteaux, que la France sait encore répondre présente. Et vous avez donné comme exemple le refus plein de panache de participer à la campagne américaine en Irak. Mais vous avez dit aussi que les héritiers du général de Gaulle l'avaient trahi en réduisant à l'impotence l'État qu'il avait restauré. Si tel est le cas, j'en conclus que les postures actuelles relèvent non de la grandeur mais de la grandiloquence. La gloire du sujet historique cède la place à la gloriole de l'historien. Et puis, que reprochait la France indomptable aux Américains, en 2003 ? De vouloir entreprendre une croisade. « Croisade = djihad », s'est-on exclamé de toutes parts. Les États-Unis ont été accusés de se placer sur le même terrain théologico-politique que leur ennemi. Mais relisez de Gaulle. La « destinée éminente et exceptionnelle » qu'il invoque, c'est l'équivalent français de la « destinée manifeste » dont se prévalent les Américains. Il aurait été légitime et même salutaire de dénoncer le projet de guerre en Irak pour ce qu'il avait à la fois de mirobolant et de désinvolte. Au lieu de cela, les critiques ont fustigé le messianisme des néoconservateurs, en oubliant de Gaulle au moment même où ils s'y référaient. Pour condamner la politique américaine dans les termes où on l'a fait, il faut avoir complètement perdu de vue l'incipit des *Mémoires de guerre*. Ce qui veut dire, sans doute, que le processus de sécularisation s'achève : l'idée d'une mission, d'une vocation, d'une élection des nations nous est devenue incompréhensible, et même odieuse.

*P.-M. Coûteaux* – Il y a, et il y aura toujours, une mission de la France, à ses propres yeux, comme à ceux de bien des êtres de par le monde. Vous connaissez la phrase de Clemenceau : « Jadis soldat de Dieu, aujourd'hui soldat de la liberté, la France sera toujours soldat de l'idéal ! » Les premiers rois capétiens se sont pris pour la réincarnation du Christ sur la terre – d'où les conflits récurrents avec Rome –, et ce messianisme français, de Saint Louis aux Révolutionnaires, de Jeanne à Hugo, Bernanos ou Malraux (« La France ne sera jamais la France sans la grandeur »), réapparaît toujours, tôt ou tard. Si de Gaulle a touché tant de cœurs, c'est qu'il incarnait à merveille l'idée d'une mission spéciale de la France, d'une France qui est grande ou qui n'est rien – sans quoi la politique, pour moi du moins, n'aurait pas de goût. Telle est la grande œuvre du général de Gaulle que d'être allé

181

chercher chaque être dans sa solitude, de l'avoir relié à une aventure qui le dépassait, qui dépassait ce qu'il appelait « nos pauvres vies ». L'épisode de 2003 est très significatif d'un messianisme français persistant, différent de ce que Jean-François Colosimo appelle le millénarisme américain qui prétend réaliser dans la seule « Amérique » le paradis sur la terre. Quoi qu'il en soit, États-Unis et France sont les deux seules grandes puissances qui ont une vision universaliste du monde – d'où notre légendaire concurrence. Aujourd'hui deux modèles, ou trois, s'offrent aux hommes : le tout-religieux de l'islamisme conquérant, conquérant précisément parce qu'il est messianisme ; le modèle du « tout-marché » plus ou moins assimilé à la superpuissance américaine ; et le modèle français du tout-politique, du « tout-logos » pour reprendre le mot fétiche de Benoît XVI. La France incarnerait cette troisième voie du logos, de la libre discussion et finalement de la raison, en somme de la politique face au « tout-marché américain » et du « tout-sacré » musulman.

*N. Tenzer* – Cela me fait penser à la phrase de Kissinger qui disait des Américains qu'ils avaient une politique mais pas de vision, et de De Gaulle qu'il avait une vision mais pas de politique. Aujourd'hui, on ne pourrait sans doute plus appliquer cette formule aux Américains, mais, pour de Gaulle, il me paraît exact de soutenir qu'il n'avait pas une politique durable. On peut accorder que, comparé à ses successeurs, la figure est nettement plus séductrice, qu'il a accompli plus d'actes fondateurs et, en tout cas, qu'il avait une ambition – sans même parler du désintéressement qui, là, est vraiment un exemple. En revanche, vous connaissez la sentence de Rousseau qui rappelle que le bon législateur est celui qui laisse des lois capables de durer après sa mort. Or, il me semble qu'il n'a rien fait de cet ordre, à la fois parce qu'il ne croyait pas à la suite des temps et parce qu'il ne concevait pas, bien sûr pour des raisons assez aisément explicables, ce qu'est la mécanique du pouvoir et de la décision en des temps plus « normaux ». De Gaulle a toujours été dans la politique hyperbolique, non dans la politique du détail quotidien. C'est assurément l'inverse aujourd'hui. Peut-être est-il difficile de trouver le bon équilibre. Bien sûr aussi, c'eût été trop lui demander que d'anticiper des problèmes dont il ne pouvait avoir idée. Les institutions qu'il a forgées et qu'il était d'ailleurs indispensable de créer dans la débâcle de la IV$^e$ République étaient des institutions qui, comme l'a montré la pratique des successeurs de De Gaulle, n'ont pas organisé la puissance et l'action, faute d'avoir mis en place les contre-pouvoirs et les cordes de rappel démocratiques qui, finalement, y obligent. Elles ont au contraire enfermé le président de la République dans une sorte d'incarnation qui, peut-être, convenait au général mais qui ne pouvait être utile à ses successeurs. L'exécutif qu'il a institué est vraisemblablement plus fragile qu'on ne le dit souvent. Prenons également sa politique étrangère. De Gaulle était dans la position d'un homme du verbe et du symbole. Que reste-t-il aujourd'hui de sa troisième voie entre les deux blocs ? Si ceux-ci avaient survécu, que serait-elle d'ailleurs devenue ? Quel est aujourd'hui l'état de notre influence dans le monde ? Qu'ont apporté, en définitive, ses coups d'éclat au Québec ou ailleurs ? Voyez – exemple peut-être mineur – son voyage en Amérique latine. Quand il en parlait, il disait en substance : « C'était absolument extraordinaire : les foules m'acclamaient et la France avec moi se trouvait ainsi grandie et reconnue. Ces

jeunes peuples sont venus à la rencontre de la France. »
Qu'est-ce que cela a donné ? Enfin, le général de Gaulle
avait certes une grande idée de la politique, parfaitement
noble, mais, derrière, son parti utilisait les petites ficelles
et les intrigues mesquines de la politique de tout un
chacun. Je ne rappellerai pas à nouveau l'héritage africain de sa politique, absolument catastrophique, et on
me permettra d'être dubitatif devant le personnage qui
l'a incarnée pendant si longtemps, bien après sa mort.
Ainsi, finalement, le vrai sujet est de savoir comment
œuvrer pour la puissance et même pour la grandeur de
la France, aujourd'hui, si l'on en a l'idée et l'ambition
– et c'est mon cas –, ce qui conduit à se départir des
illusions de la charge héroïque, de la posture glorieuse
et solidaire, du symbole vain, en somme de la charge de
cavalerie sabre – en bois – au clair devant un nuage
d'acier.

*A. Finkielkraut* – Le mot grandeur ne vous effraie donc
pas...

*N. Tenzer* – Non, non plus que celui de puissance, que
je préfère, pour autant qu'il ne conduise ni à l'enferme-
ment sur une gloriole nationaliste, ni à une position
purement verbale sans effets concrets sur la réalité effective des choses. La puissance requiert une politique du
réel, non une politique de l'idée. Ma seule question
consiste donc à savoir comment nous donner les moyens
d'agir dans le monde tel qu'il est pour répondre à cette
ambition et, encore une fois, faire le mieux pour son
pays. Tel devrait être, selon moi, le centre du débat politique. De ce point de vue-là, le 29 mai 2005 me semble
avoir été catastrophique pour la grandeur de la France,

pour la considération et le respect qu'elle peut et doit susciter, pour l'exemple d'ouverture, d'ambition et d'audace qu'elle doit incarner.

*A. Finkielkraut* – Le 29 mai, c'est le « non » au référendum.

*P.-M. Coûteaux* – Ce *non* est inscrit dans tout le fil de notre histoire, et vous ne la changerez pas... De ce point de vue, il est très difficile d'être nostalgique d'un homme qui était lui-même un nostalgique, dans le sens que j'ai dit tout à l'heure, en sorte que, ce que nous cherchons à travers lui, c'est le fil d'une histoire, une continuité historique, confirmée en 2003, en 2005, la France dont Giraudoux disait qu'elle était « la grande embêteuse du monde ». De Gaulle n'est au fond que la réactivation, la mise en scène dans les termes du XX$^e$ siècle de la vieille politique française, dite capétienne parce qu'elle traverse les siècles – selon ce souci de la *res publica* qui est bien antérieur à la république, et que je distinguerais d'elle. De ce point de vue, lesdits héritiers n'ont pas été infidèles à de Gaulle seul : ils sont infidèles à toute notre histoire.

*A. Finkielkraut* – Qui sont les héritiers infidèles ? Les hommes politiques ou la société ? Le concept de société me semble aujourd'hui plus pertinent, hélas, que celui de nation. Un sondage entre mille : la majorité des jeunes estiment que les responsables politiques sont loin de leurs préoccupations. Ce résultat est unanimement et instantanément mis au débit de la classe politique par les médias. Or la *res publica* dont vous avez parlé l'un et l'autre, c'est la chose publique, une chose située au-delà de nos préoccupations immédiates. S'engager politi-

185

quement, c'est s'abstraire. À exiger de ses représentants qu'ils prennent en charge ses soucis, ses intérêts, ses besoins présents *et rien d'autre*, la société manifeste sa propre dépolitisation. Comme le dit Hannah Arendt, le souci du monde se transforme, sous son commandement, en « gigantesque administration ménagère ». Et quand Ségolène Royal entame la campagne présidentielle en demandant à ses porte-parole de remplacer l'expression trop abstraite de « pouvoir d'achat » par celle, proximale, de « vie chère », elle ne se montre infidèle à notre histoire que pour répondre aussi fidèlement que possible à la demande sociale.

*N. Tenzer* – Je suis parfaitement d'accord, Alain Finkielkraut, avec ce que vous dites concernant l'incapacité des hommes politiques à présenter quelque chose comme une ambition et un projet, et à dire où nous allons. Un homme politique a pour mission de dire effectivement aux Français : « Vous êtes ce que vous êtes, mais ce que vous devez être va bien au-delà. » De ce point de vue, le racornissement sur la seule nation, l'incapacité à prendre en considération le monde, la fixation sur nos petits problèmes – il en est certes des grands, quotidiens, pour des millions de gens – me paraissent catastrophiques. C'est pourquoi je crois aussi aux effets vertueux de l'Europe et de l'ouverture aux vents du monde. Quand l'Europe et le monde font figure de menaces et non de chances, quand le projet rime avec protection et non avec conquête – en ce sens certes pacifique –, quand l'obsession dominante est le village, le clocher et le quartier et non notre place dans le monde – permettez-moi ici de revenir à de Gaulle –, c'est bien que la politique a disparu. Il reste que, par le truchement du politique, il nous faut être capables d'exprimer ce que doit être le pays, et cela, ce n'est pas le quotidien et l'immédiat. La langue politique traduit trop souvent la faillite de l'avenir et l'oubli d'une conscience historique susceptible de porter un destin commun.

*P.-M. Coûteaux* – C'est dans l'ordre de l'être...

*N. Tenzer* – Là où je suis en désaccord avec vous, mais ce n'est peut-être qu'une question d'interprétation de l'opinion, c'est sur la réceptivité d'un discours différent. Je pense qu'un homme politique qui serait capable de présenter de manière très concrète et opérationnelle un tel objectif, aussi bien sur le plan national que sur le plan européen – car le vide de discours et de projet sur l'Europe et sur ses frontières n'est pas moins grand –, serait susceptible de rassembler les suffrages. On dit que les Français attendent la médiocrité. Je ne suis pas certain que ce soit la réalité. Seulement, ils ne voient et n'entendent que la médiocrité. Toutefois, par rapport à ce que vous avez exprimé sur les traits permanents de notre histoire, je ne crois pas qu'il faille parler d'héritage. Autorisez-moi, Paul-Marie Coûteaux, à ne rien ressentir de propre et de commun quand vous parlez de Clovis et des Capétiens et à intégrer dans mon héritage, plutôt, Shakespeare, Machiavel, Spinoza, Kafka, Boulgakov et tant d'autres de diverses provenances. Il est certes important de s'approprier le passé, mais surtout de faire en sorte que cette brèche, pour utiliser l'expression de Tocqueville reprise par Arendt, entre le passé et le futur soit en quelque sorte comblée. Il ne s'agit pas de transposer un héritage, mais de le reconnaître afin d'être capable de produire du nouveau. Or, cette capacité à produire du politique, pour parler encore en termes arendtiens, est le manque le plus cruel de notre classe politique aujourd'hui.

*P.-M. Coûteaux* – On peut très bien être un héritier et créer du nouveau, faire de l'inédit; de Gaulle a prouvé qu'on peut être un héritier et faire du neuf, forcer l'histoire d'une manière inattendue. Nous ne sommes pas d'accord finalement sur le mot « héritage ». Je crois que chacun de nous est d'abord un héritage et que nous ne pouvons créer qu'à partir de lui. Encore faut-il le connaître, l'accepter, et être autorisé à l'accepter. Vous avez introduit dans votre développement, Alain Finkielkraut, la figure du journaliste qui met en demeure celui qu'il interroge de revenir « au quotidien » : il y a, en effet, toute une classe, une catégorie médiatique qui fait écran entre les aspirations profondes et les préoccupations superficielles – écran qui, pour jouer sur les mots, peut être figuré par l'écran de télévision, qui s'adresse aux êtres par le bas, dilue toute aspiration à la grandeur, à commencer par ce qui la porte, la belle langue. Regardez Balladur ou Villepin. Ils ont tenté d'utiliser une belle langue, on a pris cela pour de la grandiloquence – la grandiloquence, c'est la grandeur dont on n'a plus les moyens...

*N. Tenzer* – Le problème tient à ce que ce sont des mots qui, souvent, ne correspondent à aucune réalité ou, plus exactement, ne permettent pas de la créer. Pour l'éviter, il faut concevoir des instruments d'action adaptés à la réalité des temps. La politique doit tenir en même temps l'ambition et l'art du détail qui seul la permet. Elle est aussi ruse et stratégie et celle-ci se conçoit de plus en plus à travers des lieux de décision qui ne sont pas nationaux.

*P.-M. Coûteaux* – … et immédiatement, ils se font canarder.

*A. Finkielkraut* – Vous exagérez. Quand Dominique de Villepin s'est fait applaudir au Conseil de sécurité de l'ONU, cette prouesse déclamatoire et fort peu diplomatique lui a valu les plus grands éloges. Il n'a pas été « canardé », il a vu s'ouvrir devant lui les portes de l'Élysée. Celles-ci semblent s'être refermées depuis, mais pour des raisons sans rapport avec notre débat.

*P.-M. Coûteaux* – Si, justement : il n'y a pas de place dans un monde réduit à l'immédiat, et au média, rabaissé à ce tutoiement permanent qui est celui de l'univers médiatique pour un homme politique qui se voudrait détaché de la fameuse quotidienneté. C'est pourquoi de Gaulle s'inscrit aujourd'hui dans le registre du manque, de l'absence douloureuse. Allez dans les librairies : on voit partout des livres sur lui, biographies, essais, albums de photos : indices d'une nostalgie…

*A. Finkielkraut* – Je ne suis pas vraiment convaincu par la coupure que vous faites entre le nouveau pays légal et le pays réel. Paul Thibaud, dans un article que vous avez publié, écrit : « Le gaullisme posait que, avant d'avoir des valeurs, il faut exister comme sujet de l'histoire, inversement le postgaullisme ne veut connaître que des valeurs, des valeurs universelles, en fait des droits, les collectivités politiques n'étant rien que des supports contingents, et toujours insuffisants, pour des droits de l'homme qui ne sont plus du tout ceux des citoyens[22]. » Cette inversion n'est pas, loin s'en faut, imputable aux seuls journalistes.

Mais je voudrais maintenant me demander avec vous comment, dans le contexte actuel, être un héritier et faire du neuf, sur le modèle de De Gaulle ? Maurice Agulhon, qui n'a jamais été gaulliste, crédite de Gaulle d'avoir donné un *nouveau souffle* au patriotisme en remplaçant la légende impériale de la France d'outre-mer – Brazza, libérateur d'esclaves, Lyautey, bâtisseur de villes et de ports – par une mythologie anti-impériale : « Celle d'une France qui dérange, qui refuse, qui résiste [...], qui repousse le QG de l'OTAN hors des frontières nationales et qui va défier les "Anglo-Saxons" à Montréal et à Mexico[23]. » De Gaulle, dit Agulhon, c'est, en quelque sorte, Astérix. Peut-être cette comparaison n'est-elle pas bonne...

*P.-M. Coûteaux* – Je la trouve excellente au contraire : elle rappelle que la « mythologie anti-impériale », comme vous dites, vient de fort loin...

*A. Finkielkraut* – En tout cas, cette France embêteuse, c'était une nation au service de l'autodétermination, une grandeur au service de la diversité du monde. Or ce qui menace aujourd'hui cette diversité, c'est la mondialisation. Une catastrophe vient de se produire en France dans l'indifférence quasi générale car, négligeant les lois de la communication contemporaine, ses victimes n'ont pas cru bon d'allumer des incendies pour exprimer leur désespoir : la fermeture définitive de la manufacture Pleyel à Alès. Soixante-deux personnes et trois apprentis y travaillaient mais, face à la concurrence asiatique, et parce qu'on vend de moins en moins de pianos dans la

190

France postbourgeoise, la direction a décidé d'arrêter la production de pianos à échelle industrielle pour se spécialiser dans la fabrication de pianos de concert. Ainsi disparaissent des savoir-faire uniques. Ainsi des poseurs d'étouffoirs, des colleurs de marteaux, des régleurs de clavier, des fileurs de corde sont-ils condamnés soit à rester sur le carreau, soit à se reconvertir et à accepter un de ces innombrables tête-à-tête avec l'écran d'ordinateur que la révolution numérique propose à l'humanité nouvelle. De Gaulle a enrobé la modernisation de la France à marches forcées dans la rhétorique de la France éternelle. Mais il n'a pas été que ce magicien, cet enchanteur. Il est aussi l'homme qui a osé braver le sens de l'histoire et dire « non » à ce qui pouvait apparaître comme un fait accompli. Si l'on veut dire « non » comme lui et, comme lui, défendre la diversité du monde, ne faut-il pas refuser les verdicts les plus impitoyables de la mondialisation même quand celle-ci a le visage inattendu de la Chine hyper-capitaliste et non celui, rituellement dénoncé, de l'Amérique triomphante ? Est-ce cela, selon vous, la politique ?

*N. Tenzer* – La politique ne saurait assurément s'accommoder de cette disparition de pans entiers de notre savoir-faire au nom de grandes tendances, de contraintes ou d'une fatalité. Pour autant, elle ne consiste pas non plus à déplorer et à dénoncer sans chercher des instruments d'action et sans analyser les causes. Je crains que, trop souvent, ce qui apparaît comme une posture de « refus » dans la vie politique telle qu'elle va, et notamment de refus de la globalisation, ne soit qu'une attitude sans lendemain et sans solution. Nous lisons des manifestes, assistons à des manifestations, écoutons des protestations, mais ceux-ci ne s'inscrivent pas dans une politique cohérente, dotée d'un pouvoir agir, d'une faculté de négociation et, le cas échéant, de mesures de rétorsion. Pour agir, il faut d'abord se donner les moyens concrets de la puissance. Mais revenons à votre exemple. Pour moi qui considère que, globalement, la mondialisation contribue plutôt à la prospérité des peuples, y compris des Français, il me semble que, derrière le problème que vous évoquez et auquel je suis très sensible – *a fortiori* puisqu'il s'agit de pianos –, se trouve le problème de la société et pas seulement une question économique à laquelle je répondrai en termes simples : oui à la concurrence, mais à une concurrence loyale et juste entre pays soumis aux mêmes règles et placés dans des positions comparables. Qu'est-ce qui fait que, dans une société donnée, il y a suffisamment de personnes qui s'intéressent aux pianos et qui s'attachent à la qualité de ces pianos ? On peut dire la même chose au sujet des livres : qu'est-ce qui fait qu'il y a encore des gens pour lire de *vrais* livres, non pas ceux qui envahissent trop souvent les rayons des librairies ? Cette question, c'est la question de la société, de sa culture et de son éducation. Le problème qu'a occulté le général de Gaulle, et par-delà, la plupart des hommes politiques, c'est la question de la nature de la société moderne. La question majeure pour le politique, une fois cette connaissance acquise – nous en sommes loin –, est de savoir comment agir pour la transformer. Nul politique ne peut se satisfaire de la société qui existe : son projet majeur reste celui de l'émancipation et du savoir critique, ce qui dit toute l'actualité du projet des Lumières.

*P.-M. Coûteaux* – Qu'entendez-vous par société ? Vous voulez dire civilisation ?

*N. Tenzer* – Oui, précisément, la question importante est celle du rapport entre l'une et l'autre. Par quels mécanismes une société concrète, c'est-à-dire des personnes placées dans des circonstances données, culturelles, sociales et économiques, produit-elle une civilisation capable de créer des choses belles, intelligentes et de déployer, pour reprendre cette expression, un art de la conversation ? Ce que le général a construit appartenait à la superstructure, mais se souciait-il, et la plupart des hommes politiques également, de la réalité de la société, telle que l'exprime le concept d'esprit public ?

*P.-M. Coûteaux* – Manifestement, non, ils ne se soucient plus guère de la civilisation, je dirais de l'« esprit de civilisation », telle que l'a longtemps portée une élite – celle qui avait un piano chez soi, et des livres. Or cette civilisation fut toujours façonnée par l'État : signes parmi d'autres, ces fameuses exceptions françaises que sont le ministère de la Culture ou « la politique de la langue », dont on fait un signe d'autoritarisme et qui, dans un pays qui devient peu à peu bilingue, est complètement laissée à l'abandon ; on ne peut pas dire que ce soit au nom du général de Gaulle ! De Gaulle, justement, reste le signe d'un État qui forge une histoire, qui fabrique une nation singulière, au nom de la diversité du monde...

*A. Finkielkraut* – Faire face, c'est aussi connaître les forces en présence. Il y a peut-être l'empire américain, il reste que les usines ne se délocalisent pas aux États-Unis mais dans les pays qu'on appelle émergents. Le World

Trade Center était déjà un symbole anachronique quand les tours jumelles ont été détruites. Avec ses coûts salariaux extraordinairement bas, c'est le géant chinois qui mène la danse, qui modifie, sans états d'âme, les règles du jeu économique, qui préside à la redistribution de la production manufacturière mondiale. L'industrie américaine elle-même est touchée : Steinway aussi ferme des usines. Je vous ai décrit cette situation parce que j'en viens à me demander s'il ne faudrait pas aujourd'hui généraliser le paradigme écologique : non plus *transformer* le monde, mais *sauver* le monde. Car le monde, c'est assurément la terre, mais pas seulement. C'est la langue – pouvoir encore *être et parler français*, comme le dit le titre de votre dernier ouvrage, Paul-Marie Coûteaux –, c'est le piano, c'est la variété des métiers. Les hommes politiques y peuvent-ils quelque chose ? Un protectionnisme européen n'est-il pas souhaitable si l'on veut que la France continue à faire valoir son héritage au lieu, comme s'y emploient beaucoup d'intellectuels, de ratifier, par une attitude hyper-critique, le cours des choses, c'est-à-dire la dilapidation accélérée de cet héritage ?

*P.-M. Coûteaux* – Il est bon que nous abordions le thème écologique, qui peut fournir, au XXI^e siècle, la matrice d'une grande mission pour la France : une France qui, au nom de la survie de la planète, se détacherait de la marchandise et du matérialisme à tout-va. Je crois que le peuple français serait pris par cette tentation-là, en redémontrer sur ce que l'on doit faire pour sauver le monde, cette fois au sens premier : sauver les espèces, les paysages, les ressources naturelles et non moins les ressources culturelles, comme les métiers traditionnels. Mais là, c'est encore une fois à la politique de jouer – à un volontarisme politique aujourd'hui évaporé. Emmanuel Todd a récemment utilisé une idée que je formule moi-même depuis des années, ainsi que l'ensemble des souverainistes, l'idée de protéger, à l'échelle de l'Europe, certains secteurs, de décréter « stratégiques », donc hors marché, certains domaines – tout ce qui a trait à l'agriculture, par exemple, et même à la culture au sens large. Mais cela ne peut être le fait d'une Europe qui se construit contre les États, et suppose au contraire la souveraineté des États vis-à-vis d'institutions supranationales qui mènent le bal, telle l'OMC – où, le sait-on assez, le gouvernement français n'est même pas représenté, sinon par un commissaire européen sans lien avec les États !

*N. Tenzer* – Sur la volonté politique, je suis d'accord si c'est une volonté qui s'appuie sur des instruments concrets. Notre État, devenu, en bien des domaines, impuissant, ayant cassé tous les outils lui permettant de concevoir une stratégie, ayant des réseaux internes l'empêchant de créer cette possibilité d'avenir, est dans une situation catastrophique. L'Europe est, en effet, un de ces instruments sur lesquels une stratégie, pour être efficace, doit s'appuyer. Encore nous faut-il être suffisamment crédibles pour y parler en ayant quelque chance d'être entendus et avoir suffisamment d'intelligence pour définir ce que nous voulons. Quoique nous nous opposions sur l'Europe, nous serons sans doute d'accord pour dire que c'est de cette stratégie que nous manquons le plus. Mais n'oublions pas qu'il y a, d'un côté, l'État et la politique dont les Français sont orphelins, et aussi, de l'autre, la question des personnes. Demandons-nous ce que sont les Français devenus.

*A. Finkielkraut* – Une candidate fait du refus de toute éminence le contenu même de son programme – elle remplace d'ailleurs le programme par la démocratie participative, c'est-à-dire par les procédures. Et elle est très populaire en raison même de cette modestie, ou apparente modestie. Constatant que tout devient possible et que la démagogie prospère, certains en viennent à se demander si Mendès France n'a pas eu raison contre de Gaulle de dire qu'il ne fallait pas que le président de la République soit élu au suffrage universel. Qu'en pensez-vous ?

*P.-M. Coûteaux* – Sur ce point, je vous rejoins. Des gaullistes comme le général Gallois, qu'on ne peut pas soupçonner de ne pas être un gaulliste intransigeant, critiquent l'élection du président de la République au suffrage universel. La formule n'est pas si bonne qu'on l'a cru – que de Gaulle l'a cru sans doute ; la question de la procédure de recrutement du chef de l'État reste posée. Mais je voudrais pour finir répondre à la question de Tenzer : « Que sont les Français devenus ? » Sans la politique, qui ressaisit les êtres et les hisse à la hauteur de l'histoire, les hommes sont perdus de solitude. Seule pourrait les en tirer une parole, une authentique parole politique. « Pourvu que Dieu me prête vie et que le peuple m'écoute », disait de Gaulle, comme si l'autre légitimité était dans le verbe, dont vous parliez en ouvrant cette émission. C'est pourquoi tout reste possible aussi longtemps que la parole, c'est-à-dire finalement la politique, existe…

# Mitterrand ou l'engouement de la mémoire

## Entretien avec Christophe Barbier
## et Hubert Védrine

*Alain Finkielkraut* – En 1996, le droit et même le devoir d'inventaire s'imposait non seulement aux socialistes, mais aussi à une France qui se demandait si elle n'avait pas été flouée par quatorze ans de vie sous un président « modéré en tout, sauf en nihilisme – son seul principe radical », comme écrivait Régis Debray dans *Loués soient nos seigneurs*[24]. Et Régis Debray ajoutait, implacable pour « le narcisse d'État » qui l'avait longtemps séduit : « *Ego* sans transcendance, volonté sans finalité, il passera à la postérité comme une longue étoile filante. Les aventuriers politiques, contrairement aux aventuriers littéraires, font des comètes sans queue. » Dix ans après, le climat n'est plus du tout le même : la nostalgie prend le pas sur la critique, l'admiration sur l'amertume, et la mémoire semble démentir le pronostic sévère de Régis Debray. Si l'on en croit les sondages, Mitterrand dépasserait même le général de Gaulle dans le cœur versatile des Français.

Avant d'occuper le poste de ministre des Affaires étrangères lors de la troisième cohabitation, Hubert Védrine a été de 1991 à 1995 le secrétaire général de l'Élysée. On doit à Christophe Barbier le récit minutieux des derniers

197

jours de François Mitterrand. À l'un et à l'autre, à l'enquêteur et à l'intime, au journaliste et à l'homme politique, je voudrais d'abord demander comment ils expliquent ce revirement de l'humeur nationale ainsi que cette si spectaculaire et finalement si rapide sortie du purgatoire.

*Christophe Barbier* – À mon avis, c'est la règle des « trois V » : le vin, le vide, le vertige. Le vin, parce que comme les grands vins, la mémoire mitterrandienne est arrivée à maturation : les dix ans correspondent à cette période où la mémoire est délicieuse à ressortir, à déboucher et à avaler. En 1996, on avait un contraste entre l'excès de larmes et de compassion lors des obsèques d'une part, et d'autre part le temps des vengeurs, des frustrés, des aigris, des amoureux déçus. On était dans l'excès de passion d'une manière générale. On aura sans doute dans quelques années le temps des historiens, plus froids et plus cliniques, qui travaillent à la recherche d'une vérité. On est actuellement dans le temps de la nostalgie.

Le vide, c'est le vide total, à gauche, de successeurs à François Mitterrand. Il y avait un héritier, Lionel Jospin, mais il a explosé en vol le 21 avril 2002. Ce vide total, particulièrement sensible à un an des présidentielles, a gonflé le fantôme de Mitterrand au-delà sans doute de ce que sa dimension historique méritait. Le défilé à Jarnac le 8 janvier 2006, sous la pluie, cheveux mouillés, lunettes embuées, chapeaux et écharpes clones de ceux de Mitterrand, faisait un spectacle à la fois risible et emblématique, qui était le spectacle du vide.

Le troisième « V », c'est celui de « vertige ». Nous sommes dans une période où le pays est saisi d'un vertige : notre passé a été composé dans une histoire verticale et linéaire, qui rattachait en quelque sorte de Gaulle et Mitterrand par le sang de la France à Jeanne d'Arc, Clovis, Louis XIV, Napoléon... On avait une continuité historique. Le pays sent bien que cette tradition est épuisée, mais il hésite à se jeter dans un autre mode de fonctionnement beaucoup plus horizontal et beaucoup plus instantané qui correspondrait presque à ce qu'on pourrait appeler une fin de l'histoire. Ce qu'incarne à merveille quelqu'un comme Sarkozy, c'est : répondons à l'instant aux problèmes de l'instant. On peut donc changer totalement de tradition dans la politique d'immigration ou changer totalement de pratique par rapport à nos relations diplomatiques : cela n'a aucune importance pourvu que cela réponde, dans l'espace qui nous est donné, aux problèmes du temps que nous vivons – celui de la puissance américaine, de la guerre en Irak, de la crise au Proche-Orient, etc. La France ne veut pas encore se jeter dans la gestion de l'instant, elle commence à faire son deuil de la gestion de la continuité historique. Cette tension a créé un vertige tellement patent aujourd'hui que cela a encore accru la nostalgie de Mitterrand et de ce temps où il était si simple de penser que Mitterrand descendait lui aussi en droite ligne de Clovis.

*A. Finkielkraut* – Vous êtes peut-être un peu sévère quand vous parlez de gestion de l'instant. Après tout, si l'on s'aperçoit qu'une politique de l'immigration a échoué, il est légitime pour un homme politique, qui est dans le temps de l'action, de la changer ; s'il la change, ce n'est pas simplement pour aujourd'hui ou pour réussir un effet de communication...

*C. Barbier* – Les dirigeants précédents arrivaient à concilier le temps de l'action – décoloniser par exemple – avec une continuité historique perpétuant la grandeur de la France. C'est l'équation qu'a su résoudre de Gaulle. Mitterrand a regardé avec les lunettes de l'historien, peut-être avec un rétroviseur, les problèmes posés après la chute du mur de Berlin en leur appliquant une lecture historique de continuité. Je pense qu'il a eu tort, mais j'ai un différend avec Hubert Védrine sur ce point... Aujourd'hui, on n'utilise plus du tout ces lunettes-là. Je parle d'un vertige, mais c'est peut-être la modernité.

*Hubert Védrine* – Je crois que, en ce qui concerne le mur de Berlin, la cause est entendue, pas dans le sens donné par Christophe Barbier mais au contraire dans celui d'une gestion remarquable, collectivement intelligente, de la fin de l'URSS.

Pour en revenir à la question, mon explication croise la vôtre même si j'ai eu des relations tout à fait différentes avec Mitterrand. Je dirais toutefois ceci pour commencer : il n'y a pas revirement de l'opinion, mais revirement de la part d'un certain nombre d'intellectuels, médiatiques ou politiques, qui s'étaient acharnés contre Mitterrand notamment à la fin du second septennat. Ils l'avaient fait d'une manière si excessive qu'ils ont contribué à mon avis à le rehausser ; ils ont fait le socle de sa statue à force d'attaques, et ont rendu ainsi le personnage encore plus captivant et romanesque. Cependant, dans les sondages que vous citiez, Alain Finkielkraut, il n'y en a qu'un qui a placé Mitterrand devant de Gaulle, ce qui aurait surpris Mitterrand lui-même ; on ne compare en effet que les présidences, en oubliant le 18 Juin, événement que Mitterrand lui-même situait tout à fait à part. Quoi qu'il en soit, l'opinion n'a pas été convaincue par ceux qui se sont acharnés contre Mitterrand. Ce sont plutôt ces milieux-là, politico-médiatico-intellectuels, qui s'aperçoivent que l'opinion a écouté tout cela sans broncher... et continué à placer François Mitterrand très haut.

*A. Finkielkraut* – Oui mais tout de même, la politique de Mitterrand a été deux fois sanctionnée, notamment en 1993.

*H. Védrine* – Je parlais de l'évolution du jugement sur Mitterrand, pas de Mitterrand lui-même ni de son bilan...

*A. Finkielkraut* – Les sondages montrent que l'opinion était fâchée en 1993 !

*H. Védrine* – Certes, mais j'ai déjà vu, entre 1995 et 2005, trois ou quatre sondages qui plaçaient de Gaulle au plus haut parmi les présidents, et Mitterrand juste derrière lui. Ce n'est donc pas la grande opinion qui s'est retournée, mais les gens qui parlent dans ce type d'émissions. Voilà la première remarque que je voulais faire.

Je suis d'accord ensuite avec l'idée d'un manque : personne n'a fait oublier Mitterrand, dans l'État ou dans la gauche. Le côté romanesque de François Mitterrand est bien sûr captivant et il y a quelque chose qui a été trop sous-estimé, l'attitude de Mitterrand face au cancer sur la fin de sa vie. Il y a en effet des millions de gens qui, à un moment donné, doivent affronter une maladie grave ; « l'honorable combat contre soi-même » a établi une relation personnelle et intime avec un nombre considérable de gens. Enfin, j'y vois une inquiétude sur la France ; je suis tout à fait d'accord avec la remarque historique. Cela vient à un moment où, aujourd'hui, les Français ne savent plus ce qu'ils seront demain. Ils hésitent, en ce qui concerne les politiques et les présidents, entre un leader – nostalgie de Mitterrand – et l'idéologie absurde mais envahissante de la proximité avec les «gens comme nous». Ce désarroi contribue sans doute à rehausser François Mitterrand, mais je ne pense pas que ce soit démesuré. Il s'est dit des choses à la fois fortes et nuancées sur lui, je pense qu'il a été mis à sa bonne place par les Français.

*A. Finkielkraut* – J'espère ne pas être un porte-parole de ces milieux médiatico-intellectuels féroces et fantasques. Il se trouve que j'ai été assez critique à l'endroit de Mitterrand; mais je suis moi-même saisi d'une sorte de nostalgie par laquelle je rejoins peut-être l'opinion majoritaire. Outre le respect que peut inspirer le long face-à-face avec la mort, il y a les images d'archives et les documents sonores qui font soudain ressurgir une langue qu'aucun homme politique ne parle plus. Élégance du style, rigueur de la syntaxe, constant souci du mot juste – François Mitterrand est peut-être le dernier homme d'État à avoir été ainsi habité par la littérature, le dernier témoin aussi d'une époque où la littérature jouait un rôle capital dans la conscience que la France avait d'elle-même et de sa civilisation. C'est d'ailleurs un point commun avec de Gaulle, même s'ils ne puisent pas aux mêmes sources littéraires.

*H. Védrine* – J'aimerais penser que cela a joué un rôle dans le revirement de certains esprits, mais je n'en suis pas sûr, hélas !

*A. Finkielkraut* – Je vais faire un rapprochement qui vous surprendra peut-être. J'ai écouté et regardé à la télévision la déposition du juge Burgaud devant la commission parlementaire mise en place après la catastrophe d'Outreau. Et j'ai pensé non seulement que le monde avait changé, mais que nous avions changé de monde, tant la France de Burgaud diffère de celle de Mitterrand. Cet homme, certes sous pression, sait à peine s'exprimer, ses phrases sont anémiques, son vocabulaire, enfantin. Il a pourtant passé les concours, il est pourtant un pur produit de la méritocratie française. Que s'est-il passé ? Et qu'a vu Mitterrand lui-même de ce désastre ? Voilà un homme qui était habité par la littérature, et qui aussi aimait la nature. Et qu'en a-t-il fait dans sa politique ? En quoi cela a-t-il importé ? En quoi ses goûts ont-ils inspiré son action ? C'était la volupté d'un égotiste, comme le dit Régis Debray. Il a présidé, par la création des IUFM, à la désintellectualisation du métier de professeur et à l'abêtissement de l'école. L'agriculture non plus n'était pas son souci. La sauvegarde des paysages, pas davantage. Je suis partagé entre la nostalgie pour une France qu'il continue à représenter et le sentiment qu'il n'a jamais rien fait pour en assurer la transmission ou la préservation, car il lui suffisait d'en jouir.

*C. Barbier* – Pour ce qui est du rapport à la nature, il me semble évident que c'était pour lui une jouissance, une part de son mythe dont l'affiche de 1981 était l'une des illustrations. Mais cela n'a en rien concerné son projet de société, même si l'on peut constater que le boom politique de l'écologie en France correspond au second septennat de François Mitterrand. On sait qu'il a contribué sous la pression de Ségolène Royal à sauvegarder le marais poitevin. Peut-être même la mode du développement durable, dont son successeur est maintenant le meilleur VRP, vient aussi de cela – j'ai des doutes.

Pour ce qui est de la littérature, je ne suis pas d'accord. Il se préoccupait assez peu en effet de savoir ce qu'on mettait dans la tête des étudiants qui allaient en IUFM. Mais la maîtrise de la langue et le récit que l'homme de pouvoir fait de sa propre action en marche sont au cœur de son action. Pour lui, le politique ne fait pas l'histoire, il en est le scénariste sous contrainte ; en revanche, il est responsable de la propre écriture de l'histoire, de ce que la postérité gardera de lui. Ce qui est frappant, quand on voit la beauté de la langue de Mitterrand dans les extraits télévisés, c'est le contraste avec la médiocrité, non pas de Burgaud, qui avait peut-être une stratégie de défense, mais de Chirac. C'est aussi la coïncidence entre la beauté de cette langue et l'outil télévisuel : on ne relit pas Mitterrand, qui a finalement peu écrit. Il n'a d'ailleurs pas fait de grands livres : il a fait des livres d'entretien, il a rédigé *Le Coup d'État permanent* qui est son meilleur livre ; mais il n'y a pas de grande œuvre romanesque ni de mémoires, contrairement à de Gaulle. En revanche, on réécoute Mitterrand dans les extraits télévisés ou au cinéma : Michel Bouquet dit du Mitterrand dans le film. Au théâtre, on a vu et entendu les vœux du président mis en scène. C'est une période de coïncidence entre la télévision, encore assez patiente puisqu'on peut parler plus d'une minute trente sans être interrompu, et la beauté de la langue. Aujourd'hui, la télévision exige des politiques qu'ils répondent en dix secondes à des questions vulgaires. La dégradation est venue plus tard. Cette coïncidence en tout cas fait la force de Mitterrand.

A. *Finkielkraut* – Mais cette dégradation a commencé sous Mitterrand : je me souviens de son entretien avec Mourousi où celui-ci, triomphalement, s'est assis sur le bureau présidentiel et lui a parlé « chébran »...

*C. Barbier* – On était là dans une forme de démagogie politique ; c'était du même ordre que la création de SOS Racisme par d'autres moyens. Mais je ne veux pas croire que François Mitterrand soit le dernier : quand vous écoutez François Bayrou, il a un rapport à la littérature, à l'écriture et à la beauté de la langue qui est intact. Quand vous écoutez Arnaud Montebourg, qui est moins dans l'ordre de l'écriture que dans l'ordre oratoire, vous constatez le goût des mots. Quand vous écoutez ou lisez Hervé Gaymard, qui est maintenant aussi bas dans les sondages que pouvait l'être Mitterrand après l'affaire de l'Observatoire, vous avez affaire à un littéraire en politique et à quelqu'un qui, comme Mitterrand, se pense dans une figure de Janus écrivain politique.

*H. Védrine* – Léotard aussi avait une belle écriture. Mais on mélange deux aspects différents, je crois. Soit on considère ce qui captive tellement les gens dans la personne de Mitterrand, et ce sont, je crois, sa personnalité, sa vie à rebondissements, les événements gigantesques qu'il a traversés et les polémiques qui ont nourri l'attractivité du personnage. Soit on est dans l'ordre du bilan politique, ce qui est tout à fait différent.

*A. Finkielkraut* – Je ne crois pas que ce soit si différent. Je m'interroge sur la nature de cette fascination…

*H. Védrine* – Vous parliez de la nature, et je pense qu'une partie des Français se disait obscurément que quelqu'un qui avait cette vie-là et cet amour-là de la nature avait le « sens des choses souterraines ». Cet homme-là devait comprendre des choses qui lui permettaient de prendre une décision grave après avoir intégré tout cela. Je ne crois pas pour autant qu'il faille chercher le bilan dans le nombre d'arbres plantés. Il faut distinguer l'attractivité et le bilan.

*A. Finkielkraut* – Il faut les distinguer, vous avez raison, mais je vais tâcher de justifier le lien que j'ai établi. D'abord, je voudrais citer un passage d'un texte de Jean Daniel : « J'ai aimé qu'il eût en cette fin de siècle tant de goût pour les pèlerinages, les rites de conservation, les commémorations. Je ne doute pas que, sans le dire, il ait eu parfaitement conscience qu'il était chargé d'enterrer quelque chose. » J'en viens maintenant à la politique et au lien qui aurait pu se faire entre ses valeurs personnelles et son action. Je prends l'exemple de son ennemi intime, Michel Rocard : interrogé sur ce qu'a été son moment le plus heureux en politique, Rocard répond que ce sont les deux ans qu'il a passés au ministère de l'Agriculture, parce qu'il sentait qu'il faisait quelque chose. Aucun regret, autrement dit, des micros, des caméras ou des limousines, mais la nostalgie des dossiers ingrats, des négociations difficiles, des compromis à l'arraché, bref, de la *prose*. Chez Mitterrand, je me demande si le goût de la *pose* ne l'emportait pas sur cet amour de la *prose* politique. D'un côté, il cultivait le jardin privé de ses inclinations ; de l'autre, il préférait clairement les actions symboliques aux actions concrètes. D'où, me semble-t-il, la pertinence de la critique de Régis Debray ou de celle-ci, de Paul Thibaud : « La hauteur du personnage n'avait pas d'autre référence qu'une idée de soi dévorante et destructrice de tout. »

*H. Védrine* – « Destructrice de tout »... Quel que soit son talent, je crois que Paul Thibaud y va un peu fort...

Je crois que les deux aspects que vous évoquez ne sont pas incompatibles : il peut y avoir une personnalité attractive avec des goûts littéraires, et il peut y avoir aussi l'action. L'un n'empêche pas l'autre. On peut imaginer que des positions que François Mitterrand a prises dans des négociations européennes ou commerciales internationales, dans lesquelles l'agriculture entrait en ligne de compte comme d'ailleurs la question de l'occupation des territoires, se sont synthétisées en un acte politique. De toute façon, un jugement a été porté sur ce sujet : les Français ont entendu tout et le contraire et jugent aujourd'hui qu'il a été un grand président. Si on voulait parler du bilan, il faudrait aussi rappeler que pour un immense peuple de gauche, comme l'avait dit Pierre Mauroy, François Mitterrand reste à tout jamais l'homme qui a sorti la gauche de l'opposition perpétuelle et qui a conçu la stratégie, qui a fait que l'alternance a eu lieu. Ce simple fait a été un gigantesque levier de transformation de la France sans lequel toutes les autres discussions sur les suites n'auraient pu avoir lieu. Il y a une sorte de vaste public silencieux, peut-être pas assez écouté durant ces dernières années, qui s'est retrouvé dans ce nouveau consensus admiratif et qui en est heureux, même si cela ne dicte pas les solutions de l'avenir.

*C. Barbier* – Quelle est la France de gauche ? C'est un peuple urbain, citadin, c'est le peuple des usines et des villes. Mitterrand offrait ce personnage rural attaché à la France des arbres. Il y avait un contraste. Quel est l'échec ultime de Mitterrand ? Ce sont les obsèques au mont Beuvray : c'était tellement symbolique, mais cela lui a été refusé par la France. Le projet a été éventé et l'opinion a été choquée par ce qui apparaissait comme de la mégalo-manie.

*H. Védrine* – Je crois que vous exagérez l'importance de cet épisode...

*C. Barbier* – Je crois que son rêve secret était d'être enterré à Aubeterre dans un lieu beaucoup plus mystique (une église troglodyte des premiers chrétiens), pas loin de chez ses grands-parents, sur la terre de son enfance et de ses vacances. Mais à Jarnac, il se retrouve rejeté dans la banalité familiale et dans le commun des mortels. La France de gauche s'est donc quelque part vengée de cela. Je me souviens d'une émission des années 1970, dans laquelle Mitterrand avait fait le choix de la basilique de Saint-Denis pour incarner la France : ce n'était pas un choix de gauche ! Il aurait pu aller à Boulogne-Billancourt, mais il est allé vers le caveau vide des rois ! Il me semble y avoir une parenté entre cet épisode et l'échec du mont Beuvray. Ainsi cet homme de la racine, de l'arbre et du livre (qui n'est rien d'autre qu'un arbre qui a bien fini) a-t-il été mis en échec par son propre peuple de gauche, qui ne supportait pas qu'il pût avoir un destin d'homme de droite.

*H. Védrine* – Tout cela est tiré par les cheveux. Le vrai mont Beuvray du peuple de gauche, il est dans la tête et dans le cœur des gens. C'est l'attachement de ce fameux peuple de gauche à Mitterrand. Les attaques lui auront glissé dessus comme l'eau sur les plumes du canard... On sait aujourd'hui tout ce qui a été raconté sur Mitterrand. On ne veut pas croire tout cela. Il est resté notre président et c'était un grand président.

*A. Finkielkraut* – J'évoquais tout à l'heure sa préférence pour l'action symbolique plutôt que pour l'action concrète, menée prosaïquement, au jour le jour. L'exemple le plus flagrant est le rôle dévolu tout au long des deux mandats mitterrandiens à l'antifascisme et l'antiracisme. Il y a eu bien sûr l'instrumentalisation du Front national, destinée à casser la droite ; mais c'est allé au-delà : tout le peuple de gauche, ou plutôt tous les *people*, toute la jet-set, tous les bobos de gauche se sont reconnus dans cette bataille. Au moment même où la politique s'adaptait à la nouvelle donne économique, et devenait pure gestion des contraintes ou des conséquences, un dragon inespéré a jailli. Mitterrand a embarqué une grande partie de la gauche dans un train fantôme. Je ne suis d'ailleurs pas sûr qu'elle en soit descendue. Mais cela devrait aussi faire partie du bilan : un grand président doit-il nous raconter des histoires et plaquer la lutte contre le Mal sur la prose des jours, ou bien doit-il agir autrement dans le monde ?

*H. Védrine* – Je vais vous étonner, mais je trouve intéressant qu'on en vienne à une telle discussion. Pendant longtemps en effet, il était impossible de tenter une évaluation honnête de ce qu'a été le mitterrandisme, tant étaient excessives, voire absurdes, les polémiques sur l'Allemagne, la Yougoslavie, le Rwanda ou même sur Vichy. Je regrette encore que François Mitterrand ait manqué le lancement de son idée géniale de *confédération européenne*, parce qu'il l'a émise, non pas trop tard comme il a été dit, mais infiniment trop tôt, le 31 décembre 1989, sur un terrain non préparé. Il avait anticipé les problèmes liés à l'élargissement de l'Europe et il disait que cela prendrait au moins quinze ans, s'attirant les critiques et même les moqueries

de beaucoup, alors que c'est ce qui s'est passé : 1989-2004 !
Il avait envisagé une forme d'organisation de l'Europe qui
nous aurait évité en grande partie la dilution de l'Europe
d'aujourd'hui. Il a raté cette opération parce qu'il l'a dit
trop tôt ; parce qu'il voulait y mettre la Russie ; parce qu'il
ne tenait pas compte de l'état d'esprit de la Pologne, bref,
en raisonnant de façon gaullienne et traditionnelle. Mais
les commentaires de la presse de l'époque, sur son sup-
posé retard, sont complètement faux ! Cela a été oublié au
bénéfice de critiques non fondées mais répétées à l'infini.

J'ai trouvé intéressant ce que vous venez de dire. J'ai
toujours pensé, même alors, qu'il fallait ringardiser le
Front national et que l'excès d'indignation outragée
était exactement ce que souhaitait Le Pen. Mitterrand
n'a évidemment pas inventé l'extrême droite, il n'a
même pas inventé le scrutin à la proportionnelle (c'était
un projet inscrit dans le programme du Parti socialiste),
mais il est vrai qu'il y a eu dans cette espèce de mise en
scène scandalisée de la gauche face à Le Pen une posture
que je trouvais un peu facile et peu efficace. Tout cela
n'enlève évidemment rien à l'admiration et à l'affection
que j'ai pour François Mitterrand. C'est pour cela que,
dix ans après, j'ai eu envie d'en reparler dans un livre,
pas de façon égocentrique, au contraire sur un ton d'historien, et même, si j'osais, sur le ton de Malet et Isaac qui
étaient à la fois objectifs et engagés.

*C. Barbier* – En ce qui me concerne, l'instrumentalisation du Front national par la création d'outils comme
SOS Racisme ne me choque pas. C'est le jeu de la politique faite par un homme qui avait vu le vrai fascisme et
qui savait bien que le Front national n'incarnait pas du
tout un danger comparable à ce qu'avaient été les hordes

nazies. Les écoutes téléphoniques, c'est infâme, comme les barbouzes gaullistes étaient infâmes ; mais, dans le jeu démocratique, manipuler les forces adverses en ayant des créatures sur la table, cela je ne le lui reproche pas. En revanche, s'est produit à ce moment-là, à cause du climat induit par la montée en sauce du Front national, quelque chose de beaucoup plus grave dans la déstabilisation de la société française : l'érection du droit à la différence. Tout d'un coup, l'alchimie délicate de l'intégration à la française, du droit à l'indifférence, s'est trouvée bousculée – et de cela on n'est pas sortis ! C'est une mèche que Mitterrand, tel un apprenti sorcier, a allumée sans pouvoir l'éteindre, et cela nous poursuit : les émeutes de novembre 2005, pour aller vite, c'est « la faute à Mitterrand ». C'est la faute du droit à la différence érigé en pensée incontestable qui a profondément déstabilisé notre société, avec bien sûr d'autres facteurs comme le chômage ou la crise des banlieues...

*H. Védrine* – Est-ce que tout cela n'est pas une position classique de gauche, tolérante, humaniste, ouverte, bien-pensante, d'*avant* Mitterrand ? En quoi serait-elle liée à Mitterrand spécifiquement ?

*C. Barbier* – Je ne la vois pas avant lui...

*A. Finkielkraut* – Il me semble, Christophe Barbier, que vous faites un faux procès à SOS Racisme. Après avoir défendu le droit à la différence, notamment lors de la première affaire du foulard islamique à l'école, cette organisation, très liée, en effet, à Mitterrand, a bien vite changé son fusil d'épaule. Et elle a célébré les vertus du mélange. Mais le problème n'est pas là : le problème, c'est la substitution du schéma antiraciste à la complexité des choses, c'est la bien-pensance sans pensée, c'est l'invasion de la sphère publique par le sérieux binaire des adolescents, c'est la réduction jubilatoire de la morale à un affrontement manichéen. On oublie que, dans ce réseau d'interactions qu'est le monde humain, la politique, ça prend la tête, car on a moins souvent affaire à de francs scélérats qu'à des problèmes inextricables.

*H. Védrine* – Oui, cela fait diversion...

*C. Barbier* – Oui, c'est le 21 avril 2002 comme l'épopée de 1940-1944 vécue en trois jours par une France qui était privée de ce genre d'exploits... François Mitterrand faisait de la politique. Mais il a quand même allumé cet incendie moral sans savoir ensuite l'arrêter ni même le contrôler. Cela démarre dans ces années 1980 un peu folles, sous l'effet aussi d'autres éléments comme le chômage, le culte de l'argent... Auxquels s'ajoute la déstabilisation de la pensée de gauche qui, frottée à l'exercice du pouvoir, faisait aussi son aggiornamento tous les jours.

*H. Védrine* – Oui, mais là vous en venez à dire, comme certains idéalistes de gauche, que Mitterrand a rendu un service épouvantable à la gauche en l'amenant au pouvoir. Il y a effectivement des âmes de gauche pures qui regrettent l'innocence antérieure. À partir du moment où l'on est au pouvoir, on est confronté à tout cela. Il ne faut pas tomber dans l'excès que vous dénonciez et attribuer à Mitterrand tout ce dont il était simplement contemporain. Par ailleurs, tous ses gouvernements ont

212

travaillé, notamment à la création d'une gauche moderne de gouvernement, à partir de 1983.

*A. Finkielkraut* – Gauche moderne de gouvernement, dites-vous. Et dans votre livre, vous rendez hommage, me semble-t-il, au gouvernement Rocard. Vous dites qu'il a été très actif, puisqu'il a transformé la CNCL[25], créé le RMI, institué la CSG et œuvré à la modernisation fiscale. Vous dites aussi l'importance de son rôle dans les accords de Nouvelle-Calédonie. Or les rapports de Rocard et de Mitterrand étaient effectivement très difficiles. Dans son livre d'entretiens avec Georges-Marc Benamou[26], Michel Rocard parle d'une conversation qu'il avait eue avec Ambroise Roux, en 1987 ou 1988 ; Mitterrand avait confié à ce dernier qu'il allait désigner Rocard comme Premier ministre « puisque les Français le veulent » et qu'en même temps il avait pris date : « Au bout de dix-huit mois, on verra au travers. » Tous les proches de Mitterrand assuraient d'ailleurs à ce moment-là, en clignant de l'œil, qu'il s'agissait de « lever l'hypothèque Rocard ». Là encore, on peut s'interroger : cette façon de parier sur l'échec, cette animosité manœuvrière, ce cynisme sont-ils dignes d'un chef d'État ? Si l'on choisit un Premier ministre, on doit avoir envie que ça marche, ou alors on est dans un univers peut-être romanesque, mais à mille lieues de la vraie politique, c'est-à-dire de la responsabilité pour la chose publique...

*H. Védrine* – Dans l'histoire des relations entre les présidents de la Ve République et leur Premier ministre, on pourrait trouver de nombreuses phrases à double tranchant, ambiguës, parfois cruelles... Mitterrand n'était pas cruel à propos de ses prédécesseurs. De toute façon, ce que voulait dire Mitterrand ici, c'est que Rocard n'était pas du tout de taille à être président ensuite ; je conteste qu'il ait eu le désir de le voir échouer comme Premier ministre. D'ailleurs, toutes les mesures qui ont été prises par le gouvernement Rocard l'ont été avec l'accord du président Mitterrand.

*C. Barbier* – La phrase-clé de Mitterrand me semble être : « puisque les Français le veulent ». On a l'impression à partir de 1983 ou 1984 (après l'affaire de l'école en fait) que Mitterrand s'abandonne un peu aux volontés de l'électorat qui l'a porté au pouvoir en 1981 puis qui l'a abandonné dans les sondages et dans les urnes. Parti dans son œuvre internationale et dans son œuvre intemporelle avec les grands travaux, Mitterrand se désengage un peu de l'intendance. Il choisit Rocard parce que « les Français le veulent », mais si les Français avaient voulu quelqu'un d'autre, il aurait mis quelqu'un d'autre. Je le vois donc plutôt comme un personnage qui se désinvestit pour aller vers d'autres nuées. Sans doute a-t-il eu raison, étant donné la nature des problèmes du monde à ce moment-là. Mais dans son projet personnel, c'est tout de même aussi le signe d'une fatigue. N'oublions pas d'ailleurs que c'est un homme qui avait vaincu à ce moment-là son premier cancer.

*H. Védrine* – Je n'ai pas la même interprétation. Je pense qu'au début, premier président de gauche élu au suffrage universel, premier président installant un gouvernement de gauche depuis le bref et remarquable intermède de Mendès France, il est à la manœuvre, il veut réorganiser les choses. Il suit tout d'extrêmement près, d'autant plus que ce gouvernement d'union de la gauche est regardé avec suspicion par nos partenaires européens. Autrement dit, dès la première minute, Mitterrand investit déjà beaucoup l'international qui de toute façon s'impose à lui. Il n'a pas le choix : cela ne s'est pas passé dans le second septennat et au bout de quelques années parce que le reste l'aurait ennuyé. Il est très présent dans les premières années et ses collaborateurs sont constamment en contact avec les ministres. Au bout de quelque temps, quand Fabius arrive, en 1984, le démarrage a été donné, les habitudes ont été prises, de sorte que les conseillers n'ont plus à se mêler de tout. C'est une fausse interprétation de dire que Mitterrand se désengage : il est resté très attentif à toute une série de sujets, par exemple dans les réformes Rocard. Quant à l'international, c'est une question qui le préoccupe tout le temps, ce n'est pas un substitut. Quant à l'affaire de l'école, François Mitterrand a expliqué à Hassan II, dès janvier 1982, qu'il n'était pas d'accord avec ce que la gauche voulait, que cela échouerait mais qu'il avait estimé ne pas pouvoir se mettre en travers.

*A. Finkielkraut* – Je voudrais revenir à la question des racines et du rôle de l'histoire pour François Mitterrand. Je veux parler, non pas de l'histoire marxiste qui va toujours vers le mieux de manière continue ou tumultueuse, mais de l'histoire au sens d'un passé qui doit nous éclairer. Est-ce que François Mitterrand s'inscrivait dans cette continuité ? Sa visite à la basilique des rois de France peut rappeler la belle formule de Péguy : « La République une et indivisible, notre royaume de France. » Cet attachement à l'histoire et ce sens de la continuité le rendaient-ils plus apte à faire face aux problèmes du monde, ou bien pensez-vous qu'ils l'ont parfois aveuglé ? Je vous pose la question, Christophe Barbier, parce que vous y revenez souvent dans votre livre...

*C. Barbier* – Je pense que, à certains moments, ils l'ont aveuglé. Cette pensée a été féconde jusqu'à la chute du mur de Berlin ; mais elle ne lui a pas été d'un grand secours et a même été un handicap dans la période qui a suivi. La grande dérégulation de l'ordre mondial liée à la chute du mur de Berlin devait amener les hommes politiques à utiliser le périscope plutôt que le rétroviseur. Je trouve que Mitterrand a abusé du rétroviseur et est allé chercher dans le passé des leçons qui n'étaient plus pertinentes et qui pouvaient même produire des effets pervers. Je prendrai plusieurs exemples. L'attitude dans les Balkans, tout d'abord : il me semble que le rôle de la Serbie lu à travers l'histoire, moderne ou ancienne, a induit Mitterrand en erreur. C'est finalement Chirac, le pragmatique, le tacticien, qui a eu raison dans les faits en 1995, par rapport à ce Mitterrand. Voici un autre exemple, plus anecdotique : il avait confié dans un avion à des journalistes : « Savez-vous ce qui se passe actuellement sur le fleuve Prout ? », et il a raconté quelques affrontements nationalistes sur ce fleuve. Cela lui rappelait des conflits de même localisation qu'il a considérés comme des conflits de même nature – et là, il a fait une erreur. Dans l'affaire de la réunification allemande, l'erreur est similaire : les Prussiens n'accepteront jamais d'être dominés par des Bavarois, donc le retour de l'Allemagne de l'Est dans la grande Allemagne se fera dans la douleur. Mais la Prusse était morte ! De la même manière, à Kiev, il me semble qu'il se fait enfumer par Gorbatchev, qui lui dépeint une Union soviétique qui n'existe plus. Du coup, lors du putsch du 24 août 1991, Mitterrand prend pour

216

un vrai coup d'État réussi ce qui n'est en fait qu'une pantalonnade de généraux.

*H. Védrine* – Il y a eu beaucoup de livres sur la question depuis des années, qui donnent diverses interprétations. Je ne suis pas du tout de votre avis, mais je peux concéder que, instruit par l'histoire des années 1930 et 1940, face à l'immense événement que constituait la réunification allemande et qu'avait entraîné l'effondrement de l'URSS (prévu par Mitterrand dès la fin de l'année 1981), Mitterrand a peut-être fait preuve d'un excès de précautions pour que cette métamorphose de l'Europe ne tourne pas mal. Mais cet excès de précautions n'a pas causé de dommages, au contraire : la réunification allemande a été très bien gérée par Kohl, Mitterrand, Gorbatchev, George Bush (pas Thatcher, parce qu'elle était contre la relance de l'Europe). Tout cela a conduit à Maastricht, à l'euro, on ne pouvait pas faire mieux.

En ce qui concerne la Yougoslavie, Mitterrand n'était pas du tout seul, il avait la même position que Major, Gonzalez, Bush et compagnie. La différence était entre les Allemands qui acceptaient une désintégration rapide, par sympathie pour la Croatie ou la Slovénie, et l'ensemble des autres qui, sans être pro-Serbes ou pro-Yougoslaves, espéraient pouvoir ralentir la désintégration pour la gérer de façon moins tragique. Cela n'a pas marché mais ce n'est pas honteux d'avoir essayé, et Mitterrand n'est pas personnellement en cause. Ce n'est même pas la peine d'expliquer cela par le fait qu'il était « pro-Serbe », puisque Bush et Major avaient la même politique. Dans l'affaire du Rwanda, il a tenté une politique qui n'a pas marché pour prévenir les drames, c'est le contraire de ce qu'on a dit à l'époque sur la collabo-

217

ration de la France avec le régime qui a eu la responsabilité du génocide !

*C. Barbier* – Pourquoi va-t-il à Berlin-Est ?

*H. Védrine* – Ce voyage fait en décembre 1989 ne pose pas de problème à Kohl. C'était la fin d'une tournée générale entamée par Mitterrand dans l'ensemble des pays de l'Europe de l'Est avant que les régimes communistes s'effondrent. La question qui se posait à ce moment-là était de savoir s'il fallait maintenir le voyage ou non ; la chancellerie en est informée. À l'époque, Kohl vient de faire un discours en dix points dans lequel il explique que la transition va durer encore des années ; il demande à ses amis de l'aider à la stabilisation de cette transition. Ce n'est qu'en janvier de l'année suivante que Kohl, voyant les choses s'emballer, en prend la tête. George Bush est tellement d'accord avec Mitterrand qu'il envoie James Baker dire la même chose aux Allemands de l'Est trois jours avant Mitterrand ! Il y a donc eu prise en charge par les Alliés d'une transition éventuellement dangereuse, laquelle n'avait rien d'une lubie inventée par Mitterrand.

Il n'y a pas de sujet où le poids de l'Histoire l'ait amené à prendre de mauvaises positions. Cela l'a peut-être rendu trop précautionneux, mais c'est mieux que l'inverse et il n'a pas commis d'erreurs de manœuvre.

*A. Finkielkraut* – Je dirai un mot sur les Balkans. François Mitterrand a donné une interview à un journal allemand en 1991, au moment où le siège de Vukovar s'achevait par la destruction de la ville. Il a dit que les Croates, durant la guerre, étaient du mauvais côté, ce qui n'était pas le cas des Serbes. Cela m'a fait penser à un raisonnement extraordinaire de Valéry sur le poids de l'Histoire : « L'avenir par définition n'a point d'image, l'Histoire lui donne les moyens d'être pensé. Elle forme pour l'imagination une table de situations et de catastrophes, une galerie d'ancêtres, un formulaire d'actes, d'expressions, d'attitudes, de décisions offerts à notre instabilité et à notre incertitude pour nous aider *à devenir*. Quand un homme ou une assemblée, saisis de circonstances pressantes ou embarrassantes, se trouvent contraints d'agir, la délibération considère bien moins l'état même des choses *en tant qu'il ne s'est jamais présenté jusque-là* qu'elle ne consulte ses souvenirs imaginaires[27]. » Le présent est justement cela, ce qui ne s'est jamais présenté. Le recours à une certaine idée de l'Histoire a peut-être empêché de faire face...

*H. Védrine* – J'admets que c'est là une phrase historiquement vraie, mais prononcée mal à propos. Mais je rappelle à nouveau qu'il n'a pas eu de politique différente de celles de Bush, Major, Gonzalez, etc. Ce qu'il y avait de vrai dans cette réminiscence historique, c'est que, si la Croatie devenait indépendante, il était évident que la minorité serbe (trois cent mille Serbes étaient là) se sentirait en danger. Si nous avions disposé de cinq ans pour gérer la désintégration yougoslave, le résultat aurait été moins tragique. Mais il aurait fallu s'occuper de tout cela bien avant, dès le lendemain de la mort de Tito, en fait.

*A. Finkielkraut* – Parlons pour finir de l'héritage de ce grand aventurier de la politique. Pensez-vous que la gauche doive aujourd'hui s'inspirer de l'exemple de

François Mitterrand ? Que doit-elle garder du mitterrandisme ?

*C. Barbier* – À mes yeux, il a rejoint le Panthéon avec
Jaurès et Blum. Mais il n'y a pas de mode d'emploi du
pouvoir, de son exercice ou de sa conquête, dans ce qu'a
fait Mitterrand. En ce qui concerne sa conquête d'abord,
le Parti communiste n'étant plus ce qu'il était, il ne sert à
rien de vouloir plagier Mitterrand. Il me semble de ce
point de vue que Fabius se trompe. En ce qui concerne
l'exercice du pouvoir ensuite, la mondialisation, qui va
d'Internet jusqu'à M. Mittal qui rachète Arcelor, a
complètement changé la donne et oblige la gauche
à réinventer une pensée qu'on peut appeler social-
démocrate ou social-libérale, comme on veut. Réinventer, c'est partir de zéro... Ce qu'il faut garder de Mitterrand, c'est l'image d'un homme qui, du premier
moment (c'est-à-dire en 1971, quand il a pris la tête du
Parti socialiste) au dernier moment, a toujours été parfaitement lucide sur sa stratégie. Il faut avoir cette lucidité-
là sur le projet qu'on veut déployer, mais le projet sera
totalement différent, parce que le XXI$^e$ siècle est totalement inédit.

*H. Védrine* – Je suis d'accord... Je pense qu'il y a plusieurs leçons à tirer de sa vie, de la volonté, de la lucidité,
de l'intelligence et du courage dont il a fait preuve. Mais,
politiquement, ce qu'il a fait n'est guère transposable. On
ne sera plus jamais dans la situation où l'alternance n'a
jamais eu lieu. Mais chacun pourra s'inspirer de tel ou tel
aspect de sa politique, Mitterrand faisant figure aujour-
d'hui de « maître » de la politique...

*A. Finkielkraut* – N'y a-t-il pas quand même quelque chose de transposable ? Mitterrand fait le Programme commun, puis une multitude de concessions à une politique à laquelle il ne croit pas beaucoup mais qu'il va quand même appliquer. Il n'y a plus aujourd'hui de Parti communiste à 10 %, mais un surmoi d'extrême gauche pèse tout de même aujourd'hui sur le Parti socialiste. Peut-on avoir vis-à-vis de ce gauchisme diffus le même type d'attitude que celle qu'a eue François Mitterrand ?

*H. Védrine* – Vous avez raison de souligner cela. Les choses sont aujourd'hui différentes et plus difficiles. François Mitterrand avait face à lui un Parti communiste plus fort, encore stalinien dans ses conceptions, mais avec une tête. Au fil des années, Mitterrand a réussi à créer dans l'électorat de base, y compris communiste, un désir très fort d'arriver au pouvoir par l'Union de la gauche et sous la direction de Mitterrand. Quand la direction du PC s'est rendu compte que Mitterrand allait être plus fort qu'eux, elle a tenté d'arrêter le train en marche mais elle n'y a pas réussi. Aujourd'hui, en revanche, il y a un électorat à la gauche de la gauche qui n'est pas du tout dans cet état d'esprit : il vit dans l'idée que, quelque part, les socialistes l'ont trahi. Les candidats socialistes ne disposent pas de ce côté du même levier que Mitterrand à l'époque.

*C. Barbier* – C'est un nihilisme, et non une révolution, qui est proposé par cette extrême gauche…

# Michelet, la France et les historiens

## Entretien avec François Furet et Jacques Le Goff

*Alain Finkielkraut* – Le jeudi 29 décembre 1842, Jules Michelet commençait en ces termes son cours au Collège de France : « Je dois remercier les personnes obligeantes qui recueillent mes leçons, mais en même temps les prier de ne donner à ceci aucune publicité. Je parle avec confiance à vous, à vous seuls, et point aux gens du dehors. Je ne vous confie pas seulement ma science, mais ma pensée intime sur le sujet le plus vital. C'est justement parce que cet auditoire est très nombreux, très complet (d'âge, sexe, provinces, nations...), que j'y sens l'humanité, l'homme, c'est-à-dire moi. De moi à vous, de l'homme à l'homme, tout peut se dire. Il semble qu'un seul parle ici : erreur, vous parlez aussi. J'agis et vous réagissez, j'enseigne et vous m'enseignez. Vos objections, vos approbations, me sont très sensibles. Comment ? On ne peut le dire. C'est le mystère des grandes assemblées, l'échange rapide, l'action, la réaction de l'esprit. L'enseignement n'est pas, comme on le croit, un discours académique ou une exhibition ; c'est la communication mutuelle doublement féconde d'un homme et d'une assemblée qui cherchent ensemble. La sténographie la plus complète, la plus exacte, reproduira-t-elle le dialogue ? Non, elle reproduira seulement ce que j'ai dit, et pas même ce que j'ai dit : je parle aussi du regard et du geste. Ma présence et ma personne, c'est une partie considérable de mon enseignement. La meilleure sténographie paraîtra ridicule parce qu'elle reproduira les longueurs, les répétitions très utiles ici, les réponses que je fais souvent aux objections que je vois dans vos yeux, les développements que je donne sur un point, où l'approbation de telle ou telle personne m'indique qu'elle voudrait m'arrêter. [...] Donc il faut laisser voler ces paroles ailées. Qu'elles se perdent, à la bonne heure ! qu'elles s'effacent de votre mémoire, si l'esprit en reste, c'est bien. C'est là ce qu'il y a dans l'enseignement de touchant et de sacré. Que ce soit un sacrifice, qu'il n'en reste rien de matériel, mais que tous en sortent forts, assez forts pour oublier ce faible point de départ. Quant à moi, si je craignais que mes paroles risquassent de geler en l'air et d'être reproduites ainsi, isolées de celui pour qui vous avez quelque bienveillance, je n'oserais plus parler. Je vous enseignerais quelque table chronologique, quelque sèche et triviale formule, mais je me garderais d'apporter ici comme je fais moi-même, ma vie, ma pensée la plus intime[28]. »

Il faut cependant rendre grâce aux éditeurs de Michelet de ne pas l'avoir écouté et à Paul Viallaneix d'avoir publié chez Gallimard l'intégralité de ses cours au Collège de France. En effet, cette vision si justement paradoxale du cours magistral comme échange et comme communication constitue la meilleure réponse possible à tous les apôtres du virtuel qui, avec Bill Gates ou avec Michel Serres, célèbrent le dépassement de la classe et de l'école, ces tristes lieux clos, par le télé-enseignement.

Tout professeur reconnaîtra son expérience dans la description faite par Michelet de la relation pédagogique. Mais tout professeur devra dans le même temps mesurer l'insurmontable distance qui le sépare de Michelet : à l'oral comme à l'écrit, Michelet est poète et, même si elle est pratiquée avec style, la recherche de la vérité a rompu avec la poésie. Est-ce à dire que, pour les contemporains, Michelet n'est plus une source d'inspiration ou une pensée vivante, mais un monument littéraire et un objet d'histoire ?

François Furet et Jacques Le Goff, vous avez l'un et l'autre contribué à renouveler la discipline historique. Quand vous lisez sous la plume de Michelet que « la condition imposée à l'Histoire n'est plus de raconter seulement ou juger, mais d'évoquer, refaire, ressusciter les âges », et que « le devoir de l'historien est de donner assistance aux morts trop oubliés », est-ce encore, ou est-ce déjà, de votre pratique qu'il parle ?

*François Furet* – Michelet reste pour nous, historiens de la Révolution, un exemple inégalé : c'est le plus grand historien de la Révolution qu'il y ait eu. Il est vrai qu'il ne travaillait pas comme nous travaillons : il a lu beaucoup plus d'imprimés et d'archives qu'on ne le dit généralement, mais, comme les gens du XIX$^e$ siècle, il cite peu ses sources (ou s'il le fait, c'est de manière intermittente et inégale). Ce qu'il a d'extraordinaire surtout et qui pourrait paraître loin de nous sans l'être aucunement en vérité, c'est qu'il accorde sa part au travail de l'imagination. L'histoire est une discipline dans laquelle il y a 50 % de faits et 50 % d'imagination, même quand on travaille sur des données qui sont nombreuses comme c'est le cas en histoire moderne ou contemporaine.

225

*A. Finkielkraut* – Vous diriez donc que cette proportion vaut aussi pour les historiens d'aujourd'hui ?

*F. Furet* – Absolument ! On reconnaît les grands historiens au travail de l'érudition d'un côté, au travail de l'imagination et de l'intuition de l'autre côté. À cet égard, l'histoire ne sera jamais une science sociale comme une autre, car elle est un travail, sinon de ressuscitation, en tout cas de résurrection du passé. Or la résurrection du passé est le travail de l'imagination. Les grands livres d'histoire tirent leur valeur et leur mystère de ce qu'ils sont plus vrais et font plus appel à l'imagination que les autres.

*Jacques Le Goff* – Je suis tout à fait d'accord avec François Furet. J'ai conscience de la distance, comme vous disiez, qu'il y a entre mon propre travail d'historien et Michelet, qu'on peut bien qualifier de « génie ». Cela étant dit, j'ai surtout envie d'insister sur les façons dont je me sens proche de Michelet. Je dois à ce « Cours » que je ne connaissais pas d'avoir découvert un Michelet plus proche de ma pratique que je ne le pensais à la lecture de ses grandes œuvres. Ce « Cours » en effet nous fait voir l'imagination à l'œuvre sur des documents. Je crois que, en ce qui concerne les pratiques et la conception de l'Histoire, il faut réduire la distance qu'on met trop volontiers entre Michelet et nous : il faut redire, comme vient de le faire François Furet, que Michelet, pour son époque, était un érudit. Il aimait les archives, et il prenait déjà comme documents ce que nous sommes en train de redécouvrir, c'est-à-dire les œuvres littéraires et les œuvres d'art. N'oublions pas d'ailleurs que le choc dont il faisait dépendre sa vocation historique avait été sa visite de l'enclos des Augustins où Alexandre Lenoir avait réuni des sculptures. Je reprends donc à mon compte la formule de François Furet : il y a dans l'histoire 50 % d'érudition et 50 % d'imagination. Je crois l'imagination vraiment nécessaire à l'historien. L'histoire que nous essayons de faire aujourd'hui, à la fois très différente et très voisine, a retrouvé ce type d'inspiration. La modernité de Michelet m'est très fortement apparue dans ce texte.

Enfin, François Furet a fait allusion à une formule qui nous séduisait en même temps qu'elle nous gênait quand nous étions apprentis historiens, admirateurs déjà de Michelet : c'est celle où il est question de la « résurrection intégrale du passé ». Il ne nous semblait pas possible de donner cela comme objectif à l'Histoire, car il nous paraissait pour ainsi dire anti-historique de vouloir faire revivre tel quel le passé. Il faut que le passé revive à travers la différence. Mais ici, j'ai vu ce qui donne à cette formule sa pleine efficacité encore pour nous : Michelet a bien conscience que ce sont des morts qu'il parle. « Aimer les morts, c'est mon immortalité », écrit-il par exemple. Il nous montre bien qu'il y a un traitement des morts qui reste aujourd'hui encore un objectif pour les historiens. J'observe enfin que, dans la formule de la « résurrection intégrale du passé », « intégrale » est un terme très important : Michelet apparaît dans ce « Cours », plus que dans ses autres œuvres, comme ayant véritablement accompli ce que l'on avait attribué aux fondateurs des *Annales* mais qu'ils n'avaient jamais vraiment réussi à définir ni à réaliser exactement : l'histoire totale ou globale. Michelet l'a fait, et on pourrait aussi montrer comment cette passion historique déborde sur le monde de la nature...

227

*A. Finkielkraut* – Restons-en un instant aux morts :
« J'avais une belle maladie qui assombrit ma jeunesse,
mais bien propre à l'historien. J'aimais la mort. J'avais
vécu neuf ans à la porte du Père-Lachaise, alors ma
seule promenade. Puis j'habitai vers la Bièvre, au milieu
de grands jardins de couvent, autres sépulcres. Je menai
une vie que le monde aurait pu dire enterrée, n'ayant de
société que celle du passé, et pour amis les peuples
ensevelis. Refaisant leur légende, je réveillais en eux
mille choses évanouies. » Vient, un peu plus loin, cette
confidence extraordinaire : « Le don que Saint Louis
demande et n'obtient pas, je l'eus : le don des larmes. »
Michelet oppose le don des larmes comme qualité de
l'historien à l'objectivité de Spinoza selon lequel il ne
faut « ni pleurer, ni rire mais comprendre ». De quel
côté vous situez-vous ?

*F. Furet* – Il y a deux personnages dans Michelet, qui
s'intéressent tous deux à l'histoire et qui me paraissent
assez différents. On peut les retrouver dans ses « Cours »
qui commencent en 1838 quand il est élu au Collège de
France. Il y est d'abord question de l'ancienne France,
de l'Église, de la monarchie et des anciennes dynasties
françaises. Il fait un extraordinaire travail d'ascèse pour
descendre dans le monde des morts. Cela correspond
d'ailleurs dans sa vie personnelle à une profonde dépression. Puis, subitement, au milieu de ses « Cours » au Collège de France (c'est-à-dire aussi au milieu de son
œuvre), alors qu'il doit aborder la Renaissance après
trois ou quatre années de cours sur le Moyen Âge, il
décide de s'installer dans le monde de la Révolution
française. C'est l'époque de sa grande querelle avec les
cléricaux sous la monarchie de Juillet ; c'est l'époque

aussi où son cours au Collège de France devient une sorte de magistrature morale et politique avec Quinet et Mickiewicz. C'est la grande époque où le Quartier latin fait fête aux professeurs anticléricaux du Collège de France. À partir de 1842 ou 1843 donc, Michelet se lance dans des cours prophétiques sur l'histoire de France : on voit ainsi apparaître un Michelet pour qui l'histoire, c'est du présent. Elle a cessé d'être une descente dans le monde des morts, pour devenir un dialogue avec les gens auxquels il se sent adossé – les Girondins, les Montagnards, les Constituants et surtout la Convention qu'il aime tout particulièrement comme corps collectif de la nation et où il cherche une sorte d'inspiration. Cinq ou six ans avant 1848, Michelet est absolument prophétique dans ses cours sur la Révolution française.

A. *Finkielkraut* – Il est prophétique dans ses cours mais aussi dans sa manière de faire l'histoire de la Révolution. J'ai retrouvé chez lui des thèmes que vous avez développés, vous, François Furet, avec Denis Richet d'abord puis seul ensuite. Le premier, c'est une critique de l'explication de la Terreur par les circonstances. Michelet écrit ceci par exemple : « La Révolution ne voulut jamais croire qu'elle pût être vaincue, sinon par la trahison. Elle tomba dans une maladie effroyable, celle de tout suspecter, de ne voir plus que des traîtres, de se croire traître elle-même. Une sombre nuit commence où la France, de sa main droite, va saisir, blesser la gauche, et croit blesser l'ennemi[29]. » Il écrit aussi : « On fera un jour, je pense, la pathologie de la Terreur. Les situations extrêmes créent d'étranges maladies [...]. Chez les hommes de 93, une maladie éclata : la furie de

la pitié[30]. » C'est là une thématique que vous avez reprise
et approfondie...

*F. Furet* – C'est un immense historien, c'est même sans
aucun doute le plus grand historien de la Révolution française. Il suffirait presque de le lire s'il ne fallait pas passer
à tout ce qui nous a séparés de lui. C'est quelqu'un qui
a senti comme personne que la Révolution était une formidable aventure collective qu'aucun homme n'était
capable de contrôler. C'était une aventure sans grand
homme. Michelet a très profondément compris le fait
que les hommes ont été ballottés par les flots et que
l'immense aventure a été celle du peuple.

*J. Le Goff* – On retrouve cela pour le Moyen Âge, mais
pas exactement de la même façon. Pour le Moyen Âge en
effet, il trouve un certain équilibre entre l'affirmation du
peuple, qui correspond à ce qu'il attend de l'histoire, et la
mise en exergue d'un certain nombre de personnalités
qui sortent de l'ordinaire et qui sont pour lui symboliques.
Michelet était féru de symboles. Un très bon exemple de
ce travail est son Abélard. Il faut savoir que, au même
moment, Victor Cousin mettait à la disposition du public
cultivé les textes d'Abélard. Mais il y a un gouffre entre
l'Abélard de Michelet et celui de Cousin ! Il faut bien sûr
rester reconnaissant à Victor Cousin d'avoir donné les
premières éditions fiables d'Abélard, mais l'Abélard vrai-
semblable et signifiant est chez Michelet. Vous citiez,
Alain Finkielkraut, le mot sur les larmes de Saint Louis, et
c'est là un autre exemple du très grand talent de Michelet.
J'ai toujours été frappé par ce texte et par la prodigieuse
intuition de Michelet : il sait saisir le détail significatif. Il
sait lire ce qui vient à peine d'être publié à son époque

dans le *Recueil des historiens des Gaules et de la France*, c'est-à-dire *La Vie de Saint Louis* par son confesseur, Geoffroy de Beaulieu. Dans ce texte, il sait mettre le doigt sur le détail significatif qui est le suivant : Saint Louis confesse à son confesseur que son plus grand motif de tristesse est de ne pas avoir le don des larmes qui, pour un chrétien du Moyen Âge, est absolument nécessaire dans le processus de contrition et de pénitence. Michelet a saisi que cela exprime quelque chose d'essentiel et de profond, à la fois dans le christianisme médiéval et chez Saint Louis. C'est le moment pour moi d'ailleurs de rendre ici hommage à Roland Barthes dont j'ai relu les textes dernièrement. Il est en effet l'un de ceux qui ont le mieux saisi le système affectif de Michelet. Sa définition d'un réseau d'obsessions par exemple se trouve parfaitement légitimée par ces « Cours ».

*A. Finkielkraut* – Dans l'une de ses dernières conférences au Collège de France, intitulée « Longtemps je me suis couché de bonne heure », Roland Barthes place le roman qu'il rêve d'écrire et qu'il n'écrira pas sous le patronage de Michelet. S'inspirant explicitement du thème de la résurrection dans et par l'Histoire, il écrit que la première mission de ce Roman est de lui permettre de dire ceux qu'il aime, « dans la mesure où dire ceux qu'on aime, c'est témoigner qu'ils n'ont pas rien (et bien souvent souffert) "pour rien"[31] ». Par-delà son évolution et ses métamorphoses, Barthes est resté fidèle à Michelet jusqu'au bout.

*F. Furet* – Ce qui est le plus extraordinaire chez Michelet et qui en fait un homme unique dans notre discipline, c'est sa capacité à restituer l'ensemble des médiations culturelles dans lesquelles vivent les hommes. Les hommes sont plongés dans l'histoire, dans un océan de significations qu'ils enregistrent plus ou moins bien. Le génie divinatoire de Michelet est de reconstituer l'ensemble des significations qui faisaient qu'un homme agissait à un certain moment d'une certaine façon. Dans cet exercice-là, je crois qu'il n'a jamais eu d'égal.

A. *Finkielkraut* – L'une des ambitions de Michelet était de raconter la France. Ricœur a forgé le concept d'identité narrative en montrant que répondre à la question « qui ? », c'est raconter l'histoire d'une vie. Ce qui vaut pour l'individu, ajoute-t-il, vaut aussi pour la communauté : une communauté n'a d'identité qu'à travers les histoires qu'elle a vécues ou qu'elle se raconte. Pour Michelet, la fonction même de l'historien est de relater, et par là même de constituer l'identité narrative de la France. Est-ce que vous, historiens, vous vous inscrivez toujours dans ce sillage, ou bien y a-t-il eu, à un moment donné, rupture ?

J. *Le Goff* – Je crois qu'il y a eu une certaine rupture qui date d'une ou deux générations avant nous. Lucien Febvre par exemple insistait sur le fait qu'il n'y avait pas une, mais des France, et qu'il y avait eu, au cours de l'histoire, des France possibles différentes de celle qui a existé. Cela serait sans doute insupportable pour Michelet. Cela dit, en répétant avec force tout au long de ses « Cours » que la France est une « personne », Michelet nous a tout de même légué un concept très intéressant – peut-être plus intéressant encore que ceux de « nation » ou de « patrie ». J'ai été aussi très frappé de ce qu'il emploie plus volontiers « nationalité » : je n'ai pas encore complètement analysé ce qu'il y a là-dedans, mais il me semble qu'il essaie ici de prendre ses distances avec le concept de « nation » qui avait déjà pris un certain sens au XIX$^e$ siècle. Deux éléments distinguent « nation » et « nationalité ». D'une part en effet, la « nationalité » intègre quelque chose qui importe beaucoup pour Michelet, qui est le caractère multiracial de cette personne qu'est la France. Il a beaucoup insisté là-dessus dans son étude du premier Moyen Âge (celui de la rencontre des barbares et de l'Empire romain). D'autre part, le concept de « nationalité » lui permet de comparer la France aux autres nationalités.

*A. Finkielkraut* – Cela lui permet aussi de faire l'éloge de ces nationalités : de la sorte, il n'est pas tenu de glorifier la France au détriment des autres.

*J. Le Goff* – Exactement ! Il a la volonté d'être juste à l'égard des autres nationalités, même si, d'une certaine manière, la France est toujours un peu supérieure aux autres.

*A. Finkielkraut* – Il écrit ceci : « La patrie est l'initiation nécessaire à l'universelle patrie, l'union avance ainsi toujours sans péril d'atteindre jamais l'unité. » La patrie française est un peu supérieure aux autres, mais, à travers elle, toutes les patries s'élèvent.

*F. Furet* – De ce point de vue, c'est un romantique, et il est sans doute le plus grand historien de la nation. Il écrit à une époque où l'histoire se développe comme savoir en même temps que comme savoir sur la nation : c'est quand même à travers la nation que l'histoire s'est développée.

C'est la grande invention européenne, par rapport à la cité grecque ou par rapport aux empires. Nous sommes sans doute de plus en plus unifiés par l'économie, mais il n'y a pas tellement de signes que nous soyons unifiés par la culture. Pour bien comprendre ce qu'il y a d'étonnant chez Michelet, il convient aussi de se replacer dans le contexte de son époque : réfléchir au problème de la nationalité française était difficile, parce que le peuple français a ceci d'étrange qu'il ne semble pas pouvoir aimer tout son passé à la fois. S'il aime la Révolution, il déteste l'Ancien Régime – ou inversement. Mais Michelet s'est efforcé de travailler à une synthèse brillante dont nous sommes aujourd'hui encore les héritiers.

*J. Le Goff* – En ce qui concerne le Moyen Âge, j'ai aussi été très étonné de voir comment il sait combiner une passion pour cette période avec le recul nécessaire pour son étude. Il est fasciné en même temps qu'il trouve le Moyen Âge repoussant.

*A. Finkielkraut* – Vous le réhabilitez un peu contre lui-même. Il donne, en effet, une importance considérable à la Renaissance.

*J. Le Goff* – D'abord, il a varié sur cette question. Par ailleurs, même si je risque de donner l'impression de tirer un peu la couverture à moi, j'ai l'impression que, malgré tout le mal qu'il en a dit, le Moyen Âge est peut-être l'époque dans laquelle Michelet se retrouvait le mieux. On le sent à cette appropriation prodigieuse des grands moments de l'Histoire ou à cette merveilleuse introduction des « Cours », « Moi, Paris ». Ce texte lui permet de parler de la France à travers Paris aussi bien que de l'importance de la ville. Paris est tour à tour fascinant et repoussant, révolté et révoltant, et Michelet aime à s'y identifier.

*A. Finkielkraut* – Je voudrais citer ici le nom de Marc Bloch. Ce nom évoque bien sûr les *Annales*, c'est-à-dire une histoire plus objective qui ne fonctionne pas, comme celle de Michelet, à l'identification. Mais le fondateur des *Annales* est aussi le très « micheletiste » auteur de *L'Étrange Défaite*. Il faut méditer ce titre : la « défaite », ce n'est pas seulement une catastrophe militaire, c'est aussi le lien national qui s'est défait. Marc Bloch s'interroge sur cette dissolution. Et voici ce qu'il écrit : « Combien de patrons parmi ceux que j'ai rencontrés ai-je trouvés capables par exemple de saisir ce qu'une grève de solidarité, même peu raisonnable, a de noblesse ? "Passe encore, disent-ils, si les grévistes défendaient leur propre salaire."[32] » Et ceci à propos des syndicats : « Ni le rôle de la corporation dans le pays, ni même son avenir matériel ne paraissaient exister pour eux. Les profits du présent bornaient impitoyablement leurs regards[33]. » Et puis cette phrase, l'une des plus émouvantes qui aient jamais été écrites sur notre nation : « Il est deux catégories de Français qui ne comprendront jamais l'histoire de France, ceux qui refusent de vibrer au souvenir du sacre de Reims ; ceux qui lisent sans émotion le récit de la fête de la Fédération[34]. » C'est comme si cet héritage commun, qui s'altérait dans les années 1930, s'était désintégré avec la Débâcle.

*J. Le Goff* – J'ai trouvé d'autres rapprochements entre Marc Bloch et Michelet. Par exemple, Marc Bloch tenait beaucoup à une chose qu'il a dite dans *Apologie pour l'histoire* et qu'il attribuait à un proverbe chinois : un homme ressemble plus à son époque qu'à son père. Or Michelet avait cette superbe définition : « Nous devons plus aux âges antérieurs que nous ne nous devons à nous-mêmes. Tous, nous sommes les fils de la conversation, de la lecture et de la tradition. »

*F. Furet* – Je pensais en vous écoutant qu'il y a entre *L'Étrange Défaite* de Bloch et *Le Peuple* de Michelet beaucoup de points de comparaison. Bloch et Michelet ont la même détestation de l'esprit de classe, qu'ils jugent l'un et l'autre destructeur de l'esprit national. *Le Peuple* a été écrit en 1846 au nom de la fraternité, contre la division de la société moderne en classes. C'est d'ailleurs là ce qu'il reproche au monde moderne et au matérialisme de la monarchie de Juillet qui annonce celui du second Empire : il redoute que ce monde refasse deux France, comme les prêtres avaient fait deux France...

*A. Finkielkraut* – Il me semble pourtant que l'actuelle pratique des historiens en général (peut-être pas la vôtre cependant) s'éloigne à grandes enjambées de celle de Michelet. J'en veux pour preuve l'ouvrage collectif dirigé par Pierre Nora, *Les Lieux de mémoire*. Ce monumental inventaire des endroits et des emblèmes, des objets physiques et des objets symboliques où s'est cristallisée l'identité française décrit et incarne à la fois la grande mutation du sentiment national : « De sacrificiel, funèbre et défensif, ce sentiment s'est fait jouissif, curieux, et, dirait-on, touristique. De pédagogique, le voilà médiatique ; et de collectif, individuel et même individualiste[35]. » N'est-on pas en train de changer de France, de quitter une France qui se vit comme une personne pour une France qui se présente comme un catalogue ? Quel est alors le rôle de l'historien ? Doit-il assurer le passage de la patrie au prospectus, ou bien peut-être, dans la lignée de Marc Bloch, assumer la résistance à ce passage ?

*F. Furet* – Dans le travail qu'a dirigé Pierre Nora, il y a effectivement une tentative d'inventaire minutieux des lieux qui ont fait la mémoire nationale et qui sont des lieux touristiques parfois, mais surtout culturels, historiques, etc. Il y a dans *Les Lieux de mémoire* un effort d'exhaustivité dans le détail qui est tout à fait nouveau et qui n'existait pas chez Michelet par exemple. Celui-ci aurait probablement trouvé cela trop éparpillé...

*A. Finkielkraut* – On a quand même le sentiment, avec *Les Lieux de mémoire,* de sortir du roman national pour entrer dans l'ère de l'exposition universelle.

*F. Furet* – Je crois qu'on ne peut pas penser *Les Lieux de mémoire* sans référence au lieu « France » ou à la nation « France ». Il y a quelque chose qui est au soubassement du livre et qui est un peu le lieu géométrique commun de toutes ces mémoires additionnées. Regardez le travail que nous faisons, nous, historiens : on ne peut plus analyser un événement historique sans passer à travers la tradition sédimentaire du commentaire. On a longtemps cru que cela tenait simplement à l'histoire des religions où il fallait faire l'histoire du commentaire ; mais on ne pourrait plus faire aujourd'hui l'histoire de la Révolution française sans retraverser son historiographie faite par chaque génération depuis deux cents ans. Le travail auquel nous nous livrons maintenant est précisément ce travail un peu parcellaire de collection des mémoires nationales.

*J. Le Goff* – Dans le domaine historiographique, *Les Lieux de mémoire* correspondent à une période de consommation. Toute la question est de savoir ce qu'il y a au menu. Cela dit, je crois comme François Furet que ces *Lieux de mémoire* sont tous des lieux de mémoire de la France. Il y a derrière cette analyse parcellaire l'idée que tout cela fait un pays. Michelet avait déjà rencontré ce problème : union ou unité ? Il penche tantôt pour l'une, tantôt pour l'autre. C'est là une dialectique qui se joue dans la longue durée ; avec les *Lieux de mémoire*, nous sommes dans la phase des éléments de l'unité. Il me semble que c'est une autre façon de rechercher l'unité. De la même manière, dans notre pratique d'historiens, les *case studies* servent à retrouver une unité de problème. Je ne crois donc pas qu'il y ait un si fort antagonisme que vous le dites ; mais il est certain que la démarche est un peu différente. Cela dit, quand Michelet fait le tableau de la France, il a aussi conscience de cette diversité de la personne « France ».

*A. Finkielkraut* – Je ne voulais pas précisément insister sur la question de l'opposition entre diversité et unité. Au bout du compte, cette unité existe même si le livre est proliférant ; quelles que soient les divisions, c'est toujours de la France qu'il s'agit. Mais cette France n'est pas, comme celle de Michelet, un sujet qui par un « puissant travail de soi sur soi » se fait lui-même, c'est un répertoire d'objets, un somptueux patrimoine ouvert à la visite. Comme l'a bien vu Péguy, Michelet n'est jamais le visiteur du passé ! Il y a quelque chose de beaucoup plus vibrant chez lui que dans l'histoire telle qu'elle est pratiquée maintenant.

*J. Le Goff* – Oui, mais l'histoire poétique de Michelet était-elle si répandue à son époque ? Y a-t-il eu un moment où cela a été tellement répandu ? C'est surtout à Michelet qu'on la doit. Ses contemporains n'ont pas fait l'histoire poétique qu'il a faite.

*F. Furet* – Il y a quelque chose quand même qui a tremblé dans le rapport à la nation. On le voit par exemple dans le rapport qui nous lie à la Révolution française, ou même à l'ancienne monarchie : c'est un rapport plus pacifié et moins violent. Il est présent dans les mœurs plus qu'il n'est affirmé avec force.

*A. Finkielkraut* – Toujours en ce qui concerne l'identité narrative, il me semble que les historiens ne sont plus sollicités pour raconter l'histoire de la nation et pour reconstituer en la racontant l'unité dont elle a pu avoir besoin, mais qu'on leur demande désormais de faire la même chose avec l'Europe. L'Europe politique essaie de naître, avec les difficultés que l'on sait. J'entends cette sommation qui est faite aux historiens : racontez-nous l'histoire de l'Europe, racontez-nous les guerres qu'elle a connues comme des guerres civiles qui ont précédé son avènement et son épanouissement. Quelle est votre réaction d'historien devant cette interpellation ?

*J. Le Goff* – Je suis tout à fait d'accord avec votre interprétation. Je dirais même que j'essaie modestement de contribuer à cela. Comme historien et peut-être aussi comme citoyen, il me semble important de montrer que l'Europe est une personne, ou qu'elle doit le devenir.

*A. Finkielkraut* – Ne craignez-vous pas cependant de voir se mettre en place une histoire téléologique et même, pire encore, un alignement pur et simple du passé sur l'humeur de notre temps ? Quand j'entends dire par exemple que la Première Guerre mondiale est une guerre civile européenne, cela m'effraie ! Elle n'a pas été vécue ainsi par ses acteurs, dont je rappelle qu'ils ne parlaient pas la même langue et qu'ils ne pensaient nullement appartenir au même ensemble.

*J. Le Goff* – Bien sûr ! Je ne veux pas déplacer le problème vers des textes que j'ai écrits, mais j'ai toujours essayé de montrer qu'il fallait une très grande lucidité vis-à-vis du passé de l'Europe. L'Europe n'existe pas encore ! C'est une personne à naître, c'est une personne en tout cas dont je souhaite la naissance. Il est tout à fait vrai que l'exemple que vous donnez est un anachronisme...

*F. Furet* – On pourrait d'ailleurs faire la contre-épreuve, en choisissant les sujets qui sont faciles à traiter sur le plan européen. Si l'on est intéressé par l'histoire de la féodalité et de la seigneurie, on peut faire une histoire germano-française assez tranquillement. Mais si l'on est intéressé par la naissance de la démocratie, il est difficile de mettre les Anglais, les Français et les Allemands autour de la même table, parce que la naissance de la démocratie s'est faite ici et là de façon tellement différente qu'elle n'est pas facile à raconter de manière unifiée.

*A. Finkielkraut* – Il y a un danger d'idéologie dans la décision de faire l'histoire de l'Europe pour convaincre les gens qu'ils sont européens. On leur dit non pas justement que la nation est une grande création européenne, mais qu'elle est une pathologie, un péché ou un être incomplet en attente de son achèvement. On demande à l'histoire de montrer la folie de ces disputes, ou l'unité souterrainement à l'œuvre dans leur exacerbation.

*F. Furet* – Oui, mais le seul moyen de faire survivre les nations européennes de façon très vivante et très puissante aujourd'hui, c'est l'Europe.

*J. Le Goff* – J'ai déjà refusé d'écrire dans des *Histoire de l'Europe* qui se font ici ou là, parce que je pense que le moment n'est pas arrivé où l'on pourrait écrire une telle histoire. Je suis pourtant un militant européen. Je suis le conseiller scientifique de cinq maisons d'édition européennes et d'une collection, « Faire l'Europe », qui étudie les divers domaines où l'on voit quels ont été les conflits de l'Europe. Je souhaite qu'ils soient surmontés, mais la réalité est celle-ci. Nous avons publié dans cette collection *L'Europe en procès* de Fontana, qui combat l'illusion d'une personnalité européenne positive.

*A. Finkielkraut* – Je ne suis pas sûr qu'il soit trop tôt pour faire une histoire de l'Europe. Après tout, en effet, l'Europe n'est pas née avec le projet politique, la conscience européenne est beaucoup plus ancienne que cela. Ne serait-il pas alors nécessaire, pour que cette histoire ait une valeur, de la disjoindre de ses commanditaires et de la faire sans penser nécessairement à son aboutissement ?

*F. Furet* – La seule façon de l'écrire, c'est de ne pas tourner autour du problème des nations : on ne peut écrire l'histoire de l'Europe qu'à travers l'histoire des nations ! On ne peut pas passer à côté de cela...

*J. Le Goff* – « Chaque fois que l'Europe croyait mourir, elle se reprit », écrivait Michelet. L'Europe est l'un de ses cadres de pensée.

*A. Finkielkraut* – Ce qui nous délivrerait de l'anachronisme, ce serait de cesser de croire que l'Europe n'existe que depuis qu'on a formé le projet de l'Union européenne. Il y a une identité et une pensée de l'Europe plus anciennes.

*J. Le Goff* – L'Europe existe à l'état de larve, de projet ou de fantasme, mais elle n'existe pas encore à l'état de personne.

*A. Finkielkraut* – Vous pensez donc qu'il faudrait qu'elle existe à l'état de personne ? N'est-ce pas plutôt un projet politique qu'un projet d'historien ?

*J. Le Goff* – C'est un projet politique qui, pour moi en tout cas, se nourrit d'histoire. Pour revenir à Michelet, il m'est aussi apparu en lisant le « Cours » qu'il n'a pas du tout une idéologie du progrès. Il montre qu'il y a des vicissitudes et des catastrophes, mais qu'on revit toujours. Il n'y a pas de mort en histoire : l'historien est celui qui sauve l'histoire de la mort.

TROISIÈME PARTIE

# HIER ET MAINTENANT

# Qu'est-ce qu'être français aujourd'hui ?

## Entretien avec Pierre Nora et Paul Thibaud

*Alain Finkielkraut* – « Une nation est une grande solidarité constituée par le sentiment des sacrifices qu'on a faits et de ceux qu'on est disposés à faire encore. Elle suppose un passé ; elle se résume pourtant dans le présent par un fait tangible : le consentement, le désir clairement exprimé de continuer la vie commune. L'existence d'une nation est (pardonnez-moi cette métaphore) un plébiscite de tous les jours, comme l'existence d'un individu est une affirmation perpétuelle de vie [...]. L'homme n'est l'esclave ni de sa race, ni de sa religion, ni du cours des fleuves, ni de la direction des chaînes de montagne. Une grande agrégation d'hommes, saine d'esprit et chaude de cœur, crée une conscience morale qui s'appelle une nation[36]. » Ainsi s'exprimait Renan, au lendemain de la défaite de 1871 et en réponse aux historiens allemands qui, au nom d'une théorie ethnique de la nation, proclamaient la germanité de l'Alsace alors même que ses ressortissants se déclaraient français.

Survivant au contexte polémique qui l'avait fait naître, la mise au point de Renan est apparue jusqu'à nos jours comme la meilleure définition française de la nation et

245

comme la meilleure définition de la nation française. Cette définition est-elle encore valable ? C'est la question que nous examinerons en compagnie de Pierre Nora et de Paul Thibaud.

« Avoir fait de grandes choses ensemble, en vouloir faire encore, voilà les conditions essentielles pour être un peuple », affirmait également Renan dans la même conférence. Ces conditions restent-elles selon vous les conditions nécessaires et suffisantes pour être français aujourd'hui ?

*Pierre Nora* – Nécessaires, à beaucoup d'égards ; suffisantes, je ne crois pas. Un siècle est passé : cette formule est de 1882, dans un contexte qui la date beaucoup – c'était un contexte de revanche, dans le plein essor de l'expérience coloniale française et au lendemain d'une défaite humiliante pour la nation. Cette formule s'insère aussi dans un contexte historiographique, au moment où l'histoire scientifique et critique définit ses méthodes et son objet avant de se présenter comme une sorte de discours de la nation depuis ses origines. Le contexte aujourd'hui est radicalement différent. D'après les sondages, les Français ne sont plus prêts à mourir pour la nation ou pour la patrie...

*A. Finkielkraut* – Est-ce vraiment quelque chose dont on peut décider par sondage ? Qui peut savoir, avant l'épreuve de vérité, pour quoi, pour qui il est prêt à mourir et, quelles que soient ses fidélités, s'il pourra surmonter la peur ?

*P. Nora* – Dans l'actuel, je veux dire. De même, on peut constater la dégénérescence ou la vétusté d'un certain nombre de mots. « Foi » ou « amour de la patrie »

246

sont des mots qui sont devenus d'une certaine façon
caducs. En même temps, on constate une revitalisation
profonde du sentiment national sous des formes différentes, plus éclatées, plus dilatées aussi et sur d'autres
thèmes : ce n'est pas seulement vers son histoire que la
France se tourne, mais aussi vers ses paysages, ses sites,
ses traditions, sa culture, ses vins, sa cuisine, sa manière
de vivre… On assiste donc à la réactualisation d'un sentiment d'attachement très fort, difficile à définir, à quantités de manifestations de la francité.

*Paul Thibaud* – Je pense que la description de Pierre
Nora est tout à fait juste, à quelques nuances près : les
sentiments extrêmes sont engendrés par les occasions ou
les situations elles-mêmes extrêmes. Comme disait Péguy
en 1910, « nos pacifistes feront la guerre et ils la feront
très bien »… Mais, même avec ce bémol, votre description est tout à fait exacte. Le vocabulaire sacrificiel tend à
disparaître, et le mot « honneur » par exemple a, lui, déjà
complètement disparu. Je lisais récemment dans les
*Annales* le Journal de Lucien Vidal-Naquet[37], où le mot
« honneur » revient constamment ; la référence est ici
Bernanos que Lucien Vidal-Naquet lisait à l'époque, évidemment. Tocqueville avait très bien vu cela, puisqu'il
avait dit que l'honneur est le sentiment d'un groupe
particulier, alors que la morale est en principe universelle. L'ère démocratique supprime l'honneur et ren-
force la morale. Il y a quelque chose de mécanique ou
de naturel dans ce phénomène. Mais je m'inquiéterais
quand même de cette disparition du sentiment de l'honneur national : sans quoi on va sinon vers une indifférence à la France, du moins vers un rapport jouissif à la
France. Les Français aiment bien leur pays, par tous les

sens et de toutes sortes de manières. Cela étant, il me semble que la question de l'honneur (que me dois-je à moi-même en tant que Français ?) est absolument inéluctable, quel que soit le vocabulaire que l'on emploie.

*P. Nora* – Je pense qu'une feuille de papier nous sépare. J'irais même plus loin : je pense profondément que, depuis quelques années, nous avons conscience de passer d'un modèle de nation à un autre, qui se cherche dans la douleur et dans la division quotidienne...

*A. Finkielkraut* – Modèle que vous qualifiez de mémoriel par opposition à l'ancien modèle historique de la nation. S'il y a désormais des lieux de mémoire, c'est qu'à la « recollection de ce que la collectivité avait besoin de sauver d'elle-même pour affronter ce qui l'attendait, et qu'elle devait préparer[38] » succède la quête insatiable du collectionneur. La page du messianisme français se termine, vient le temps du hobby patrimonial. Déchargés du fardeau de la continuation de l'histoire, nous pouvons nous adonner au plaisir de la dégustation : « France à la carte, carte menu et carte Michelin », écrivez-vous encore. Nous sommes les consommateurs, nous sommes les touristes de notre nation, et *Les Lieux de mémoire* constituent le plus fascinant des guides.

*P. Nora* – Je dirais au contraire que ces *Lieux de mémoire* participent d'une volonté de réarmement moral de la France ! Mais je crois qu'on est vraiment passé d'une perception purement historique de la nation à une perception mémorielle. Cela n'exclut aucunement les divisions – au contraire, elle les exaspère très largement : dans la mesure où l'Histoire est quasiment devenue notre propre sacré dans une société laïque, les conflits de mémoire sont devenus aujourd'hui des conflits de type religieux. Je ne crois pas du tout qu'une étude de la mémoire soit l'étude d'un consensus œcuménique et assoupli, au contraire. C'est une manière de revisiter les divisions fondamentales sur lesquelles les Français peuvent ne pas être d'accord.

*P. Thibaud* – Il y a quelque chose d'intéressant dans ce que vous venez de dire. Vous insistez beaucoup, tout au long de ce livre, sur ce que vous appelez la réconciliation des deux France. On pourrait voir dans plusieurs textes de votre livre un projet d'apaisement. Mais je crois en même temps que ce que vous venez de dire est vrai : bizarrement, le projet de constituer la mémoire comme lieu de réconciliation n'aboutit pas, parce que la mémoire comme telle, réduite au passé, est le spectacle d'un conflit permanent. N'y a-t-il pas quand même une tension qui traverse de ce point de vue votre projet ?

*P. Nora* – Il s'agit dans ce projet d'un déplacement de l'approche et du regard traditionnels des Français sur la France. Il ne s'agit donc pas du tout d'un projet apaisant, consensuel ou œcuménique. La mémoire ne l'est pas, pas plus qu'elle n'est un conservatoire : la mémoire n'est pas le souvenir. À ce titre, je crois qu'il y a au contraire une récupération dynamique du passé à laquelle ce livre fait droit. Il faut savoir qu'il n'y avait par exemple aucun livre sur le drapeau français, alors qu'il y en avait sur le drapeau blanc, le drapeau rouge ou le drapeau noir : les Français vivaient en effet dans une sorte de sentiment célébratif et de vraie mémoire, ce qui fait qu'ils ne s'interrogeaient donc pas sur lui. Aujourd'hui, faire l'étude du drapeau français s'offre à deux lectures possibles : on peut y lire une revitalisation nationaliste (qu'elle n'est pas du tout), comme on peut y lire aussi la volonté de mettre en avant un type de symbole à partir duquel on se détermine. Qui dit lieu de mémoire dit dispute symbolique et mise en valeur de symboles ; or, chacun cherche à s'emparer de ces symboles qui n'ont à cet égard rien d'œcuménique.

*A. Finkielkraut* – Je crois qu'on pourrait revenir une fois encore à Renan pour clarifier davantage la distinction entre nation historique et nation mémorielle. À la fois héritage et projet, la première associe la présence du passé (« avoir fait de grandes choses ensemble ») et le souci de l'avenir (« vouloir en faire encore »). La seconde désactive l'héritage en rendant le passé au passé et en le déployant comme pur spectacle.

*P. Nora* – Il y a deux choses dans ce que vous dites : il y a d'abord un rapport au temps passé et à venir. Je crois qu'on vivait dans une sorte de solidarité du passé et de l'avenir ; l'historien avait à savoir ce qu'il devait retenir du passé pour affronter l'avenir. Les schémas d'intelligibilité du passé étaient fonction de la prescience ou du pressentiment qu'on avait de l'avenir. Ce pouvait être les schémas de la restauration, ceux du progrès ou ceux de la révolution. Ces trois schémas d'intelligibilité du passé sont tous devenus très largement caducs. L'avenir est devenu puissamment et profondément imprévisible, immaîtrisable même ; corrélativement, le passé lui-même s'est opacifié. C'est désormais la tâche des historiens de donner les outils opératoires qui pourraient redonner la maîtrise de ce passé. Du coup, le présent, qui était une simple catégorie de passage entre le passé et l'avenir, est devenu la catégorie lourde d'une interrogation obsédée par l'avenir et chargée de tout le passé.

Il y a ensuite un autre aspect dans ce que vous disiez : quand je parle du passage d'une conscience historique à une conscience mémorielle, je m'appuie sur le fait que la conscience historique de la nation est devenue à beaucoup d'égards une conscience sociale. Je pourrai développer ce point plus tard dans l'entretien...

*P. Thibaud* – Une difficulté se pose de toute évidence. On disait traditionnellement que c'est en fonction des préoccupations de l'avenir qu'on réinterroge le passé. Voilà pourquoi on disait que l'Histoire était toujours à réécrire en fonction d'un présent prospectif. Mais aujourd'hui la prospection nous fait défaut, et le passé nous retombe dessus d'autant plus fortement : l'avenir est ce qui nous défend contre le passé. Le paradoxe de notre temps est qu'il y a vis-à-vis du passé un certain refus de la dette. Toutes les générations ont été élevées dans la dette vis-à-vis du passé : si nous sommes ce que nous sommes, c'est parce que ceux qui nous ont faits nous ont dotés d'une certaine manière, et nous ne devons pas déchoir par rapport à nos parents et à nos grands-parents. C'était une vision héroïco-morale de l'histoire. Cela vous allégeait à certains égards, parce que cela vous donnait un passé très polarisé. Mais aujourd'hui, il y a d'un côté refus de la dette vis-à-vis du passé, culte du présent, et d'un autre côté appesantissement et obsession d'un passé trop lourd et culpabilisant. Les nouvelles générations adoptent très facilement une position de procureur au Jugement dernier quand elles parlent de ce qu'ont fait et auraient dû faire les générations précédentes – au moment par exemple de la guerre d'Algérie. Elles ne témoignent d'aucune conscience de la véritable situation historique, parce qu'elles ne s'interrogent pas sur les choses qu'elles sont en train de laisser passer. Une sorte d'accablement sous le poids du passé accompagne cette posture de juge : cela constitue la pathologie de notre rapport à l'Histoire aujourd'hui ! Je me demande dans quelle mesure votre entreprise vise à soigner cette pathologie. De quelle manière le ferait-elle et quelle serait votre stratégie ?

*P. Nora* – En vérité, vous avez mis le doigt sur la difficulté en utilisant le terme de « dette ». On peut en effet parler d'une crise de la filiation. Nous avons le sentiment d'être brutalement coupés et séparés du passé. Il n'y a peut-être pas eu de pareille rupture dans l'histoire de l'humanité, sauf peut-être au moment de la Renaissance ou de la fin de l'Antiquité. Cela met effectivement fin au sentiment de dette ; mais, à la différence de vous, je dirais qu'il est généralisé : nous savions autrefois de qui nous étions les fils, alors que nous sommes aujourd'hui les fils de tous et de personne. De là une promotion au mémorable : tout est patrimoine. Nous lisons et déchiffrons notre identité moins par la ressemblance que par la différence. L'Histoire est devenue, non plus la genèse de ce que nous sommes, mais le déchiffrement de ce que nous sommes à la lumière de ce que nous ne sommes plus.

*P. Thibaud* – Il y a dans tout cela une absence qui m'a beaucoup frappé – celle du gaullisme. Vous vous en expliquez d'ailleurs un peu dans l'introduction...

*P. Nora* – J'ai pourtant fait un chapitre entier sur le gaullisme !

*P. Thibaud* – Oui, j'ai lu ce chapitre. Mais, massivement, le gaullisme est absent, ou du moins il est complètement renvoyé au passé. C'est intéressant, car cela montre que le rapport à cet épisode de notre histoire est beaucoup plus gênant que celui dont on parle tout le temps et qui est son contraire, Vichy. Le gaullisme nous offre quelque chose qui propose encore de continuer, et cela nous gêne car c'est ce qu'on ne veut plus ! Il y a là un commandeur qui nous montre ce que nous devrions faire. Or, quand on lit votre livre, on a l'impression que ce commandeur était un faiseur de légendes qui a doré la pilule aux Français !

*A. Finkielkraut* – On lit, en effet, que les gaullistes ont répondu à la perte de puissance de la France et à la fin de la conscience impériale « par le recours à une France idéale, abstraite, imaginaire, princesse de rêve, perdue dans la forêt de l'Histoire » et qu'ils ont fait vivre les Français sur la forte illusion d'une « épiphanie périodique du salut »...

*P. Thibaud* – Il est nécessaire que le gaullisme soit une illusion pour qu'il y ait ce fossé entre cette histoire (dont il est par ailleurs un bel épisode) et notre présent.

*P. Nora* – Je demeure stupéfait, parce que je croyais avoir fait l'inverse !...

*A. Finkielkraut* – Vous dites donc bien que c'est fini, le gaullisme, cette image de la France ?

*P. Nora* – Oui, c'est une image qui nous a fait vivre sur un rêve.

*A. Finkielkraut* – Je voudrais poser une question plus générale, qui concerne aussi peut-être le gaullisme. Je reviens pour cela sur le terme de « touristique » : si nous sommes les « touristes » de notre propre passé, c'est bien parce que nous n'avons plus de dette envers lui. Péguy se réclamait de cette dette au moment de l'affaire Dreyfus quand il disait pour justifier son combat : « Plus nous avons de passé derrière nous, plus (justement) il nous faut le défendre ainsi, le garder pur. *Je rendrai mon sang pur comme je l'ai reçu.* C'était la règle et l'honneur et la vieille poussée cornélienne[39]. » Nous avons un passé riche, nous en sommes comptables, il ne faut pas que nous déshonorions la France en punissant un innocent. *Noblesse oblige.* Et nous voici soudain libres de ce passé. Voici que la curiosité succède à l'obligation. Au nom de quoi, dès lors, agir dans le monde ?

*P. Nora* – J'ai le sentiment que vous considérez ces dix ans de travail, effectués par cent trente personnes, comme une sorte d'enterrement de première classe ou de liquidation ! On ne peut pourtant le lire que comme une forme de réanimation et de réactualisation. Je ne comprends pas qu'il puisse y avoir une lecture muséographique de ce livre. La mémoire n'a jamais été le conservatoire du souvenir : demandez à n'importe quel psychanalyste ce que c'est que la mémoire ! C'est au contraire une expérience ascétique, dynamique et réactualisatrice. C'est en revanche la privation de mémoire qui vous empêche d'affronter l'avenir. Le seul moyen de maîtriser l'avenir est de réhabiter le passé. Il ne me semble pas qu'il y ait d'autre manière d'approcher chacune des identités majeures de la France et d'en reconstituer le parcours.

Je constate d'ailleurs en historien que le récit mythologique d'une histoire de France unitaire, commençant à Vercingétorix et s'achevant glorieusement, n'est plus possible : il n'est scientifiquement et moralement plus possible de faire un récit très unitaire de l'expérience nationale française comme on pouvait le faire autrefois. Je constate aussi que le statut de la France, comme la conscience qu'elle a d'elle-même, s'est délité depuis 1918. La France a été divisée par la Seconde Guerre mondiale puis par la décolonisation. En 1983, avec le renoncement au socialisme pur et dur, une sorte d'ossature homogène que la France pouvait encore se donner a été abandonnée. Les trois idées fortes qui se sont développées depuis 1983 confirment d'ailleurs ce sentiment de délitement, que ce soit la crispation lepénienne sur un nationalisme archaïque et régressif, que ce soit l'écologisme qui transfère les besoins de la culture sur les besoins de la nature, ou que ce soit l'idéologie des droits de l'homme, vague et dispensatrice du passage par la nation, qui me paraît le seul cadre réel à travers lequel il puisse y avoir aujourd'hui encore un accès à l'universel.

Il me semble qu'on a vécu en France sur un double registre de l'être-ensemble. En premier lieu, on a vécu sur le registre d'une sorte d'histoire nationale d'allure mythologique (ce qui ne veut pas dire mensongère), imposée par l'enseignement monopolistique et centralisé. À l'ombre de cette histoire unifiante à laquelle tous les Français se rattachaient vivaient des groupes sociaux qui entretenaient la mémoire des usages et des traditions : on était protestant ici, on était vendéen là, corse ailleurs, issu d'un milieu aristocratique ou d'une famille ouvrière, etc. – tous types d'histoire auxquels l'Histoire officielle ne faisait pas droit. Aujourd'hui, l'intégration progressive de ces groupes sociaux au collectif national fait que chacun d'entre eux veut récupérer sa propre histoire comme son identité personnelle. Mais je ne crois pas du tout que cela débouche sur une France multiculturelle et juxtaposée. Je crois qu'il y a une France unitaire et symbolique et que tous ces groupes sociaux réclament leur reconnaissance. On doit en ce sens parler d'une victoire plutôt que d'une crise de l'identité. Le problème est aujourd'hui d'intégrer ces mémoires. Les querelles commémoratives sont là pour le prouver. Il y a une demande revendicatrice forte des groupes sociaux pour exister à l'intérieur de l'Histoire.

*P. Thibaud* – Là aussi, vous seriez à l'opposé de Renan qui faisait l'éloge de l'oubli...

*P. Nora* – Ce n'est pas notre moment.

*P. Thibaud* – Le problème n'est pas là, au fond ; le problème est de savoir si la mémoire est créatrice d'avenir. Or j'observe que, dans ce livre, Philippe Burrin conclut son article, fort intéressant, en disant que la mémoire n'est plus créatrice d'avenir pour la nation française. Il y a dans cette entreprise une rhétorique de l'achèvement qui est évidemment tout à fait normale, puisque les conditions ont profondément changé. Je n'ai absolument rien à ajouter ou à enlever à votre description. Mais le problème est celui de la dynamique pour l'avenir. J'en reviens au gaullisme, non pas pour le gaullisme lui-même, mais parce que c'est, politiquement, l'événement le plus important que nous ayons connu, et aussi parce qu'il pose la question de la fin ou de la continuation. Dans l'historiographie présente et dans tous les débats autour de Cordier ou de Jean Moulin par exemple, c'est le réa-

lisme gaullien qui apparaît. Ce n'est pas un grand fabrica-
teur d'illusion ni un grand consolateur que l'on nous
présente : on nous dit au contraire que, par rapport à
Fresnay et à la Résistance, par rapport à Raymond Aron
et au réalisme, par rapport à Jean Monnet et à l'américa-
nisme, c'est lui qui a eu raison en tout point. Il y a eu une
opérationnalité du gaullisme. Je ne crois pas par ailleurs
qu'il y ait, comme vous le dites, réconciliation sur le gaullisme : celui-ci est encore un point de contradiction. Des
textes de Jouvenel par exemple, parus dans la revue
*Commentaire,* m'ont plusieurs fois donné à penser que
cette mémoire n'est pas apaisée.

*A. Finkielkraut* – Ce que dit Paul Thibaud me rappelle
le titre d'un livre que vous avez publié, Pierre Nora, qui
est le *À demain de Gaulle* de Régis Debray[40]. Ce réalisme
historique tient compte de la nation en tant que réalité
vivante, face à des gens qui considèrent que celle-ci est
morte.

*P. Nora* – Permettez-moi de vous répondre en historien. Je crois que le gaullisme est un effet rétrospectif vu
d'aujourd'hui. J'ai personnellement été de ceux qui ne
votaient pas de Gaulle, et je crois que, pendant une partie de sa vie, l'étrangeté du phénomène gaulliste n'a pas
convaincu une grande partie de l'opinion. De Gaulle
était resté une sorte de parangon ou de paladin d'un
nationalisme qui nous a paru classique. C'est depuis une
vingtaine d'années seulement que l'ampleur du phénomène gaulliste nous apparaît. J'irai plus loin. Il me
semble qu'il n'y a pas que le gaullisme. Il s'est passé au
milieu des années 1970 tout un ensemble de phénomènes qui ont renvoyé la France à une conscience

257

mémorielle d'elle-même : il y a eu la fin des Trente Glorieuses et de la croissance et le début de la crise qui ont
coïncidé avec une prise de conscience profonde de l'irré-
versibilité des dégâts. Il y a eu parallèlement la fin du
gaullisme (comme force politique) et du communisme.
Il y a eu la fin de l'idée révolutionnaire qui a été capitale
dans l'organisation et dans l'espoir de la nation ; le gaullisme et le communisme ont représenté deux versions du
nationalisme révolutionnaire français qui se sont toutes
le deux dissipées en même temps. Il y a eu aussi la fin des
paysans. Autrement dit, le regard rétrospectif aujour-
d'hui est obligé d'entériner un certain nombre de fins.

*P. Thibaud* – Il y a fin de beaucoup de choses, mais il y a
continuation de la question : « À quoi servons-nous collectivement ? » À quoi sert la France, qu'apporte-t-elle à
l'humanité ? C'est la question que nous ne pouvons tout
de même pas éviter. Vous avez certainement raison de
dire que le mythe de la grande puissance, si tant est qu'il
ait jamais été si important, est mort. Le mythe de l'universalisme français est mort, c'est évident. Mais la question
de l'exemplarité et de la signification de cette histoire
reste posée.

Je crois que la crise que nous vivons n'est pas simplement une crise de la France, mais c'est une crise de la
démocratie, de la passion politique et de la participation
du peuple à l'Histoire, à travers cet instrument d'identification collective qu'a été la nation, dont il n'est pas sûr
que ce soit un sentiment périmé. Plus nous voyons
l'humanité en général, plus nous nous demandons ce
que nous pouvons faire et quelle est notre implication.
Dans ces conditions, la nation politique qu'a été et que
reste la France a une modernité latente : nous sommes le

pays où la politique crée de la socialité, au lieu d'hériter cette socialité de la religion ou des traditions. Vous dites quelque part : « À l'Angleterre la tradition, nous avons la mémoire. » Je suis tout à fait d'accord avec cette formule. Le problème est de savoir de quoi cette mémoire peut être fondatrice : que nous suggère-t-elle pour le présent et pour l'avenir ?

*A. Finkielkraut* – Je reformulerais ainsi la question : vous montrez que la nation est un héritage ou un patrimoine et qu'elle n'est plus un projet. Qu'est-ce qui peut alors faire projet aujourd'hui ?

*P. Nora* – Je vous répondrai d'abord que cela prouve la différence de tâche de l'historien. Je ne suis pas Michelet, je suis un historien de la fin du XX$^e$ siècle : je ne suis pas un prophète, je suis un interprète du sentiment collectif. Ce que j'estime, en historien, pouvoir faire de mieux pour mon pays, c'est de contribuer à une pensée de la nation qui ne soit pas le monopole des nationalistes. Vous me demandez ce que l'on peut proposer. À titre corporatif, je dirais à mes collègues historiens de l'étranger d'en faire autant que nous avec ce travail. Je ne peux pas faire plus ! Pour le reste, je me refuse à dire ce que la France peut ou doit faire – c'est un travail de philosophe, peut-être de citoyen, mais je ne me reconnais pas, en tant qu'intellectuel, plus de droits à me prononcer là-dessus.

*A. Finkielkraut* – Mais une pensée qui oppose patrimoine et projet a des conséquences. N'est-on pas fondé à lui rétorquer que, à l'heure où, sous les coups de la mondialisation, « le divers décroît », la présence vivante du passé, le refus de la patrimonialisation du patrimoine linguistique, littéraire, esthétique français devrait être un projet politique prioritaire ? Ce projet, qui le porte ? Qui le tient même pour légitime ?

*P. Nora* – Je me pose ces questions en ma qualité de citoyen, mais en tant qu'historien je crois en avoir fait assez, au moins sur l'affirmation du problème national dont vous parlez. Il me semble que c'est un livre qui dit ce que le passé national permet et ne permet pas. C'est déjà beaucoup de choses.

*P. Thibaud* – C'est beaucoup, certes ; je ne sais pas si je parle là à l'historien ou au citoyen Nora, mais je dis ceci : vous avez, en tant qu'historien, magnifiquement décrit et illustré la singularité française. Quel en est l'intérêt pour notre temps et pour les peuples voisins ? La nouveauté aujourd'hui est en effet que nous vivons dans une famille de nations. Nous sommes plus comparatistes que nos aînés, et nous sommes aussi plus sensibles à l'idée que, dans un rapport tout à la fois de compétition et de collaboration, nous sommes avec les autres. C'est pourquoi nous avons un devoir de parler de la France pour les autres pays, nous devons dire quelque chose sur le sens et l'importance de la singularité française. Celle-ci n'est pas pour nous un simple plaisir, elle nous crée un devoir. Votre travail laisse un sentiment de fin de partie. D'ailleurs vous le dites : ce pays a été un laboratoire politique, ce laboratoire est aujourd'hui fermé, reste le patrimoine.

*A. Finkielkraut* – Il me semble qu'il y a un certain nombre de pays d'Europe centrale et orientale qui aspirent aujourd'hui à entrer dans l'Histoire. Que faire de ce décalage ? Entre la repentance du devoir de mémoire et la grande

260

croisière des *Lieux de mémoire*, la France regarde son histoire nationale *de l'extérieur*; simultanément, des nations qui ont été des objets de l'Histoire se disent, après l'effondrement des empires, qu'elles peuvent enfin choisir leur destin et participer au concert des nations. Ainsi, par exemple, les anciennes nations de l'Union soviétique ou de la Yougoslavie. C'est avec des œillères postnationales que la France a pris acte de cette nouvelle réalité : elle a donc manifesté lors de la dernière guerre des Balkans le même mépris indifférencié pour les premiers agressés et pour les agresseurs. On connaît bien les crimes du nationalisme ; mais cette condescendance-là n'est-elle pas le premier crime, si j'ose dire, de l'attitude postnationale ? J'élargis la question : que faire aujourd'hui vis-à-vis de ces nations qui ne vivent pas au même rythme que nous et qui veulent devenir à tout prix des nations historiques ? Va-t-on leur fermer la porte au nez en disant que l'Histoire a progressé, qu'elle a changé de cap, ou bien au contraire n'avons-nous pas, nous Français, un modèle de nation historique à leur proposer ? Cette réalité n'actualise-t-elle pas pour nous, en retour, le concept de nation historique ?

*P. Nora* – Je dirais que c'est à ces pays de savoir ce qu'ils veulent faire de ce modèle. Ce n'est pas à nous de le leur imposer ou même de le leur proposer. C'est respecter leur autonomie future que de les laisser s'inspirer ou pas de notre propre modèle. Sur le reste, je serais assez précautionneux, plus que vous ne l'êtes vous-même, en ce qui concerne l'ensemble de ces nations à l'intérieur desquelles s'affirment des ethnies. Je pense que la vertu du concept national est de permettre l'accès à l'universel ; son abandon en faveur d'une philosophie générale et universaliste des droits de l'homme favorise le retour à une forme de tribalisme. C'est pour cela que je me méfierais et que je reste attaché à ce concept national qui demeure le seul cadre aujourd'hui pensable et possible pour l'accès à l'universel.

*P. Thibaud* – Je suis absolument d'accord. Il faut avoir une représentation souple du concept national et ne surtout pas vouloir imposer notre idée de la nation aux Croates ou aux Serbes. Ce n'est pas ce que vous vouliez dire, mais c'est quand même ce que nous avons fait. Notre devoir était de comprendre la signification du phénomène national pour ceux qui vivent des passions nationales. L'intérêt justement du concept de nation est d'être transitionnel et de permettre de passer par exemple de l'ethnique au politique. On peut préférer une nation politique à une nation ethnique (c'est mon cas) ; cela étant, il faut d'abord qu'il y ait une nation, c'est-à-dire un espace de sécurité et de reconnaissance mutuelle. Si c'est l'ethnie qui doit être le point de départ, eh bien, passons par l'ethnie ! Notre premier devoir est de comprendre le nationalisme des autres. C'est ce que nous n'avons pas fait dans l'affaire yougoslave.

*A. Finkielkraut* – Nous ne l'avons pas fait, peut-être justement parce que nous étions obsédés par la question des minorités. Nous n'avons pas vu que, dans ce cas comme dans d'autres historiquement connus, la question des minorités était le moyen pour empêcher les majorités d'exprimer leur volonté et de consolider leurs droits. C'est le seul domaine où Hitler ait fait jurisprudence : comme au temps où les nazis ont jeté leur dévolu sur la Tchécoslovaquie en invoquant la situation faite aux

Sudètes, c'est au nom du droit des minorités que tous les impérialismes avancent leurs pions.

*P. Nora* – Vous admettrez probablement que le régime démocratique n'a jamais su résoudre pour l'instant le problème des minorités.

*A. Finkielkraut* – Oui, mais je pense qu'il aurait été plus facile à résoudre s'il n'avait pas été invoqué comme un prétexte. À partir du moment où c'est un prétexte, c'est un problème insoluble. À partir du moment où c'est un problème, nous avons les moyens, face à des pays beaucoup plus pauvres et très dépendants de nous, d'exercer les pressions nécessaires pour que les minorités soient bien traitées. Je ne crois pas dévier ici de la question que je posais et qui était celle de la pertinence du concept général de nation historique. Si la France est une nation mémorielle, que faisons-nous de toutes ces nations qui veulent entrer dans l'Histoire ?

*P. Nora* – Je tiens à préciser que, quand je parle de nation mémorielle, je veux dire que la nation vit son moment mémoriel ; je ne veux pas dire qu'elle s'est tout à fait transformée ou évaporée dans la conscience pure de son propre passé.

*P. Thibaud* – Je pense que la mémoire peut être suggestive et même fondatrice. Elle peut être parfaitement tournée vers l'avenir et être un véritable instrument de dynamisme.

# La République et la philosophie

## Entretien avec Marie-Claude Blais et Marcel Gauchet

*Alain Finkielkraut* – C'est à l'idée républicaine que l'éclipse ou le désaveu de l'idée révolutionnaire a en France le plus profité. L'évidence du régime politique sous lequel nous vivons est redevenue un projet politique, un argument polémique, un signe distinctif et même une référence de combat. Le mot « citoyen » fait l'objet depuis quelques années d'une spectaculaire ferveur militante sous sa forme adjective autant que nominale, alors même que le mot « camarade », devenu infréquentable, est tombé en déshérence. On rend aux grands ancêtres, de Condorcet aux dreyfusards, l'hommage qui leur est dû. Mais, comme j'ai pu le vérifier dans les ouvrages récents consacrés par les meilleurs historiens à la République, un nom manque à l'appel : Charles Renouvier. Omission d'autant plus déconcertante, négligence d'autant plus regrettable, ingratitude d'autant moins excusable que, au temps pas si lointain où la République avait de féroces adversaires, ceux-ci désignaient en Renouvier l'inspirateur de la doctrine honnie. Ainsi Maurras écrivait en 1902 : « Le spirituel de la France républicaine est dirigé par le cénacle de

265

M. Renouvier, absolument comme la France catholique est dirigée par le pape, par les congrégations romaines et par les évêques français. Nos kantistes sont les directeurs de l'enseignement. »

Le livre de Marie-Claude Blais répare l'injustice des héritiers. Avec une rare élégance de plume, elle rend à ce philosophe engagé la place qui lui revient dans notre panthéon intellectuel. En compagnie de Marie-Claude Blais et de Marcel Gauchet, nous nous interrogerons sur la distance ou la proximité entre ses principes et notre situation, entre sa république et la nôtre. Puisque ignorance il y a, commençons modestement par quelques indications biographiques. Qui était Charles Renouvier ?

*Marie-Claude Blais* – Renouvier n'était pas un philosophe universitaire, et cette situation a sans doute contribué à sa méconnaissance. Il est né en 1815 et mort en 1903 : il a donc traversé quasiment tout le XIXᵉ siècle. Il a fait des études de mathématiques et il est entré à l'École polytechnique en 1834. Ses années de jeunesse sont marquées par un grand enthousiasme pour la réforme sociale, pour le mouvement des utopies socialistes, pour les idéaux de fraternité qui prônaient notamment l'amélioration du sort des plus pauvres. Sa carrière politique débute véritablement en 1848 quand il est appelé à contribuer à la mise en place du suffrage universel. Il est l'auteur d'un *Manuel républicain de l'homme et du citoyen*, destiné à éduquer les enfants des écoles à la participation citoyenne. 1851 marque pour lui une grande étape en même temps qu'une grande crise dans sa vie personnelle : c'est l'année en effet qui le voit remettre en question tous ses idéaux de république fraternelle, sociale ou socialiste, basée sur une philosophie du progrès dont il voit les impasses et même les dangers après le coup d'État de Napoléon III.

*A. Finkielkraut* – Pourquoi le coup d'État l'amène-t-il à cette critique de la philosophie du progrès ? Est-ce parce qu'il marque une régression ?

*M.-C. Blais* – Cette philosophie du progrès laissait entendre que le développement de l'instruction et l'accès au suffrage universel pourraient permettre au peuple d'avoir une vision plus claire de son avenir et de mieux choisir les représentants qui pouvaient l'aider à gérer cet avenir. Or l'exercice du suffrage universel en 1848 puis en 1851 a montré qu'ils pouvaient produire les pires effets s'ils ne s'accompagnaient pas d'une réflexion sur les possibilités d'accéder à la liberté.

*A. Finkielkraut* – Certes, mais de cette régression, de cette interruption de l'expérience républicaine par Napoléon le Petit, les partisans de l'idée de progrès pouvaient toujours tirer la conclusion qu'on avait accordé le suffrage universel trop tôt à un peuple qui n'avait pas *encore* accédé aux Lumières. Ainsi leur philosophie de l'histoire n'était pas en cause. Or ce que votre livre fait ressortir, c'est la révolte insistante et prémonitoire de Renouvier contre la foi dans la marche des événements. Au rebours de son siècle, il se refuse à faire de l'histoire le théâtre de la Raison. D'où vient chez Renouvier cette méfiance et même cette hostilité ?

*Marcel Gauchet* – C'est l'expérience de la II^e République qui l'amène manifestement à cette critique. Son analyse de 1848 est complexe. Comme vous le faisiez très juste-

ment observer, on peut maintenir à l'identique la philosophie du progrès en se contentant d'admettre qu'il y a eu
peut-être des mesures prématurées et qu'il faut donc assurer davantage les bases. Renouvier, lui, en tire une tout
autre leçon. Il fait d'abord une critique très virulente du
socialisme autoritaire, dont il incrimine grandement le
rôle dans les événements de 1848 à 1851. La peur sociale
qu'inspire le socialisme despotique est une composante
importante de son analyse. Mais le plus important est le
désarmement intellectuel et moral face aux tâches d'un
régime républicain, désarmement engendré par la philosophie même du progrès. Son analyse repose sur l'idée
qu'il y a eu un mélange de volontarisme et de passivité
l'un et l'autre excessifs, qui résulte naturellement de la
philosophie du progrès. Celle-ci en effet est trop optimiste, trop confiante dans la marche naturelle des choses,
ce qui la rend abusivement volontariste et passive tout à la
fois. C'est là que son analyse est vraiment prémonitoire,
parce qu'on voit bien que cette contradiction entre l'automatisme des lois de l'histoire et l'hyper-volontarisme du
parti d'avant-garde ne va cesser de se développer par la
suite. On en a vu les effets à une échelle dont on n'avait
certes pas l'idée à l'époque de la II$^e$ République...

C'est très exactement autour de cette contradiction
que porte sa révision des philosophies de l'histoire qui
exonèrent les individus de leurs responsabilités. Toute sa
philosophie va être dès lors une philosophie de la
construction de la république sur la base de la morale
individuelle et donc des responsabilités de l'administration politique dans la transmission, la diffusion et la
garantie de cette morale. La république pour lui doit
être une république des individus ; or la philosophie de
l'histoire, fataliste comme il le dit, ignore évidemment les

individus et ne connaît que les masses, qui seules font l'histoire. L'ancrage d'un régime authentiquement républicain solide ne peut reposer que sur les consciences individuelles armées d'une idée morale ferme. Je crois que c'est le cœur de son analyse : la morale individuelle contre la philosophie collective de l'histoire.

*A. Finkielkraut* – Vous écrivez, Marie-Claude Blais : « L'idée républicaine comporte deux composantes – une composante individualiste et une composante sociale – qu'il est difficile autant que nécessaire de tenir ensemble. »

Dans son effort pour ne pas laisser la philosophie collective de l'histoire recouvrir ou assujettir les exigences de la morale individuelle, Renouvier est-il entré en conflit avec d'autre tendances, d'autres chapelles républicaines ? Ou bien partageait-il ce souci avec tous ceux qui voulaient instaurer la république en France ?

*M.-C. Blais* – Il est entré en polémique très clairement avec les positivistes. Après l'avènement de la République des républicains, il a même consacré la plus grande partie de son temps à combattre l'incohérence des républicains qui se disaient positivistes mais qui ne voyaient pas qu'une république ne peut pas ne pas mettre en avant les devoirs et la liberté de l'individu.

*A. Finkielkraut* – Pourriez-vous donner une définition du positivisme ? Qu'entendait-on par là au XIX$^e$ siècle ?

*M.-C. Blais* – Il y a le positivisme d'Auguste Comte et il y a celui de ses successeurs (par exemple, Laffitte et Littré, deux républicains qui dirigent des revues positivistes dans les années 1870). Ils ont gardé d'Auguste Comte un certain nombre de ses positions fondamentales : le progrès et l'ordre sont conçus comme les éléments majeurs autour desquels doit s'organiser une société ; de même, la science et les savants ont un rôle majeur à jouer dans une république selon eux. Ils ont en revanche laissé de côté tout l'aspect religieux de la pensée d'Auguste Comte : le culte de l'humanité, la mise en place de fêtes, l'exaltation sentimentale de la république sont autant de thèmes qu'ils ont abandonnés.

*A. Finkielkraut* – Y avait-il pour eux prééminence de la totalité sociale ?

*M.-C. Blais* – Bien sûr, et cela gênait beaucoup Renouvier. Il y avait une profonde divergence de vues entre les républicains positivistes et les républicains de la tendance de Renouvier au sujet de l'enseignement : Renouvier pense que celui-ci ne peut être fondé que sur la raison et sur la conscience individuelles, tandis que, selon les républicains positivistes, il doit intégrer l'enfant dans une totalité en faisant se développer chez lui sociabilité et altruisme, de telle sorte qu'il comprenne sa place dans le tout.

*M. Gauchet* – Le positivisme, c'est la reconstruction d'une autorité sociale sur une base tout à fait différente de l'ancienne autorité religieuse, à savoir la science. La priorité, c'est l'inscription de la vie sociale sous le signe d'un pouvoir spirituel dont l'exercice est le cœur de la doctrine positiviste.

*M.-C. Blais* – Pour finir de répondre à votre question, il y avait dans le camp des républicains, outre les positivistes, ceux qui s'appelaient eux-mêmes les radicaux. Ceux-ci étaient, comme Renouvier lui-même, des adeptes du programme de Belleville de Gambetta. Ils demandaient la mise en place de la république au moyen des fameuses « réformes nécessaires » relatives à la mise en place d'institutions républicaines. Comme en 1848, Renouvier a recommencé à se battre contre l'idéologie volontariste du « tout tout de suite » en disant qu'exiger le maximum dans les plus brefs délais faisait courir les plus grands risques à la république. Il a donc passé son temps à sermonner les radicaux pour lesquels il avait pourtant une assez grande affection. Il lui semblait en effet qu'ils pouvaient conduire le pays au pire, comme les socialistes en 1848 avaient provoqué la répulsion du peuple vis-à-vis de la république alors qu'ils avaient de très bonnes intentions au départ.

*A. Finkielkraut* – Aujourd'hui que la république est entrée dans les mœurs, on oublie ces batailles ; on oublie aussi l'opposition entre républicains et libéraux.

Rafraîchissons-nous la mémoire avec ces lignes de Claude Nicolet : « Les républicains ont naturellement accepté les conquêtes et l'héritage libéral ; ils les ont même en un sens parachevés mais ils n'en sont pas restés là. Ils n'ont jamais accepté l'idée que la société civile, par l'exercice sans limites des libertés individuelles, par l'esprit d'entreprise et les lois du marché, pouvait fonctionner toute seule et assurer le bien commun. Le bien commun n'est pas assuré par un automatisme quelconque de lois naturelles, il ne peut résulter que de l'adhésion active de chacun, ce que Montesquieu avait dit en parlant de la vertu dans les républiques ou ce que Rousseau avait affirmé à propos de la prééminence nécessaire de l'intérêt général sur les intérêts particuliers[41]. »

271

La république en effet n'est pas une collection d'*individus* vaquant chacun à ses affaires. C'est – idéalement – une assemblée de *citoyens*. Les individus visent leur bien-être ; les citoyens visent le bien commun. Imaginer que les individus puissent par la seule combinaison de leurs intérêts aménager et améliorer le monde, c'est croire en l'histoire, sous la forme, cette fois, de la main invisible du marché. Les républicains pensent, au contraire, que, pour prendre soin du monde, il faut être capable d'oublier ou de transcender le souci de soi. À cette transcendance, Montesquieu donne le nom de vertu ; Rousseau parle, lui, de volonté ou d'intérêt général. Qu'en est-il de Renouvier ? Quelle est sa contribution à l'idée républicaine française ?

*M. Gauchet* – Je crois que sa contribution est importante. Il faut replacer les choses dans leur contexte. Montesquieu et Rousseau, c'est un siècle environ avant Renouvier. Entre-temps, la mise en œuvre des principes politiques qu'ils avaient définis (la liberté et la souveraineté du peuple) a fait un grand pas. La contribution de Renouvier se situe dans la compréhension de ce que peut et doit être le régime qui est en charge de réaliser la synthèse des deux exigences que doivent respecter les régimes de la politique des Modernes : la liberté des individus et l'exercice d'une souveraineté collective. Le problème, c'est que cette dernière peut déboucher sur une tyrannie, comme l'ont montré la Révolution française, puis les révolutions récurrentes et l'idée socialiste. Comment donc être à la fois radicalement libéral, dans le sens de la liberté des consciences individuelles, et radicalement populaire dans le sens de la souveraineté collective ? Voilà toute la difficulté de la définition des régimes dans lesquels nous vivons et dont la république en France est l'incarnation tout à fait exemplaire par son ambition synthétique de faire tenir ensemble les deux versants. La contribution de Renouvier est probablement d'être l'une des tentatives les plus rigoureuses et les plus systématiques pour penser cette synthèse comme une synthèse et pas comme un simple arrangement. Il a véritablement cherché à voir comment, sur le plan des principes philosophiques et sur le plan de la pratique politique, cette conjonction problématique se monnaie dans un régime. Je ne crois pas que nous ayons d'effort intellectuel plus vigoureux.

*M.-C. Blais* – Je pense effectivement que l'originalité de Renouvier réside dans son effort de synthèse. La vertu individuelle est première pour lui ; en même temps, il attend de la république la mise en place d'institutions qui permettront à cette vertu de se former et de s'exercer. C'est pourquoi il accorde beaucoup d'importance au système d'enseignement.

*A. Finkielkraut* – Il est temps de parler du grand philosophe qui a été l'inspirateur de Renouvier : Kant. Quel est le rôle que celui-ci a pu jouer, à travers Renouvier, dans l'élaboration de cette synthèse républicaine, par-delà l'expérience de la Révolution française ?

*M.-C. Blais* – L'importance de Kant est très grande mais elle n'est pas unique : Renouvier dira à la fin de sa vie qu'il aurait pu se dire cartésien tout autant que leibnizien. S'il reprend Kant, c'est essentiellement parce que ce dernier est celui qui a pensé l'idée de paix universelle et l'idée de république après avoir essayé de voir comment pouvait s'exercer la liberté de l'individu, à l'issue d'une

273

analyse critique de la connaissance et de l'action. Ce qu'il reproche à Kant et qu'il essaie de modifier, c'est son caractère rigoriste et intellectualiste : il lui reproche de ne pas prendre en compte la réalité de l'être humain qui est un être de désir et de passions aussi bien que de raison. Renouvier a l'intention de faire une philosophie réellement applicable, alors que la philosophie de Kant courait le risque de s'évader dans des nuées spiritualistes et donc de ne pas être en prise avec la réalité de la vie des hommes.

*M. Gauchet* – Là où la philosophie de Renouvier innove par rapport à Kant, c'est qu'elle est une philosophie de la liberté concrète. Ce qu'il reproche à Kant, fondamentalement, c'est d'être le philosophe d'une liberté qui appartient à l'ordre nouménal. Prenant appui sur un philosophe romantique qui a joué un rôle d'incitateur pour sa pensée, Jules Lequier, Renouvier essaie de penser une liberté dans l'ordre des phénomènes. Cette tentative va le mener très loin, y compris sur le terrain de la spéculation, par rapport aux principes de la philosophie et des sciences naturelles : tout son effort va consister à ancrer la liberté dans l'ordre des phénomènes, contre Kant. C'est l'un des aspects les plus originaux de sa philosophie sur le plan spéculatif.

*A. Finkielkraut* – Renouvier veut aussi concrétiser ou, en tout cas, actualiser ce que, avec Benjamin Constant, les libéraux appelaient la liberté des Anciens, c'est-à-dire la participation active à la vie de la cité. Pour lui, comme pour Kant, la liberté est constitutive de l'humanité de l'homme. Et, comme pour Hannah Arendt, cette liberté comporte une dimension politique. « J'entends par là, dit

Arendt, prendre un plus grand soin du monde, qui était là avant que nous apparaissions et qui sera là après que nous aurons disparu, que de nous-mêmes, de nos intérêts immédiats et de nos vies. Par là, je ne veux pas dire héroïsme : je veux simplement dire qu'en entrant dans le domaine politique, toujours en provenance de la sphère privée de notre vie, nous devons être capables d'oublier nos soucis et nos préoccupations[42]. » Cette responsabilité pour la chose publique, n'est-ce pas, comme leur nom même l'indique, la grande affaire des républicains ? D'où d'ailleurs le rôle capital qu'ils accordent à l'éducation comme ouverture intellectuelle et morale au monde et comme dépassement ou élargissement de soi.

*M.-C. Blais* – Bien sûr ! La gageure que devait relever Renouvier était de passer de l'individu vers le collectif sans nier l'individu, en lui conservant donc sa priorité. Se pose alors le problème de ce qui permet la vie collective et la vie sociale à partir de l'individu. L'importance qu'il donne à la conscience morale et à ce qu'il appelle, après Kant, la « raison pratique » est en proportion de la nécessité, pour chaque individu, de comprendre ce qui le lie aux autres membres du collectif. Renouvier pense qu'il faut donner la priorité à ce qui est de l'ordre de la raison pratique. Il veut en somme procéder à une deuxième révolution copernicienne : certes, c'est le sujet qui est à l'origine de toute connaissance et de toute action, mais dans le sujet, c'est la raison pratique, c'est la catégorie de devoir ou d'obligation qui priment.

*A. Finkielkraut* – J'ai appris en vous lisant que les catégories de devoir et d'obligation ont aussi un rôle central dans son système d'enseignement. La laïcité n'est pas simplement le divorce du temporel et du spirituel, car elle est aussi la prise en charge par l'État républicain de l'enseignement de la morale. Qu'est-ce que cela voulait dire pour Renouvier que d'enseigner la morale ?

*M.-C. Blais* – C'est une question difficile, car il n'a pas produit de réflexion théorique sur ce point. En revanche, il est passé à l'acte, puisqu'il a écrit un *Petit Traité de morale à l'usage des écoles primaires laïques*[43]. Sa démarche est assez intéressante : il essaie de composer une morale qui est très proche de la morale kantienne – il y est question de l'impératif catégorique et des grandes règles relatives à la dignité de la personne. Mais il essaie de faire comprendre ces règles à l'enfant, en s'adressant à sa raison tout en partant de son expérience d'enfant et des relations qu'a celui-ci avec son entourage et les membres de sa cité. Le but est d'amener l'enfant à comprendre qu'il y a différents niveaux d'appartenance et que l'intérêt particulier n'est pas toujours identique au bien général. Il faut faire comprendre à l'enfant que son insertion dans un collectif qui dépasse les intérêts particuliers et les attachements personnels garantit sa propre liberté. On arrive à la notion d'État et de communauté politique en s'appuyant sur l'exigence de justice, exigence fortement ressentie par l'enfant dans ses relations avec autrui

*M. Gauchet* – Je tiens simplement à souligner l'originalité de ce *Traité de morale* qui est une sorte d'exception méconnue de la III^e République. C'est probablement la tentative la plus audacieuse pour faire passer dans les faits ce lien consubstantiel entre morale et politique. Tirer une politique de la morale garantit que la liberté de l'individu puisse se convertir immédiatement, à son propre niveau pour ainsi dire, en puissance collective. C'est cela, l'enjeu de l'enseignement moral selon Renouvier.

*A. Finkielkraut* – Je saute maintenant à pieds joints dans l'actualité. De nos jours, un vocable triomphe. Il est sur toutes les lèvres, il est accolé à toutes les fêtes, à toutes les initiatives, à tous les projets, à toutes les manifestations. Ce vocable, c'est citoyen. L'humeur du temps est euphoriquement et obsessionnellement citoyenne. Est-elle républicaine pour autant? Après avoir pris connaissance de la pensée de Renouvier, j'en doute. Il n'est en effet plus question d'obligation ou de responsabilité civique dans le discours contemporain, qu'il soit moral ou politique. Il est seulement question des droits de l'homme. Ainsi, c'est par une déclaration des *droits du lecteur* que Daniel Pennac prétend répondre à la désaffection pour le livre. Sans doute l'idée et le mot de devoir feraient-ils fuir les dernières et fragiles bonnes volontés adolescentes... Mais si nous en sommes là, s'il n'y a d'autre homme pour nous que l'homme des droits de l'homme, si la politique, c'est toujours la revendication et jamais la responsabilité, sommes-nous encore républicains?

*M.-C. Blais* – Vous touchez tout à fait juste, selon moi! Je précise d'ailleurs que, à l'origine de ce travail, il y a eu une interrogation sur les sources républicaines de notre enseignement, en particulier de notre enseignement moral et civique. Ma recherche est née d'une interrogation sur l'origine des valeurs que j'étais censée transmettre aux jeunes professeurs – j'étais à l'époque professeur de philosophie en école normale (devenue depuis lors IUFM).

Pour répondre à votre question, je crois que nous ne sommes plus républicains, ou en tout cas nous ne le sommes pas au sens où l'idée républicaine a cherché à se formuler dans des travaux comme ceux de Renouvier par exemple. J'en veux pour preuve l'insistance que l'on met partout sur les droits du citoyen ou des enfants ainsi que l'oubli total des obligations (y compris envers soi-même). Selon Renouvier, la possibilité du contrat passé avec les autres suppose un contrat avec soi-même... La république ne peut être qu'un contrat passé entre des individus : on est tous d'accord implicitement avec cela, mais on oublie les conditions qui rendent possible ce contrat. Pour bien répondre à la question de savoir si l'on est encore républicain, il faudrait pouvoir s'entendre sur l'idée de « république ». Mais ce que cette idée met en avant, c'est la nécessité pour chacun de passer ce fameux contrat avec soi-même et de considérer qu'il y a une différence entre ce qui est et ce qui doit être. Moyennant une certaine maîtrise de soi-même, chacun de nous cherche à parvenir au gouvernement de soi pour arriver à un gouvernement collectif.

*A. Finkielkraut* – Marcel Gauchet, vous écriviez, il y a vingt ans, en réponse à Claude Lefort : « Les droits de l'homme ne sont pas une politique[44]. » Aujourd'hui, vous publiez dans *Le Débat* un article intitulé « Quand les droits de l'homme deviennent une politique[45] ». Ce devenir-là, cette irrésistible ascension ne se font-ils pas aux dépens de l'idéal républicain ?

*M. Gauchet* – Oui, si l'on prend l'idée républicaine dans sa rigueur philosophique. Mais si l'on entend par « république » le régime qui s'oppose à la monarchie ou à la théocratie, alors bien sûr nous sommes tous républicains. Il y a un irréversible républicain, mais il y a eu en même temps perte de la dimension synthétique du projet républicain dans sa plus haute ambition et perte probablement aussi de ce qu'on peut appeler l'utopie républicaine qui était une utopie de l'autonomie, c'est-à-dire de la capacité des individus à prendre individuellement en charge la loi décidée en commun. Les deux ordres se sont dissociés. Là où nous ne sommes plus républicains, c'est que, de fait, notre idée de la liberté des individus s'accommode implicitement d'un consentement à la dépossession du gouvernement collectif, et, chez les plus radicaux, à la mise en question de l'idée même qu'il y ait besoin de gouverner une collectivité puisqu'elle marche très bien toute seule. Il y a un bizarre accord entre un rêve libertaire et un rêve libéral qui trouvent à s'accoler de manière plus fantasmatique que réelle : dans la réalité, les choses ne se passent pas tout à fait de cette manière… En tout cas, les droits de l'homme dans leur acception d'aujourd'hui (ils ont une longue histoire) fonctionnent sous le signe d'une liberté individuelle qui n'implique plus comme contrepartie le gouvernement de la collectivité par l'ensemble des citoyens. Le gouvernement est devenu une agence impersonnelle qui « gère », comme on dit aujourd'hui, mais qui ne gouverne plus au sens propre ; ajoutons qu'il doit idéalement « gérer » le moins possible puisque, tout gouvernement étant oppressif de la liberté des individus, sa part doit être aussi restreinte que possible.

A. *Finkielkraut* – Ce qui nous éloigne aussi de l'idée républicaine, c'est que nous vivons à l'ère du *social.* La société est tout. La société a barre sur tout. Nulle institution n'est censée la transcender. Nul sanctuaire ne doit échapper à son empire. Et toute résistance est dénoncée comme un outrage à la démocratie. Dans un livre intitulé *L'Hypocrisie scolaire. Pour un collège enfin démocratique,* les deux sociologues François Dubet et Marie Duru-Bellat écrivent : « Si l'on se rallie à une conception laïque et démocratique de la culture et des savoirs, il n'est plus interdit de se demander qui doit définir les contours de la culture commune. La réponse ne fait aucun doute : c'est à nous tous, en voyant évoluer les jeunes adultes dans la vie, qu'il revient de juger si leurs attitudes, leurs savoirs, leurs compétences correspondent à ce que l'on attend de l'école[46]. » Dictature du *on,* suprême autorité du *nous tous,* la société n'a plus d'Autre et peut dicter sa loi. « La priorité démocratique, c'est de définir la culture commune non pas en fonction de ce que les professeurs peuvent offrir, mais en fonction de ce dont les jeunes ont besoin pour vivre pleinement leur vie[47]. » Et nos sociologues ne parlent pas dans le désert : les jeunes, les parents des jeunes et les Instituts universitaires de formation des maîtres (les terribles IUFM) se mobilisent pour dissoudre dans la culture commune ainsi définie ce que la République et ses hussards noirs avaient pensé sous le nom de culture générale. Comment, selon vous, Renouvier aurait-il réagi à cette socialisation ?

*M.-C. Blais* – Il était conscient de cette montée en puissance de la société civile face à l'État, du fait même que l'on se battait à l'époque contre la mainmise des cléricaux, c'est-à-dire d'une partie de la société civile, sur l'enseignement. Renouvier a beaucoup insisté sur ce qu'il appelait le « spirituel de l'État » : il est nécessaire que l'État, qui est le représentant de tous les citoyens dans une république, transmette et garantisse les principes sur lesquels il repose ; il lui incombe notamment de les transmettre aux jeunes dont il a la charge. Il y a dans son œuvre une profonde réflexion, encore utile pour nous aujourd'hui, sur ce qui est commun à tous et qui est de la responsabilité de l'État d'une part, et d'autre part sur ce qui est de l'ordre de la demande de la société civile. Celle-ci est bien sûr à prendre en compte, mais elle ne peut pas avoir le dernier mot.

*M. Gauchet* – Je voudrais faire une observation à propos du texte que vous citiez sur le sens du mot « démocratie ». De quelle démocratie s'agit-il en effet ? Quelle étrange démocratie que celle qui n'est ni plus ni moins que la traduction immédiate, dans l'espace public, des *desiderata* des individus ou des groupes sociaux ! Qu'est-ce que cela a à voir avec l'idée de démocratie qu'incorpore nécessairement l'idée républicaine synthétique que nous évoquions tout à l'heure ? Ce n'est évidemment plus de cela qu'il s'agit. Derrière la façade de cette démocratie qui n'en est en vérité pas une, où une place très grande est accordée aux revendications immédiates des individus et des identités sociales, règne un implicite qui est l'oligarchie. L'effectivité du régime passe par un gouvernement à distance des citoyens qui tient l'ensemble et qui le conduit hors du contrôle véritable des citoyens. Notre démocratie est de moins en moins démocratique.

*A. Finkielkraut* – Renouvier, pour sa part, était démocrate en ceci qu'il voulait éviter la constitution d'une oligarchie. Je vous cite, Marie-Claude Blais : « Renouvier s'élève contre ces bourgeois peu amis d'une égalité qui, il est vrai, élèverait les ouvriers à leur propre niveau, et qui cherchent à pousser leur progéniture à des positions qu'elle ne peut pas toujours tenir. C'est pourquoi il revient à l'État d'instaurer sans complaisance ni relâchement une forme de sélection. Il s'agit donc que l'entrée des lycées quant aux études classiques soit mise au concours et que l'abord de chacune des classes successives soit assujetti à la même condition[48]. » La sélection, les concours anonymes : tels sont les instruments de la république pour mettre en œuvre le principe d'égalité et pour contrecarrer la tendance des privilégiés de la fortune à monopoliser en faveur de leurs enfants des places qu'il faudrait offrir aux meilleurs, toutes origines confondues.

Mais Bourdieu, depuis lors, a eu raison de Renouvier : on pense maintenant que la sélection confirme et entérine la hiérarchie en vigueur dans la société. Aussi est-elle supprimée, au moins dans l'enseignement secondaire. Suppression officielle, mais officieusement, clandestinement, la sélection demeure et profite, pour finir, aux classes supérieures. Les mesures prises contre la reproduction sociale sont, en fait, les moyens de sa réalisation.

*M.-C. Blais* – Il faut dire qu'entre-temps les choses ont changé : la scolarisation de tous les jeunes a été assurée, et le problème se pose donc d'une autre manière. La crainte de la reproduction peut venir du constat que les jeunes issus des classes défavorisées n'accèdent pas avec les mêmes chances au niveau supérieur de l'enseignement. Or cela n'était évidemment pas le problème à l'époque de Renouvier, comme vous l'avez souligné... Le problème de la sélection dans l'enseignement reste posé, mais, surtout en ce qui concerne son rapport avec l'égalité, il reste aujourd'hui en grande partie occulté.

*M. Gauchet* – Nous avons la vérification expérimentale et statistique de ce que vous disiez. La lutte contre la sélection, comprise comme ce qui s'oppose aux droits des individus, aboutit en pratique à une extraordinaire élitisation de notre système d'enseignement. Il y a de moins en moins d'enfants émanés des milieux populaires qui arrivent au sommet du système scolaire. Le recrutement des grandes écoles est de plus en plus inégalitaire. Voilà pour l'observation de fait. Sur le plan des principes, quel autre instrument peut-on imaginer pour assurer la non-reproduction à l'identique des inégalités qu'un système de sélection? Logiquement, pratiquement, que peut-on proposer d'autre? Je crois qu'il y a là une vérité de base qui a été subvertie aussi par le fait des circonstances – la massification du système d'enseignement notamment. Mais, sur le plan des principes, nous ne pouvons que rester fidèles à ce qui fut la juste observation des penseurs de la république.

*A. Finkielkraut* – Avec Renouvier, nous avons voyagé dans le passé, celui de la naissance et de la formation de l'idée républicaine ; nous avons voyagé dans le présent, celui de l'étiolement de la république. Je voudrais, pour finir, que nous l'accompagnions dans l'*uchronie.* Uchronie, c'est le néologisme forgé par Renouvier pour une entreprise sans exemple au siècle de la confiance dans l'histoire et des utopies grandioses. De quoi s'agit-il?

*M.-C. Blais* – Le mot est calqué sur « utopie », si ce n'est qu'à la place du lieu on a le temps. L'uchronie, c'est l'imagination d'autres temps et d'autres passés possibles. Il ne s'agit pas de l'avenir, chez Renouvier.

*A. Finkielkraut* – L'uchronie imagine donc un autre passé possible. Elle part de l'idée sacrilège pour toutes les philosophies de l'histoire que ce qui a eu lieu aurait pu ne pas avoir lieu. Elle rend à l'advenir sa contingence. Procédant au rebours de l'hégélianisme, elle déboute insolemment le principe de raison. Elle fait planer sur l'être l'hypothèse ironique de l'être-autrement.

*M.-C. Blais* – Oui, c'est assez prodigieux, comme idée ! Tout ce qu'on a dit tout à l'heure sur sa remise en cause des philosophies du déterminisme et du progrès, il a imaginé de le présenter sous la forme d'une fiction. Il présente donc cette uchronie sous la forme d'un récit fait par une personne qui raconte ce qu'aurait pu être l'humanité si, à un moment donné, pendant le règne d'Alexandre, d'autres décisions avaient été prises que celles qui l'ont été effectivement, et si ces décisions avaient pu empêcher l'avènement du christianisme notamment. Il faut dire que, à l'époque, Renouvier était très remonté contre le christianisme et contre ceux qu'il appelait les « socialistes de sacristie ». Il pensait en effet qu'il y avait eu une dégradation dans l'histoire avec l'arrivée du christianisme.

*A. Finkielkraut* – Qu'aurait été l'histoire sans le christianisme, d'après Renouvier ?

*M.-C. Blais* – Ç'aurait été le pluralisme et le polythéisme, il n'y aurait pas eu toutes ces formes de panthéisme et de monisme qui nous font croire que le monde a une finalité unique et que tout le monde doit s'intégrer à un cheminement commun. Ç'aurait donc été le règne de la diversité et de la pluralité.

*A. Finkielkraut* – Quel effet a produit sur vous l'uchronie de Renouvier, Marcel Gauchet, vous qui êtes l'auteur du *Désenchantement du monde*[49] ?

*M. Gauchet* – Je suis en complet désaccord avec son appréciation de ce qui se joue au travers du christianisme. L'intérêt de cette fiction est de chercher à concevoir ce qu'aurait pu être le développement de la liberté des Anciens, selon son propre mouvement. Sur ce terrain, je crois que Renouvier se trompe sur la nature de la liberté antique et qu'il se trompe aussi sur ce qui advient avec le christianisme. Il ne discerne pas, comme la plupart de ses contemporains, aveuglés par la lutte contre une Église catholique réactionnaire, la contribution du christianisme à ce qui constitue son propre rêve de l'autonomie. En réalité, c'est le monothéisme, dont il dit beaucoup de mal, qui est porteur de la réalisation de l'autonomie à l'échelle du monde humain dans son ensemble. Cela dit, on peut être en désaccord sur la base de l'analyse et en accord avec le but de l'exercice. C'est ce qui rend le dialogue fécond.

*A. Finkielkraut* – Innombrables sont les utopies de la bibliothèque occidentale. Mais je ne connais pas d'autre exemple d'uchronie ! En existe-t-il ? Et Renouvier lui-même a-t-il récidivé ou s'en est-il tenu à cette seule tentative ?

*M.-C. Blais* – Il s'est contenté de celle-là. À ma connaissance, il n'y en a pas eu d'autres. Il y a eu certes quelques tentatives d'uchronie avec les multiples projections dans l'avenir qu'on a bien connues depuis un siècle et demi.

285

Mais la démarche originale consiste à imaginer d'autres passés possibles et donc des moments de divergence ou de bifurcation qui sont l'introduction d'une certaine contingence et *a fortiori* de liberté des individus dans l'histoire.

*M. Gauchet* – Imaginons ce qu'aurait été l'histoire européenne sans la guerre de 1914. Par miracle, la diplomatie vient à bout des germes de guerre qui fermentaient entre la Russie, l'Empire austro-hongrois, l'Allemagne, la France, la Grande-Bretagne ; Sarajevo reste une péripétie, la paix continue : nous aurions peut-être eu au XX$^e$ siècle en Europe un siècle athénien.

*A. Finkielkraut* – Le XIX$^e$ siècle est né d'un événement, la Révolution française, où l'humanité a semblé prendre son destin en main. Ce destin lui a échappé avec la guerre de 1914, les catastrophes qui ont donné naissance au XX$^e$ siècle. Et c'est à l'issue de cet événement dont il n'est pas possible d'éliminer la contingence que l'idée d'histoire a exercé sur les hommes un immense pouvoir de fascination. Voilà qui donne à réfléchir.

*M. Gauchet* – Peut-être l'uchronie est-elle en ce sens un genre d'avenir, ne serait-ce que pour reconquérir le sens du possible que l'histoire du XX$^e$ siècle nous a fait perdre.

*A. Finkielkraut* – Laissons alors le dernier mot à *L'Homme sans qualités* de Musil, et, plus précisément, à la réponse que fait Ulrich, son héros, au directeur Leon Fischel, quand celui-ci lui demande ce qu'il entend par « vrai patriotisme », « vrai progrès » et « vraie Autriche ».
« – Le PDRI.
– Le ?

– Le principe de raison insuffisante ! répéta Ulrich. Étant philosophe, vous devriez savoir ce que l'on entend par principe de raison suffisante. Malheureusement, pour tout ce qui le concerne directement, l'homme y fait toujours exception ; dans notre vie réelle, je veux dire dans notre vie personnelle comme dans notre vie historique et publique, ne se produit jamais que ce qui n'a pas de raison valable[50]. »

Si le PDRI fait son chemin dans les consciences, alors on verra peut-être surgir des uchronies, et Renouvier, à défaut d'inspirer la vie de la cité, sera le précurseur d'un genre littéraire déconcertant.

# La France est-elle encore un pays catholique ?

## Entretien avec Danièle Hervieu-Léger et Henri Tincq

*Alain Finkielkraut* – Lors d'une réunion sur le problème de la laïcité organisée par la commission des affaires sociales de l'Assemblée nationale, j'ai entendu des élèves de terminale du lycée Bergson dire, avec une certaine véhémence, que la France ne respectait réellement ni l'égalité ni la neutralité en matière de croyance, puisque les jours fériés étaient presque toujours des fêtes chrétiennes. Ces remarques m'ont rappelé le « Nous sommes tous catholiques » de Jean-Paul Sartre, philosophe pourtant aussi athée et aussi irréligieux qu'on peut l'être.

À lire cependant les livres de mes deux invités, je me demande si la véhémence des lycéens de Bergson était bien justifiée et si l'on peut prendre encore pour argent comptant le paradoxe sartrien. Pouvons-nous aujourd'hui, nous Français, quelles que soient notre origine, notre obédience et nos opinions, proclamer que « Nous sommes tous catholiques » ?

*Danièle Hervieu-Léger* – Tout l'enjeu de mon livre est précisément de répondre à cette question. Il ne saurait évidemment être question d'apporter une réponse simple,

du type « oui / non ». Nous ne sommes pas arrachés ulti-
mement à notre très longue histoire de pays catholique ;
reste que – et c'est l'hypothèse que je fais – le catholicisme
ne constitue plus la matrice culturelle intégratrice qu'il a
été pendant longtemps, au-delà même de la diversité des
opinions ou du choix de croire ou pas. Je pense en effet
que nous assistons à l'effondrement de cette matrice : le
catholicisme a cessé de constituer l'armature culturelle de
ce pays laïque qu'est la France. C'est, je crois, une situation
totalement nouvelle et relativement récente. Je réponds
donc à votre question plutôt par non que par oui, en
précisant que la ligne de pente va à mon avis se prolonger ;
mais cela ne veut pas dire évidemment que toute trace de
cette matrice ait irrémédiablement et globalement disparu.

*Henri Tincq* – Tous les indicateurs d'appartenance au
catholicisme sont aujourd'hui à la baisse. Je pense aux
rites, aux pratiques, aux baptêmes ou aux mariages à
l'église dont la diminution marque bien un effondrement,
Danièle Hervieu-Léger a raison sur ce point. Mais il reste
quand même une sorte d'appartenance symbolique par
famille, par tradition ou par héritage d'une vague culture
catholique. Ce qui m'étonne, c'est que plus personne
ne sait ce qu'est le catholicisme culturel : on l'évoque
volontiers (vous parliez vous-même des fêtes religieuses),
mais plus personne ne sait aujourd'hui ce que signifient
Pâques, la Pentecôte, l'Ascension ou l'Assomption. Ces
fêtes religieuses qui marquent le calendrier ne sont plus
pour la majorité des Français que des jours de congé,
comme les RTT par exemple. De ce point de vue donc, la
France n'est plus un pays catholique.

*D. Hervieu-Léger* – La démonstration ne doit pas seulement prendre en compte l'effondrement des pratiques, des rites ou du savoir. Le vrai problème à mon avis se trouve au-delà. Il faut savoir que le modèle institutionnel de l'Église romaine a servi de cadre ou de référence implicite, même sur le mode du rejet, pour construire l'ensemble de nos institutions (l'État lui-même bien sûr, mais aussi l'école, l'hôpital, le justice...). Tout notre appareil institutionnel (laïcité comprise) fonctionne ainsi en miroir de la construction romaine. Cette continuité institutionnelle a permis à l'Église, par-delà l'amenuisement du nombre des fidèles pratiquants, de continuer à tenir un discours qui demeurait audible par l'ensemble des citoyens, dans un pays devenu laïc. Ce discours ne suscitait pas l'adhésion massive, mais il n'était pas une langue étrangère. L'immense nouveauté et la clé de ce que j'appelle l'« exculturation » du catholicisme, c'est que ce tissu institutionnel se défait. Dans la crise du modèle scolaire ou dans la crise du modèle hospitalier se joue quelque chose de l'évanescence de cette référence fondatrice qui aujourd'hui ne l'est plus parce que nos institutions se sont transformées.

*A. Finkielkraut* – Alain, dans ses *Propos sur l'éducation*, mène une réflexion qui va tout à fait dans votre sens. Il insiste sur l'obligation d'ouvrir à tous non bien sûr l'accès des places, mais l'accès à la culture, l'accès aux « Lumières humaines ». Et il place cet impératif laïque sous le parrainage du catholicisme : « Recrutement de l'élite ; instruire ceux qui sont dignes. Nous y sommes. Mais ce n'est qu'un commencement. L'idée chrétienne nous pousse au-delà. Car dans le doute, il faut baptiser [...]. Il faut développer l'Esprit du Catéchisme. Idée d'enseigner à tous ce qui importe le plus[51]. » Ainsi parlait l'une des figures marquantes de la « République des Professeurs ».

*H. Tincq* – À ce point de notre débat, je crois qu'il faut quand même réfléchir à la question des responsabilités. Comment en est-on arrivé là ? Il y a des responsabilités propres à l'Église, c'est évident, et je crois que Danièle Hervieu-Léger a raison de souligner son dépérissement institutionnel. C'est vrai, le discours de l'Église va à l'encontre de la modernité, et il est vrai aussi que ses formes ministérielles ne sont plus adaptées aux besoins des fidèles. J'ai néanmoins tendance à penser que, s'il y a ce que j'appelle une « automutilation du catholicisme », la société n'a pas facilité la tâche à cette institution catholique – voyez l'école, les médias...

*A. Finkielkraut* – Mesurons d'abord l'étendue des dégâts. Henri Tincq, vous donnez dans votre livre des mines d'exemples, notamment celui-ci : vous dites que personne ne sait ce que signifie le proverbe « Qui va à la châsse perd sa place. » J'ai appris en vous lisant que la châsse était ce coffre où l'on mettait les reliques du saint ; celui qui allait adorer ces reliques perdait sa place à l'assemblée des fidèles. On est peut-être excusable d'avoir oublié le sens de ce proverbe, mais il y a d'autres grands pans d'ignorance dont vous faites état. Quelle est cette ignorance, et par quels signes se manifeste-t-elle ? Qu'est-ce qu'on ne connaît plus ?

*H. Tincq* – Les éléments de la culture, même biblique, ne sont plus connus. Le sacrifice d'Ésaü, la structuration des interdits moraux par la loi juive, le Nouveau Testament et, au-delà, une certaine conception de l'amour humain ou de la sainteté de la vie ont disparu de la culture commune. Tout cela n'est plus enseigné. Ce n'est certes pas le rôle principal de l'école publique, mais cela se perd aussi dans les familles. Il y a donc en ce domaine une déperdition considérable dans la culture globale, ce qui se traduit par l'amnésie collective, par la perte de références communes pour la société, par le déclin aussi peut-être des valeurs propres à la société elle-même.

*A. Finkielkraut* – On trouve beaucoup de perles dans votre livre, j'en citerai quelques-unes. Un enseignant raconte que lorsqu'il parle à ses élèves de Louis le Pieux, ceux-ci comprennent le lit (le pieu). Quand il s'agit de commenter l'expression « pleurer comme une Madeleine », ils ne pensent qu'au gâteau du même nom. Vous citez aussi une présentatrice de télévision si ignorante de la tradition chrétienne qu'une veille de mercredi des Cendres, elle demanda aux téléspectateurs de ne pas oublier de fêter les Cendre de leur connaissance, comme si c'était, à côté de Camomille, Lolita ou Cerise, un pré-nom à la mode. Un candidat à l'agrégation d'histoire a répondu au jury que Vatican II était la villégiature du pape à Rome.

*H. Tincq* – Ce sont des pans entiers de la culture fran-çaise qui sont en train de s'effondrer en raison de ces omissions dans l'enseignement et dans la transmission !

*D. Hervieu-Léger* – Je ne porte pas exactement le même regard que vous sur cela. Oui, bien sûr, il y a des choses qui se perdent et j'en ai fait moi-même l'expérience. On peut collecter des anecdotes de ce type à l'infini ou presque. Mais, si on avait fait le test il y a cinquante ou cent ans, je ne suis pas sûre qu'on aurait eu des résultats absolument mirobolants...

*A. Finkielkraut* – Oui, mais quand Sartre dit que « Nous sommes tous catholiques », c'est bien au sens où il estime être porteur de cette culture, par-delà ses choix existentiels.

*D. Hervieu-Léger* – De cette culture-là, dans le détail, je n'en suis pas sûre. Ce qui me frappe en revanche, c'est que l'information fournie (par les médias notamment) sur les faits religieux (et pas seulement le catholicisme) soit aussi déliquescente, alors qu'elle est plutôt surabondante. On est tous d'accord là-dessus. Je pense que le vrai problème se situe moins dans la quantité que dans le fait que la transmission n'assure plus la possibilité que les multiples informations dont les enfants sont bombardés soient reliées par une sorte de fil rouge. L'information peut très bien être relativement abondante, mais le problème est qu'aucune articulation ne relie cette multitude d'éléments. Le problème n'est donc pas quantitatif, mais il est celui de l'organisation des connaissances par un fil directeur ; sans lui, comment peuvent-elles faire sens ?

*A. Finkielkraut* – C'est le Trivial Pursuit, en quelque sorte...

*D. Hervieu-Léger* – Exactement ! Ce n'est pas le détail de la perte qui est intéressant ; ce qui l'est en revanche, c'est la disparition de l'armature minimale qui permettait aux éléments recueillis de faire sens. Autrement dit, la recharge de l'enseignement culturel de la religion ne signifie pas du tout pour autant qu'on va restaurer quoi que ce soit, en termes de refondation d'un dispositif culturel effectif.

*H. Tincq* – Je voudrais revenir sur la question de la responsabilité. Je suis d'accord avec vous sur la disparition de l'armature. Qui est responsable? On pense évidemment aux familles, puisque la famille est la première cellule sociale pour les enfants. La responsabilité de la catéchèse est engagée aussi, du fait de la déperdition de l'institution catholique : les chiffres de la catéchèse s'effondrent. On peut enfin évoquer la responsabilité du système d'enseignement : jusqu'à récemment, l'école avait même exclu le nom de Dieu. Or on se rend compte aujourd'hui qu'on ne peut plus apprendre aux élèves la littérature française (Pascal, Voltaire...), les beaux-arts, la philosophie ou l'histoire si l'on n'a pas un minimum de connaissances religieuses.

*A. Finkielkraut* – William Blake disait d'ailleurs que la Bible était le grand code de l'art...

*H. Tincq* – Je vous rappelle que c'est la Ligue de l'enseignement (laquelle ne saurait être suspectée de cléricalisme) qui a lancé le débat il y a une vingtaine d'années sur la question des lacunes considérables en ce domaine.

*A. Finkielkraut* – Bien avant la Ligue de l'enseignement, Simone Weil écrivait ceci dans *L'Enracinement*[52] : « On fait tort à un enfant quand on l'élève dans un christianisme étroit qui l'empêche de jamais devenir capable de s'apercevoir qu'il y a des trésors d'or pur dans les civilisations non chrétiennes. L'éducation laïque fait aux enfants un tort plus grand : elle dissimule ces trésors et ceux du christianisme en plus. La seule attitude à la fois légitime et pratiquement possible que puisse avoir en France l'enseignement public à l'égard du christianisme, consiste à le regarder comme un trésor de la pensée humaine parmi tant d'autres. Il est absurde au plus haut point qu'un bachelier français ait pris connaissance de poèmes du Moyen Âge, de *Polyeucte*, d'*Athalie*, de *Phèdre*, de Pascal, de Lamartine, de doctrines philosophiques imprégnées de christianisme comme celles de Descartes ou de Kant, de *La Divine Comédie* ou du *Paradise Lost*, et qu'il n'ait jamais ouvert la Bible. » Simone Weil avait en effet inscrit cette connaissance dans son programme, en la situant parmi les besoins de l'âme. Peut-être y vient-on enfin, maintenant que tout semble partir en capilotade. Pourrat-on ainsi rebâtir l'armature minimale dont vous parliez?

*D. Hervieu-Léger* – Je voudrais d'abord dire la gêne que j'éprouve quand j'entends le grand air de la nostalgie. Ne nous pressons pas de pointer les responsables et tous ceux qui n'auraient pas fait leur devoir en matière d'éducation par exemple. Il y a un problème, c'est évident, mais je crois que, avant de chercher un responsable ou un coupable, il faut d'abord s'intéresser aux logiques culturelles et aux logiques sociales qui permettent de comprendre pourquoi on en est là. Une chose par exemple me frappe beaucoup, s'agissant de la transmission familiale, c'est de repérer à quel point l'idéal du choix personnel en matière d'expérience religieuse l'emporte sur l'impératif d'inscrire les enfants dans une lignée religieuse. Y compris dans des familles qui restent raisonnablement enracinées dans un catholicisme classique, l'objectif de la socialisation religieuse est de permettre aux enfants de faire eux-mêmes un choix. Ceci a pour effet inattendu d'accréditer, non pas du tout un désintérêt quelconque pour la culture religieuse, mais l'idée que tous les possibles doivent demeurer ouverts. Le refus (argumenté) de prescrire, dans un domaine considéré par excellence comme celui de la décision personnelle, produit l'effet – non recherché – de décomposer les repères de l'appartenance à une famille spirituelle quelconque. C'est autre chose que de dire que l'école a manqué à sa mission en occultant des pans entiers de notre culture ! Aujourd'hui, l'idéal d'une identité à la fois culturelle et spirituelle, personnellement assumée, érode progressivement l'importance de l'inscription dans une lignée croyante ou, plus largement, culturelle.

*H. Tincq* – J'accepte volontiers le reproche que vous m'adressez : je suis sans doute un peu nostalgique. On avait aussi reproché cela à René Rémond quand il avait publié *Le Christianisme en accusation*[53], où il parlait d'une « culture de mépris du christianisme ». Je veux bien admettre cela, mais, sans même déborder sur la question de la responsabilité, je suis bien obligé de constater les faits : je vois un décalage considérable, et pour tout dire un manquement à la mission du système éducatif français, entre la réalité de ce que vivent aujourd'hui les jeunes (par la télévision notamment) et la réalité du discours qu'ils entendent à l'école ou dans les familles. Vous n'avez plus un journal télévisé, le soir à 20 heures, où il n'y a pas, d'une manière ou d'une autre, une actualité religieuse. Comment comprendre les crises du Proche-Orient sans connaître leur arrière-plan religieux ? Comment comprendre la guerre au Kosovo si l'on ne sait pas que le Kosovo était pour les Serbes la terre des sanctuaires orthodoxes ? On pourrait décliner tous ces éléments, liés tous les soirs à une actualité devant laquelle les enfants restent interdits ; s'ils posent des questions aux professeurs, ceux-ci n'ont pas toujours les réponses. Il y a donc là une mobilisation qui doit être attendue de la société…

A. *Finkielkraut* – La logique qui prévaut aujourd'hui est une logique démocratique, qui tend à élever progressivement l'enfant au statut de quasi-adulte : on lui reconnaît son autonomie, il doit toujours avoir la possibilité de choisir, toutes les relations avec lui sont contractuelles. Je ne peux pas m'empêcher d'opposer à la méditation de Simone Weil sur les besoins de l'âme un texte que je trouve très révélateur de la situation actuelle : c'est une brochure de la FCPE[54] où il est dit que « les jeunes sont en capacité [*sic*] de s'exprimer et de décider », et où il est demandé une « démocratie de participation ». Autrement dit, au lieu de se modeler, comme au temps d'Alain, sur l'institution ecclésiale, l'institution scolaire est horizontalisée : toutes les colonnes s'effondrent ! On trouve aussi dans cette brochure une définition de l'éducation exempte de toute référence à la culture laïque comme religieuse. Éduquer, ce serait « aider l'enfant à se forger une personnalité autonome », le rendre « apte à appréhender son environnement », à « acquérir des savoirs », à « développer sa créativité », et ainsi « former des personnes capables de communiquer ». L'élève est donc considéré comme l'acteur de sa propre formation. Bref, l'exculturation du catholicisme (et du reste) n'est pas un accident ni même une simple conséquence de la médiatisation, ou de ce que Régis Debray appelle l'entrée dans la vidéosphère : elle est au *programme*. N'est-ce pas dommage ? Et pourquoi, si l'on ne peut arrêter la dynamique qui s'est mise en marche, nous retirer, en plus, le droit à la nostalgie ?

*D. Hervieu-Léger* – Ce que j'essaie de faire, c'est montrer comment l'érosion des grandes institutions qui assuraient, même à leur corps défendant, la pérennité d'une matrice culturelle qui plonge ses racines dans l'institutionnalité catholique induit l'effritement en question. Il y a là un lien de cause à effet (une « responsabilité », si vous y tenez absolument !). Mais je pense malgré tout que l'erreur de perspective pourrait être d'opposer un modèle à un autre. On peut penser en effet qu'il y a, à l'intérieur même de cette mise en avant de l'expérience et de l'autonomie, la nécessité de reprendre la question des contenus. On peut considérer que la catéchèse d'aujourd'hui produit des effets limités sur le plan de la transmission culturelle ; mais cela ne légitime pas pour autant le retour à l'époque où les gamins apprenaient par cœur les vérités de la foi et devaient les réciter comme des perroquets. Ce n'est pas de cela qu'il s'agit ! Il s'agit tout simplement de se demander comment, à travers le travail que des quantités de catéchistes s'efforcent de faire pour introduire les enfants à une expérience spirituelle, il est possible de remobiliser les références scripturaires et de former une intelligence de la foi.

*H. Tincq* – La rupture entre le catholicisme et la culture vient aussi de l'incapacité où l'on se trouve aujourd'hui de croire aux grands dogmes et aux vérités de foi qui ont été enseignés comme tels, pendant si longtemps, par l'Église. Ils sont remis en cause tous les jours par les acquis de l'histoire moderne et par l'exégèse historique et critique. Il est évident que cela fait partie de l'effondrement dont on parle : aujourd'hui, le discours des autorités spirituelles ne résonne plus chez l'homme moderne, compte tenu de ce qu'il sait de l'histoire ou des Écritures... Il y a des dogmes que l'on a désormais du mal à croire : on aurait du mal à expliquer aujourd'hui à un enfant la différence entre la résurrection et la réincarnation. La culture moderne est une culture du doute et de la raison : l'exculturation du christianisme est aussi liée à ce discours qui n'est pas renouvelé, qui ne peut pas l'être et qui du coup ne peut plus être bien entendu.

*A. Finkielkraut* – Il y a tout de même une distance abyssale entre le doute adulte dont Descartes ou les philosophes des Lumières étaient porteurs d'un côté, et, de l'autre côté, le doute, voire les ricanements, de l'enfant d'aujourd'hui, invité qu'il est à douter avant de comprendre. On ne la lui fait pas, il a *Les Guignols de l'info* avant l'info, l'hilarité ambiante le dispense, dès son plus jeune âge, de curiosité et de connaissance. Face à ce phénomène, la culture et la religion sont encore une fois dans le même bateau.

*H. Tincq* – Je vous rejoins complètement. Il y a trois choses sur lesquelles s'appuie l'institution catholique depuis au moins un siècle : des vérités de foi (c'est-à-dire des dogmes), des normes morales et un enseignement. Ces trois choses sont remises en cause par l'expérience quotidienne des enfants aussi bien que des adultes (croyants ou pas). C'est là une véritable source de l'exculturation dont nous parlons.

*D. Hervieu-Léger* – Le problème n'est certainement pas de revaloriser la foi brute qui a fait réciter à des générations d'enfants les dogmes de la résurrection de la chair ou de l'immaculée conception, sans qu'ils comprennent un traître mot de ce qu'ils disaient. Le problème n'est pas de revaloriser cette posture par rapport à celle du ricanement – on est dans la caricature ! Si les enfants opposent, au dogme qu'on leur présente comme « vérité », que « ce n'est pas possible », ce n'est pas forcément sur le mode du ricanement façon *Guignols de l'info* ! Cela veut dire aussi qu'ils participent d'une autre rationalité, celle de la science notamment, qui conteste la plausibilité des propositions religieuses présentées comme « vraies ». Tout cela mérite d'être pris en compte et ressaisi, y compris (puisque c'est le problème qu'on se pose ici) dans la perspective de la transmission de la foi. Cela implique un travail de réflexion sur le langage qu'on utilise pour dire cette foi.

*A. Finkielkraut* – Je vois d'autres difficultés. D'abord, si doute il y a, il s'exerce spontanément à l'égard de toute forme de transcendance : on ne peut plus rien faire apprendre par cœur. Et puis, quand Sartre disait « Nous sommes tous catholiques », il appartenait à la nation française ; cette nation n'était peut-être plus la fille aînée de l'Église, mais elle avait un rapport particulier avec le catholicisme. Il me semble aujourd'hui que la nation s'éclipse au profit d'un autre grand englobant qui est la société. Dans cette société, il y a des communautés qui doivent toutes être reconnues à parts égales. On affirme en conséquence que l'islam est la deuxième religion de France : c'est une vérité sociologique. Il ne semble pas d'ailleurs qu'il y ait dans la communauté musulmane une désaffection aussi forte que dans les autres. Mais dire qu'elle est sociologiquement la deuxième religion ne signifie pas qu'elle le soit

301

historiquement ou culturellement. Or personne n'oserait formuler les choses ainsi. Le présent a vaincu le passé et la sociologie, l'histoire. Dès lors, si l'enseignement du fait religieux entre à l'école, ce sera sous la forme du saupoudrage (une pincée de bouddhisme, une cuillerée d'islam, un soupçon d'hindouisme, un zeste de judaïsme, une lichette de christianisme catholique, protestant et orthodoxe). Il ne s'agira pas de renouer avec les trésors de *notre* culture, il s'agira de faire du tourisme dans le monde des religions.

*D. Hervieu-Léger* – De toute façon, le problème ne se pose pas de choisir entre la nation et la société. Nous devons prendre acte qu'un certain modèle de démocratie des citoyens est aujourd'hui relayé par une démocratie des identités. Cela nous pose effectivement des problèmes de recomposition drastique de notre culture politique et des références qui fondent notre lien commun.

Pour en revenir au texte de Simone Weil, à supposer même que l'enseignement des religions ne prenne pas la forme caricaturale du saupoudrage et qu'il soit intelligemment problématisé à l'intérieur d'un programme d'histoire, de littérature ou de philosophie, la question demeurerait du type d'objet culturel qu'on produirait ainsi. La patrimonialisation de cet objet prend en effet un sens bien particulier quand on est dans un univers qui dispose d'une sorte de langage commun et qui reste référé au socle culturel largement modelé chez nous par l'institution catholique. À ce moment-là, on peut concevoir le trésor des religions comme un patrimoine et le maintenir vivant. Mais le problème de la patrimonialisation en situation d'exculturation, c'est que cela peut être de la pure muséographie ! Or la meilleure muséographie du monde ne nous rendra pas vivante la religion des Égyptiens...

*H. Tincq* – La muséographie est dangereuse, quand même... Pour en revenir à la question que vous posiez, Alain Finkielkraut, sur la nation et la société, je dirais que, si la société doit être la recherche d'un arbitrage constant entre des groupes de pression ou des identités, cela me fait peur. Il faut sortir du patrimoine et restituer un enseignement vivant collectif des valeurs fondatrices. Je suis frappé de voir que les références judéo-chrétiennes ne sont même plus connues des jeunes aujourd'hui – ne serait-ce même que pour les contester. L'interdiction du meurtre, du vol ou de l'adultère n'est même plus connue comme étant du patrimoine, non pas d'une Église quelconque, mais de l'humanité. Ce qui, en revanche, me paraît très dangereux, c'est que si ces références fondamentales pour l'ordre d'une nation ne sont plus connues de ses membres, notamment les plus jeunes, alors on va voir remonter à la surface une forme de néopaganisme qu'on aperçoit déjà ici ou là sous la forme de l'idolâtrie, du culte du chef, du culte pathologique de la nation ou de la race, du culte aussi du sexe ou de l'argent. C'est cela, le risque d'une rupture entre la culture française et ses racines judéo-chrétiennes.

*A. Finkielkraut* – Simone Weil disait également ceci : « Si l'on habitue les enfants à ne pas penser à Dieu, ils deviendront fascistes ou communistes par besoin de se donner à quelque chose. » Les totalitarismes sont derrière nous, peut-être pas les formes d'idolâtries. C'est un thème d'ailleurs que vous développez dans votre livre, Danièle Hervieu-Léger : vous analysez longuement l'essai d'Hippolyte Simon sur la « paganisation » de notre société.

*D. Hervieu-Léger* – Plus exactement, je le mets en perspective avec un autre livre qui prouve d'ailleurs que notre débat n'est pas complètement neuf : c'est le livre, paru en 1943, de Godin et Daniel, *La France, pays de mission ?*. Le point d'interrogation est rhétorique, puisqu'il était parfaitement clair, pour ces deux représentants de l'action catholique ouvrière dans un pays selon eux paganisé du fait de son industrialisation et de sa déruralisation, que la France était un pays de mission. Je me suis intéressée au rapprochement des deux livres, qui sont l'un et l'autre fascinants. Godin et Daniel cherchent les responsables de la perte de religion qui impliquait, selon eux, la perte de morale. Pour eux en effet, dès lors que la France n'était plus chrétienne, elle était vouée à perdre tous ses repères moraux. Hippolyte Simon en revanche rompt complètement avec cette représentation selon laquelle on est dans l'anomie dès lors qu'on n'est plus dans la religion chrétienne. Il marque le lien très fort qui existe entre le substrat catholique de notre culture et notre culture laïque : un lien si fort que la perte de l'un ne bénéficie pas à l'autre, et que les deux plongent ensemble. C'est moi qui reformule les choses ainsi, mais je crois que c'est bien cette idée qui ressort de son livre. Ce qu'il évoque par le terme de néopaganisme, c'est l'impossibilité éventuelle de se doter de références communes qui saisissent l'autre comme inaliénable et non instrumentalisable. Selon lui, ces références relèvent d'un patrimoine commun qui appartient aussi bien aux laïcs qu'à ceux qui se réfèrent explicitement à la tradition chrétienne. La comparaison des deux ouvrages est très intéressante, parce que ce qu'annonce Hippolyte Simon n'est pas du tout le besoin d'une reconquête catholique, mais bien plutôt celui d'une réaffirmation des valeurs communes qui organisent le vivre-ensemble aussi bien pour ceux qui ne se réfèrent pas à Dieu que pour ceux qui s'y réfèrent.

*A. Finkielkraut* – Dans une société qui doit tenir compte de toutes les identités et qui est de plus en plus indifférente à sa profondeur historique, il n'y a pas que les lycéens de Bergson pour s'indigner qu'on chôme les jours de fête catholique. Peut-être s'achemine-t-on vers un grand syncrétisme des jours fériés, et un survol des religions existantes. Or *vues d'avion*, les religions, ce sont des rites pittoresques et quelques grands principes universels. Cette appréhension du fait religieux contribuera à nous rendre notre propre pays illisible : notre héritage deviendra un hiéroglyphe, on ne saura même plus visiter une église. Je ne suis pas sûr que ce soit une solution. La France, si elle veut tenir son rang et défendre des valeurs universelles, doit pouvoir assumer sa propre particularité. Elle a son histoire, dans laquelle le catholicisme a joué un rôle central ; il y a eu le protestantisme, la laïcité, le judaïsme et il y a d'autres apports aujourd'hui, mais cette histoire doit être prise pour ce qu'elle est, dans sa concrétude et, si j'ose dire, dans son incarnation.

*D. Hervieu-Léger* – Je suis bien d'accord avec l'idée d'une perte d'historicité. Mais l'œcuménisme des valeurs que vous évoquez peut être lu aussi comme le résultat d'une formidable victoire de la morale juive et chrétienne. Elle est devenue un bien commun partagé, un bien de commune humanité...

*H. Tincq* – C'est une victoire *post mortem*!

*D. Hervieu-Léger* – C'est une victoire quand même. Il y a un certain nombre de principes éthiques de base (ne pas tuer, ne pas mentir, aimer l'autre...) qui ont triomphé. En ce qui concerne la perte de l'historicité, ce que je crains n'est pas tellement le fait qu'on ne saurait plus se conduire à l'égard des traces du patrimoine; ce que je redoute, c'est plutôt le fait que cette perte pourrait nous faire oublier que, dans des circonstances très précises, nous avons complètement oublié ces valeurs. La perte de mémoire nous fait aussi méconnaître notre capacité d'oubli, le moment où les valeurs s'effondrent et ne sont plus un bien commun partagé. La perte de mémoire, c'est aussi la perte de conscience de la fragilité du système de valeurs commun et de la nécessité de le préserver. Cela me paraît constituer un réel danger.

*H. Tincq* – Il me semble que la sécularisation de la société peut cohabiter avec les nouvelles formes de religiosité qui apparaissent aujourd'hui. Vous êtes parti, Alain Finkielkraut, de l'exemple des lycéens de Bergson; mais combien de jeunes tentent dans le même temps de retrouver péniblement le chemin d'une foi calme et sereine? C'est sans doute peu de chose, mais il y a des signes, sinon de résurrection, du moins de renouveau. On ne peut pas ne pas s'interroger sur ces signes de religiosité qui est sans doute confuse, effervescente, dangereuse parfois, mais qui peut être aussi sereine et tranquille. Les monastères sont pleins, les routes des pèlerinages à Saint-Jacques-de-Compostelle ou à Rocamadour sont de plus en plus fréquentées, les Journées mondiales de la jeunesse drainent des foules de jeunes. Bien sûr, cela n'a pas de suite et cette religiosité, éphémère et ponctuelle, n'est pas suivie d'engagements durables. Mais le fait que cela existe devrait nous interroger.

*A. Finkielkraut* – Vous vous êtes interrogée sur ce phénomène dans vos livres précédents, Danièle Hervieu-Léger. Quelle évaluation êtes-vous conduite à en faire ?

*D. Hervieu-Léger* – Ce qu'on appelle « sécularisation », c'est-à-dire, d'une part, la perte d'emprise institutionnelle des grandes religions, et, d'autre part, la dérégulation des grands codes de sens et de la croyance partagée, ne signifie absolument pas la disparition des quêtes du sens ou des interrogations métaphysiques. Les jeunes, dont nous évoquions le peu de culture religieuse, sont pourtant très profondément travaillés par des questionnements de nature spirituelle : quel est le sens de la vie, pourquoi la souffrance, pourquoi la mort, etc. Il faut remarquer non seulement que ces phénomènes d'interrogation spirituelle existent mais qu'ils sont particulièrement forts chez les jeunes et qu'ils tendent plutôt à s'accentuer avec l'ultra-modernité, dans une situation d'incertitude généralisée. Il y a donc là une demande. Mais il faut bien voir que les réponses partielles, précaires, mobiles que les jeunes apportent à ce type d'interrogation (à travers le tourisme spirituel, les routes de pèlerinage ou les séjours dans les monastères) ne recréent pas du catholicisme : cela crée des formes de sociabilité spirituelle qui, pour être parfois très vivaces, n'invalident en rien le constat de l'exculturation.

*A. Finkielkraut* – À cette religiosité effervescente et diffuse s'ajoute dans le même temps le discours dominant sur le rapport à l'autre. Ce qui nous éloigne encore plus de toute profondeur culturelle, c'est l'incitation au dialogue, étant entendu que le dialogue est à lui-même sa propre fin. Le dialogue est présenté comme la solution à tous les clivages. Mais sur quoi doit-on dialoguer? Cela culmine dans le «Je suis ce que je suis, tu es ce que tu es, et vive nos identités respectives!». Mais nous sommes alors aux antipodes de la *disputatio* médiévale où s'affrontaient des doctrines, des théologies, des façons de penser et de vivre sous le ciel et sur la terre. Notre gentillesse contemporaine nous interdit ces controverses. Vous parlez vous-même, Henri Tincq, des trois religions du Livre qui sont faites pour discuter et pour s'entendre. Cette image est belle, mais la réalité est moins douce. Le Coran se réfère certes aux prophètes et à Jésus, mais pour dire qu'il est le *seul* Livre, car les Juifs et les Chrétiens ont falsifié leurs propres Écritures. Le Coran invalide la Bible.

*H. Tincq* – C'est pire qu'invalider, puisque le Coran prétend tout récapituler. Au nom de cette récapitulation finale, toutes les autres révélations s'annulent. C'est quelque chose que je trouve immensément dangereux. Dans mon livre, j'appelle à la foi et, comme d'autres, au dialogue en même temps qu'à l'extrême vigilance. J'affirme ceci en effet: pas de dialogue avec l'islam dans les conditions où est l'islam aujourd'hui, y compris dans sa composante française. Il faut être clair sur ce point. En revanche, la question demeure de savoir que faire de ces religions qui sont là: doit-on dialoguer avec elles ou bien les laisser à leur marginalité?

*A. Finkielkraut* – Je plaide, quant à moi, pour un dialogue en vérité, plutôt que pour la célébration de la rencontre comme telle et la propension contemporaine à fuir dans l'extase conviviale, l'effort pour savoir qui nous sommes et d'où nous venons.

*D. Hervieu-Léger* – Il y a deux problèmes. Le premier problème est celui du régime de vérité qui est engagé dans ce dialogue. Le problème n'est pas seulement dans le jus sirupeux qui entoure la notion de dialogue : il est dans le type de rapport à la vérité qu'on investit dans ce dialogue lui-même. Si on est dans une pure subjectivation de toutes les vérités, on sera dans l'incapacité de communiquer et on crée ainsi les conditions d'une sorte de cohabitation molle. Cela ne plaide aucunement pour la restauration des régimes de vérité bétonnés et exclusifs les uns des autres. Le deuxième problème, c'est la fameuse question de l'islam : est-ce qu'on la regarde en raison des conditions particulières historiques dans lesquelles l'islam s'exprime aujourd'hui, ou est-ce qu'on l'impute à l'islam en tant que tel au titre de la nature de la révélation qu'il développe? Si on avait posé le problème du dialogue en vérité des religions et des cultures au milieu du XIX^e siècle, qui aurait parié un kopeck sur la capacité du catholicisme d'entrer dans ce dialogue, alors qu'il dénonçait dans la liberté de conscience et dans la démocratie des « erreurs sataniques » avec lesquelles il ne composerait jamais. C'était le pape qui disait cela en 1864! Il reste que les conditions historiques du développement des relations entre les religions et la culture moderne ont rendu possibles des évolutions. La question est de savoir si l'on peut aujourd'hui réunir, dans un dialogue qui ne soit pas mou et sirupeux, des conditions ouvrant à l'islam la possibilité d'accomplir une trajectoire analogue. Et, par ailleurs, ne surestimons pas l'« ouverture » et la tolérance d'un catholicisme qui n'a pas perdu toutes ses adhérences avec l'intransigeance du *Syllabus*, à beaucoup près...

A. *Finkielkraut* – Quand le pape disait cela dans son *Syllabus*, on disait qu'il publiait le *Syllabus*, mais on ne disait pas qu'il avait instauré un dialogue. On ne se voilait pas la face.

D. *Hervieu-Léger* – L'islam tel que vous le décrivez ne parle pas non plus de dialogue...

A. *Finkielkraut* – Je parle de ceux qui entament le dialogue avec lui. Je défends une culture qui soit connaissance de la religion, et une religion qui soit elle-même connaissance de sa propre culture. C'est pourquoi je vois avec inquiétude se développer des modes de communication avec l'Autre (comme on aime à dire) qui croient pouvoir faire l'économie de la connaissance de l'Autre comme de la connaissance de soi, au nom même de la foi intense et authentique qui les anime.

# La France et les Juifs

## Entretien avec Paul Thibaud et Michel Winock

*Alain Finkielkraut* – Devant la fréquence des agressions antisémites, la compréhension de certains juges pour les insulteurs et la criminalisation d'Israël des origines à nos jours, beaucoup de Juifs sont frappés de stupeur. Même les plus pessimistes d'entre eux ne s'attendaient pas à cela. Mais quel nom donner à « cela » ? Que se passe-t-il ? Est-ce le retour du refoulé après un demi-siècle de calme relatif ? Est-ce l'avènement d'une haine nouvelle et planétaire qui touche entre autres la France ? Y a-t-il affabulation, exagération, hystérie même de la part d'une communauté inquiète qui préfère monter en épingle des incidents regrettables mais heureusement minoritaires, quand ils ne sont pas imaginaires, plutôt que de regarder en face la politique de moins en moins défendable de l'État qu'elle défend aveuglément ? Pour répondre à ces questions, nous tâcherons de les mettre en perspective avec Michel Winock et Paul Thibaud.

Avant toute chose, je voudrais lire un texte de Gershom Sholem : « On ne trouve rien dans la littérature allemande qui corresponde à ces pages inoubliables où Péguy, catholique et français, a dépeint l'anarchiste juif

Bernard Lazare comme un prophète d'Israël – et cela à une époque où les Juifs français eux-mêmes, par embarras ou par stupidité, n'ont rien su faire de mieux que de traiter par le silence – un silence de mort – l'un de leurs plus grands hommes. C'est un Français qui, à ce moment-là, a considéré un Juif comme les Juifs eux-mêmes étaient incapables de le faire[55]. » Cet admirable exercice d'admiration, à propos d'une amitié scellée par l'affaire Dreyfus, nous dit-il quelque chose de l'exception française ?

*Paul Thibaud* – Ce texte célèbre de Sholem fait penser à l'opposition que fait Péguy dans *Notre jeunesse*, à propos de l'affaire Dreyfus, entre l'affaire du colonel Picquart et l'affaire de Bernard Lazare : « Celle sortie du colonel Picquart était très bien, celle sortie de Bernard Lazare était infinie. » Picquart en effet est celui qui a révélé l'escroquerie, le mensonge et l'injustice faite à un homme ; Bernard Lazare est celui qui a retrouvé une conscience juive en luttant pour le capitaine Dreyfus. La différence entre les deux est celle qu'il y a entre la lutte contre l'antisémitisme et l'accueil du judaïsme dans la culture française (ce qui intéresse Sholem). Ce qui est important, c'est l'interfécondation entre Péguy et Bernard Lazare : en « recherchant les sources de soi-même » (une expression de Péguy), on ne s'éloigne pas des autres mais on s'en rapproche. Cela est très bien figuré par la célèbre formule de Péguy, « les mystiques ne sont pas ennemis » : si vous vous interrogez sur vous-même et allez suffisamment loin, jusqu'à la mystique, c'est-à-dire jusqu'aux valeurs dernières, vous vous rapprochez des autres. C'est là sans doute qu'on peut parler d'un miracle dreyfusard.

Ce genre de miracle, qui n'est peut-être pas unique

dans l'histoire de France, doit nous avertir de ce qu'il y a quelque chose de précaire dans la simple condamnation de l'antisémitisme. La plupart des gens condamnent l'antisémitisme et cette synecdoque, comme dit Michel Winock dans son livre, qui consiste à faire porter à tous les péchés de quelques-uns. Mais l'intérêt positif pour le judaïsme est une tout autre affaire. Dans le même temps, je pense que la formule la plus bête est que les Juifs sont un peuple comme les autres : c'est une formule qui mène toujours à des malentendus. Quand on s'arrête là, on voit toujours l'antisémitisme repartir. Comme le montre le livre de Michel Winock, l'antisémitisme a plusieurs possibilités d'être ; il peut toujours rebondir quand on n'est pas allé jusqu'à cette interférence positive que Péguy et Bernard Lazare ont réalisée.

*Michel Winock* – Assurément, la citation que vous avez faite révèle une exception française. Je dirais même que, au-delà de Péguy, c'est l'affaire Dreyfus elle-même qui est une exception française. Il y a aujourd'hui, hélas, une vulgate de l'affaire Dreyfus aux États-Unis et en Israël, qui en fait d'abord et avant tout une affaire d'antisémitisme. Or il faut rappeler que l'affaire Dreyfus a aussi été la mobilisation extraordinaire d'une partie du pays et de son élite intellectuelle – c'est depuis cette affaire d'ailleurs que l'on parle des « intellectuels ». Les plus grands noms de la politique française (Clemenceau, Jaurès...) y ont pris part. L'affaire Dreyfus a enfin été la victoire du droit. Pour compléter votre citation, je voudrais en faire une autre. Theodor Barth écrivait ceci : « La France doit servir d'exemple à nous autres Allemands. La situation de nos libertés publiques se trouverait bientôt améliorée de beaucoup s'il y avait chez nous des hommes prêts à rallier ceux qui luttent pour le droit. » Il y a donc bien une exception française, mais ce n'est pas l'antisémitisme qui est exceptionnel : il était partout en Europe. L'exception, c'est évidemment qu'il y a eu une affaire Dreyfus, avec cette mobilisation, ce combat et finalement ce triomphe de la république.

*A. Finkielkraut* – L'amitié entre Péguy et Bernard Lazare nous donne-t-elle un éclairage rétrospectif, en deçà même de l'affaire Dreyfus, sur ce que l'on a appelé le « franco-judaïsme » ? Le « franco-judaïsme » résulte-t-il d'une inter-fécondation du judaïsme et de la république, ou bien simplement marque-t-il l'entrée des Juifs dans la société moderne à l'issue d'un processus d'assimilation ?

*P. Thibaud* – L'exception française du « franco-judaïsme » vient de ce que l'intégration des Juifs passe par la politique, et non pas, comme en Allemagne, par la culture. Sholem montre bien que les Juifs ont été saisis d'admiration devant la culture allemande et qu'ils ont voulu se l'approprier. Mais, ce faisant, ils étaient toujours en situation d'infériorité, parce qu'ils étaient en situation d'apprenants ou de nouveaux arrivants ; ils étaient toujours soupçonnés de ne pas en faire assez et de ne pas assez admirer Goethe ou Schiller... En politique en revanche, les Juifs se sont retrouvés comme participants d'une France qui se redéfinissait elle-même : ils étaient acteurs, et non pas simplement bénéficiaires. C'est là qu'il s'est passé quelque chose de très particulier, qui a permis au judaïsme de s'affirmer davantage en France – même collectivement, à travers le consistoire ou à travers l'Alliance israélite universelle. L'horizon aura été très différent en France et en Allemagne, selon qu'il aura fallu participer à une redéfinition du pays ou bien s'insérer dans le pays.

*M. Winock* – On dit parfois que l'assimilation a été rejetée par une partie des Juifs, et il est vrai que le mouvement d'émancipation et d'assimilation comportait un risque qui était la fin du judaïsme en France. Or les choses ne se sont pas passées ainsi : les Juifs sont devenus des citoyens à part entière, avec toute la liberté de pratiquer leur religion. Paul Thibaud parlait du consistoire : c'est en effet un grand moment que sa création par Napoléon. C'est à partir de 1830-1831 que la religion juive a été reconnue et placée sur un même plan d'égalité que les autres, puisque les rabbins ont été depuis lors rétribués selon le Concordat, comme les pasteurs et comme les curés. Il y a eu là quelque chose de très fort. Le « franco-judaïsme » n'a certainement pas été la disparition de l'identité religieuse juive.

*A. Finkielkraut* – À cette reconnaissance du judaïsme par la France s'ajoute le retentissement dans le monde juif de la Révolution française. « Voilà notre seconde loi du Sinaï », écrivait Isidore Cahen. « C'est notre sortie d'Égypte. C'est notre Pâques moderne », disait le rabbin de Nîmes lors d'un service commémoratif célébré dans sa synagogue à l'été 1889. Enfin, dernier exemple, l'historien Maurice Bloch : « Les temps du Messie étaient venus avec la Révolution française ! Les temps du Messie étaient venus avec cette nouvelle société qui, à la vieille trinité de l'Église, substituerait cette autre trinité dont les noms se lisaient sur toutes les murailles : Liberté ! Égalité ! Fraternité[56] ! » Tout se passe, pour les Juifs de France, comme si cette assimilation n'était pas la proposition d'une

315

nouvelle Nouvelle Alliance, mais un accomplissement de l'Ancienne. Ce pourquoi ils ne sont pas seulement consentants mais enthousiastes.

*P. Thibaud* – Il y a eu une consonance effectivement étonnante, qui n'a pas été sans contrepartie, du reste. Ce qui est extraordinaire aussi, c'est la continuité depuis 1789 jusqu'à Vichy exclu : la Restauration par exemple n'a rien changé à l'émancipation des Juifs, qui s'est même prolongée sous la monarchie de Juillet et sous le second Empire. Cette continuité nationale est vraiment impressionnante, surtout quand on la rapporte à la légendaire instabilité des institutions françaises. Il y a eu là un véritable parti pris qu'un homme comme Henri Heine a très bien senti et très bien dit aussi.

Cela dit, il y a évidemment aussi des formes d'antisémitisme spécifiques. L'antisémitisme catholique est une exception française : il se cristallise au début de la III$^e$ République quand l'Église perd définitivement son pouvoir sur la société. Au désarroi de l'autorité religieuse s'ajoute une sorte de crise du leadership catholique : il n'y a pas de patron du monde catholique, et ce sont des journalistes, comme Veuillot sous le second Empire ou comme Drumont, qui prennent la tête d'un peuple catholique complètement perdu. Par ailleurs, il y aussi un antisémitisme de gauche, populaire, anticapitaliste, qui est à certains égards appelé sur la place publique : la France est le pays où l'antisémitisme ne peut pas rester dans les mœurs. À la différence de ce qui se passe dans le monde anglo-saxon, y compris américain, où des quotas ont été appliqués jusque très récemment, l'antisémitisme doit être public en France. Cela explique un peu l'affaire et ses alentours. L'antisémitisme a été enjeu politique seulement en France, et il a été politiquement battu et rabattu à plates coutures seulement en France.

*M. Winock* – Je ferai deux observations qui vont dans le même sens. D'abord, l'intégration continue des Juifs dans la société française s'est faite à tous les niveaux – pas seulement dans le monde des affaires ou dans le monde culturel, mais aussi dans le milieu administratif et politique. Nous avons eu très tôt, dès la monarchie de Juillet, des députés et même des ministres juifs. Cela a continué jusqu'à Léon Blum puis après la Seconde Guerre mondiale. La deuxième observation est que cette intégration ne s'est pas faite au détriment d'une culture ou d'une religion juives. Dans son ouvrage, Paul Thibaud cite un chiffre tout à fait exemplaire : c'est celui de la comparaison du nombre des conversions en Allemagne et en France. Au XIX<sup>e</sup> siècle, entre 1810 et 1870, il y en a dix mille en Allemagne, mais sept cents en France. Pourquoi cet écart ? Parce que, en France, on ne demande pas un certificat de baptême pour entrer dans l'administration, alors que c'était obligatoire en Allemagne. Marx ou Heine se sont convertis au protestantisme pour pouvoir faire une carrière.

*A. Finkielkraut* – L'antisémitisme a été présent sur la scène politique. Il a même eu le vent en poupe. Puis, au début du XX<sup>e</sup> siècle, il a subi une défaite : les dreyfusards l'ont emporté. Mais il a ressurgi dans les années 1930, et, sous l'Occupation, c'est cet antisémitisme bien de chez nous, et non l'occupant, qui inspire le statut des Juifs. Pourquoi ? Comment ?

317

*M. Winock* – Qui prend le pouvoir en 1940 ? C'est, autour du maréchal Pétain, l'équipe des vaincus. Naturellement, les pétainistes sont nombreux, ils viennent aussi parfois de la gauche ; mais enfin, qui inspire vraiment cette politique ? C'est une politique que l'historien peut qualifier de contre-révolutionnaire ou de réactionnaire : le statut des Juifs va de pair avec la lutte contre les écoles normales d'instituteurs, contre les syndicats... Il faut bien voir que c'est un ensemble. C'est du reste aussi un peu pourquoi le statut des Juifs n'a pas fait scandale autant qu'il aurait dû le faire. Il était, sinon noyé dans, tout au moins mêlé à toute une série de mesures contre-révolutionnaires. Ces gens-là étaient inspirés par Maurras notamment qui a entretenu la tradition d'un antisémitisme d'État ; Xavier Vallat, commissaire aux questions juives sous Vichy, s'en est inspiré dès le discours qu'il a fait en 1936 lors de l'investiture de Léon Blum à la Chambre des députés – discours qui a scandalisé les députés présents ainsi que le président Herriot. Mais c'était là une tradition minoritaire, qui a été combattue et vaincue. Elle a toutefois ressurgi pour prendre sa revanche. Encore une fois, elle ne prend pas sa revanche seulement contre les Juifs, elle la prend contre tout ce qu'exprimait la république parlementaire et contre l'héritage de la Révolution.

*A. Finkielkraut* – Xavier Vallat disait, au moment de l'arrivée de Léon Blum au pouvoir : « Pour gouverner cette nation paysanne qu'est la France, il vaut mieux quelqu'un dont les origines, si modestes soient-elles, se perdent dans les entrailles de notre sol, qu'un talmudiste subtil »...

318

*P. Thibaud* – Je suis pleinement d'accord avec ce que Michel Winock vient de dire. Il y a toutefois quelque chose qui continue à m'interroger : c'est l'acceptation du statut des Juifs par beaucoup de gens qui n'étaient pas des anti-sémites et qui étaient extrêmement loin de Maurras – par exemple, Joseph Barthélémy ou Jacques Chevalier. Certains d'entre eux avaient même combattu l'antisémitisme dans l'entre-deux-guerres ! Il y a aussi cette expression qui revenait très souvent dans la littérature de l'époque, même sous des plumes très honorables – l'idée qu'il y avait un « problème juif » en France. On disait que les Juifs avaient trop d'influence, ou qu'ils étaient trop nombreux. On trouve certaines de ces formules chez Giraudoux, mais aussi chez Saliège ou chez le pasteur Boegner qui ont pourtant eu tous les deux la médaille des Justes. La France semblait n'être pas capable de contenir ses Juifs. Elle n'était pas capable de faire face à la demande d'accueil des immigrés, pas plus que d'affronter Hitler. Ce n'est évidemment pas parce que beaucoup de gens ont considéré que les Juifs étaient des gens indignes, mais il y avait tout de même un sentiment de l'hétérogénéité juive en France à ce moment-là. C'était là un sentiment assez répandu, qui renvoie à mon avis à la crise de la République française à cette époque. La leçon à retenir pour nos jours, c'est qu'il ne suffit pas de ne pas être antisémite ; il faut avoir la capacité d'intégrer et de comprendre les Juifs dans toutes leurs demandes – pourvu qu'elles soient légitimes bien sûr. C'est une question à laquelle il est toujours difficile de répondre.

*M. Winock* – Indiscutablement, la crise des années 1930 explique aussi ce statut des Juifs. Je ferai deux observations à ce sujet. Il y a d'abord l'immigration juive très impor-

tante qui a eu lieu dans les années 1930 ; cette immigration a été considérée par beaucoup de Français comme
une concurrence déloyale dans certaines corporations
(l'artisanat, les médecins, etc.). L'antisémitisme prend à
ce moment-là une tournure véritablement xénophobe,
d'autant plus que les immigrants sont des Juifs de l'Est, et
pas les Juifs français traditionnels. Le deuxième élément
est le pacifisme : la France n'est pas prête, physiquement,
biologiquement même, à affronter une deuxième guerre
mondiale. La crise de Munich montre bien ce désarroi des
Français ; la France n'est plus en mesure de faire face à
son destin. N'oublions pas cependant que, jusqu'en 1940,
l'État français ne sera pas l'adversaire des Juifs. Il prendra
néanmoins des décrets pour limiter l'immigration ; du
même coup, les Juifs vont se retrouver punis eux aussi par
ces mesures de rétorsion. Le statut des Juifs est aussi dans
cette continuité-là.

*A. Finkielkraut* – Il faut donc dater des années 1930 la
première rupture entre le point de vue juif et le point de
vue de la France. La France, alors, ne veut pas faire face.
Vous dites dans votre article, Paul Thibaud, que c'est cette
France calfeutrée dont Pétain fera valoir les droits à la
retraite et « qui entreprendra, en 1940, de mettre les Juifs
au pas parce qu'ils troublent sa tranquillité[57] ». Cette
France n'est pas toute la France. Et vous nous invitez
justement, Michel Winock, à ne pas oublier « la part des
Justes ». Reste que quelque chose alors s'est brisé. Un
autre climat s'est instauré après la Libération, la
confiance est peu à peu revenue. Mais en 1967, au lendemain de la guerre des Six Jours, les points de vue se sont à
nouveau séparés. Les réactions et les propos du général
de Gaulle ont plongé la majorité des Juifs dans un malaise

qui ne s'est jamais complètement résorbé. Il s'est même aggravé. Il est devenu consternation et douleur depuis que « le peuple d'élite, sûr de lui-même et dominateur » est accusé, un peu partout, d'avoir fondé sur le crime un État raciste et colonial. Comment penser cela ?

*P. Thibaud* – Je dirai d'abord un mot sur les Justes et sur la guerre. On peut être frappé de ce que la France a été un pays où il y a eu énormément d'humanité. Beaucoup de Français, de toutes les catégories, même s'il ne s'agit pas bien sûr de la majorité, ont spontanément secouru des Juifs. *Le Livre des Justes* est un livre émouvant et magnifique sur le peuple français. Mais il n'y a pas eu de protestation politique et collective, alors qu'il y en a eu ailleurs – en Hollande par exemple. L'appareil politique qui avait été la voie d'accueil des Juifs était précisément cassé : on trouve parmi les Justes très peu de grands notables républicains – à l'exception remarquable de Justin Godard, maire de Lyon au moment de la Libération et grand notable franc-maçon radical-socialiste. Ce sont plutôt les gens ordinaires et la France chrétienne – protestante d'abord bien sûr, mais catholique aussi – qui ont agi. Les Juifs n'ont donc pas été aidés comme ils l'auraient voulu : ils ont été offensés politiquement mais ils ont reçu de l'humanité, quelquefois de la solidarité. Il y a une différence très importante entre les deux – de là une blessure constante pour certains d'entre eux.

La nouveauté de 1967, c'est la formation d'une opinion juive autonome par rapport à l'opinion de la moyenne des Français. Sur la guerre d'Algérie, sur la guerre d'Indochine, vous ne trouvez pas de réaction juive ; il y a tout au plus des réactions de Juifs, comme il y a des réactions d'autres Français. Mais en 1967 se forme une opinion juive sur la question d'Israël. Il y a depuis lors des réactions juives qui ne sont pas celles de tous les Français. Je dirais que la première manière de soigner cette dissonance est de la reconnaître. Du côté des non-Juifs, il faut admettre que les Juifs peuvent avoir une sensibilité à la question israélienne qui leur est tout à fait particulière. Il n'y a là rien de scandaleux. Du côté des Juifs, il ne faut pas non plus exiger qu'on partage cette réaction, même si l'on doit la comprendre. Cela supposerait que l'on fasse une coupure entre le jugement politique sur Israël et la question de l'antisémitisme latent.

*A. Finkielkraut* – Nous sommes là au cœur du problème actuel !

*M. Winock* – 1967 est certainement un point de cristallisation dans ce processus d'identification juive. Jusquelà, la majorité des Juifs se considère avant tout comme des citoyens français de religion ou de culture juive. 1967 est un point de cristallisation, parce que plusieurs éléments entrent en jeu. Depuis quelques années en effet arrivent les séfarades, qui viennent d'Algérie et qui vont quasiment doubler la communauté juive de France ; or l'histoire de leurs mœurs et de leurs pratiques religieuses n'était pas celle des Juifs d'Europe. C'est là quelque chose d'important je crois pour comprendre ce qui va se transformer. À partir de ces années-là déjà, on voit les boucheries casher se multiplier ou le port de la kippa apparaître… Le discours du général de Gaulle ensuite crée un vrai malaise et semble inaugurer une nouvelle politique de la France qui avait été en quelque sorte la marraine de l'État juif d'Israël ; aux yeux des Israéliens et des Juifs de France, ce discours semble trahir cette vocation de marraine. Enfin, troisième phénomène signalé dans l'article de Pierre Nora[58], la nouvelle génération juive a voulu en savoir plus et elle a demandé des comptes. Elle a voulu savoir ce qu'avaient fait leurs pères, leurs grands-pères, etc.

A. *Finkielkraut* – Peut-être d'ailleurs cette génération est-elle allée trop loin. À force de demander des comptes et de vouloir remonter aux sources de l'idéologie française, elle a contribué à la mainmise du crime sur la mémoire collective. Sous le nom de devoir de mémoire, c'est de l'horreur que nous devons nous souvenir, et de l'horreur seulement. Le passé n'est plus qu'un repoussoir, alors qu'il pourrait aussi être une ressource. Le présent désormais est nu, suffisant et bête.

Et puis cette mémoire n'intimide nullement l'antisémitisme actuel. Car celui-ci ne vise pas le diasporisme ou le cosmopolitisme juif, mais l'ethnicisme et le particularisme effrénés, dit-on, de l'État d'Israël. Or ce qui a aidé les Juifs à se réconcilier avec la France et avec l'Europe, c'est précisément la compréhension et la sympathie de la France et de l'Europe pour Israël. De Gaulle déjà est beaucoup plus *matter of fact*. « Bien entendu, confiait-il, nous ne laissions pas ignorer aux Arabes que pour nous l'État d'Israël était un fait accompli et que nous n'admettrions pas qu'il fût détruit. » On ne s'attache pas à un fait accompli, on le constate. Et voici qu'aujourd'hui on le conteste. On se sert même de la « nouvelle histoire » israélienne pour faire de la naissance d'Israël un mal. On en vient à présenter le conflit israélo-palestinien, des origines à nos jours, comme le face-à-face d'un peuple sans défense et d'un peuple assassin. Membre de ce peuple, je suis donc partie prenante de son crime.

Certes, cette complicité n'est pas une fatalité. Mes détracteurs ne sont pas racistes : si je fais entendre une autre voix juive, ils m'accueillent à bras ouverts et me traitent en héros. Mais je ne peux accepter cette proposition : car ce serait perdre toute dignité, et ce serait aussi livrer, sans coup férir, la vérité problématique au mensonge du mélodrame. Que faire alors ? Discuter ? On discute une argumentation, on discute même une condamnation. Mais quand l'espace public est envahi par la mythologie et la distorsion des faits, on est sans voix. D'où la tentation du repli communautaire.

*P. Thibaud* – Essayons de trouver une issue à la situation que vous décrivez. S'il n'est pas agréable d'entendre l'État d'Israël fustigé avec des argumentations sommaires et inexactes, il n'est pas non plus agréable d'entendre soupçonner son pays d'antisémitisme. On pourrait faire un discours analogue au vôtre, en rappelant les intellectuels américains ou certains livres comme celui de Milner et en évoquant ce feu croisé sommaire, plein d'inexactitudes et d'oublis sur ces choses dérangeantes qui concernent la France. Comment s'en sortir ? Pour ma part, je maintiens ce que je disais tout à l'heure : il faudrait essayer de mettre entre parenthèses la question de l'antisémitisme pour la distinguer de la question politique israélienne. La politique israélienne aurait intérêt à être défendue politiquement, en fonction des dangers que court l'État d'Israël, des possibilités qu'il a ou de celles qu'il n'a pas, du droit de vivre qu'il a absolument, etc. Mais il faut éviter de faire un tir de barrage contre les critiques possibles, en les qualifiant systématiquement d'antisémites. Il est possible qu'elles le soient ou qu'elles instillent de l'antisémitisme ; mais je pense que, dans la discussion, il faudrait mettre entre parenthèses cette défiance qui, elle, ne peut pas être un objet de discussion.

J'ajouterai autre chose, pour essayer d'expliquer ces mauvais sentiments sur Israël. Ces sentiments sont à l'évidence bien réels : l'opinion par exemple selon laquelle les Juifs ont trop d'influence en France est une opinion qui tend à croître, ce qui est un très mauvais signe. Cette défiance a une origine dont il faut parler bien que ce soit difficile. Le discours sur la Shoah depuis vingt ans a tendu à devenir un discours de plus en plus métaphysique opposant l'essence juive victime à l'essence des autres qui sont bourreaux. Le mot « Europe » est tout à fait intéressant : il s'est répandu pour signifier la culpabilité. Les Français ont cru échapper à la culpabilité en devenant européens : déplacement inutile, maintenant on répète que c'est l'Europe qui est antisémite, et non pas telle ou telle nation ! Il y a là un paradoxe... Il faudrait trouver sur la Shoah un autre discours que celui qui prédomine actuellement.

A. *Finkielkraut* – Je précise que je ne parlais pas de la critique de la politique israélienne, mais de la délégitimation vertigineuse de l'État juif à laquelle, chez certains, cette critique conduit. L'occupation que l'on fustige aujourd'hui ne remonte plus à 1967, mais aux origines d'Israël. Israël, État toujours déjà occupant. Ce révisionnisme historique débouche sur une espèce de théologie sauvage. Les esprits les plus laïques dénoncent pieusement le *péché originel* d'Israël. Israël, ou le crime d'être né.

M. *Winock* – Je suis à la fois très sensible à ce que vous dites et en même temps je pense que vos propos sont quelque peu exagérés. Je me méfie du *lamento*. Nous sommes, vous êtes, dans un combat. Il y a des adversaires qui utilisent des moyens qui ne sont pas toujours très honnêtes intellectuellement. Mais je ne suis pas d'accord avec vous quand vous dites qu'on ne peut pas discuter un mensonge : mais si ! On peut parfaitement discuter un mensonge ! D'abord, étant historien, je dirais que les historiens sont là pour ça, pour rétablir des vérités. Ensuite, quelle est la proportion ? Quand je vous écoute, j'ai l'impression que c'est vraiment la France entière qui est submergée par ce sentiment...

*A. Finkielkraut* – Non, c'est dans l'air...

*M. Winock* – C'est dans l'air, nous sommes tout à fait d'accord. D'un autre côté, vous savez aussi qu'il y a une littérature juive – nous y faisions allusion tout à l'heure –, qui est en train elle aussi de réviser l'Histoire. Nous nous sommes livrés à quelques exercices historiques, et nous ne sommes pas allés très loin. Mais vous savez que tous ces propos que nous avons tenus sont révoqués en doute par un certain nombre d'auteurs juifs français qui ont refait l'histoire de la France sous l'angle d'une sorte d'antisémitisme congénital. Cela aussi est insupportable, et nous sommes d'accord là-dessus je crois. Donc nous savons que nous sommes dans un pays où il y a des gens qui disent un peu n'importe quoi, et nous sommes là pour rétablir des vérités. C'est un combat. Le combat de la vérité contre le mensonge, c'est notre combat si on veut faire quelque chose d'utile dans cette société.

*A. Finkielkraut* – « Le mensonge », disait, je crois, Hannah Arendt, « est plus fort que la vérité car il comble l'attente. » Ce mensonge-là de surcroît comble l'attente des cœurs sensibles, des amis de l'humanité souffrante. Ce sont eux qui clouent Israël au pilori. Les Juifs ont cherché, notamment par le sionisme, à rentrer dans l'histoire. Et voici que, sous la forme d'un antisionisme délirant, le destin juif fond à nouveau sur eux. En 1996, j'ai écrit un article sur la politique menée par le gouvernement de Benyamin Nétanyahou. Il avait pour titre « Israël – La catastrophe » et je décrivais certains habitants des implantations comme des cow-boys à mitraillette et à kippa. Je n'en changerais pas une ligne aujourd'hui. Il n'empêche : quand j'entends José Saramago, prix Nobel de littérature, comparer la Palestine à Auschwitz, et quand je lis dans une lettre ouverte à Sharon d'un autre grand écrivain, Breyton Breytenbach, ces mots : « Votre double, cet ancien vendeur de voitures qu'on appelle Nétanyahou, use de stratagèmes encore plus grossiers en matière de propagande, comme s'il caressait d'un doigt crasseux le clitoris d'une opinion publique américaine en pâmoison », eh bien, ce doigt crasseux, c'est le mien, il n'y a plus de critique politique qui tienne !

*P. Thibaud* – C'est une littérature dégoûtante, je vous l'accorde. Mais essayons de nous en sortir, c'est cela qui nous importe.

*M. Winock* – Je voudrais vous poser une question. Je reprends de l'article de Paul Thibaud une citation du grand rabbin Sitruk : « Chaque Juif français est un représentant d'Israël. » Pensez-vous qu'une telle affirmation est dangereuse, ou non ? Pensez-vous qu'elle soit scandaleuse, erronée, ou normale ?

*A. Finkielkraut* – Je pense que cette affirmation est stupide, et je pense qu'elle est fausse. Il y a en France des Juifs fiers d'Israël, des Juifs soucieux d'Israël, des Juifs indifférents à Israël et des Juifs qui ne manquent pas une occasion de montrer à quel point ils détestent Israël. Mais aucun Juif français n'est le représentant d'Israël. Reste que, comme dit Thibaud, la majorité des Juifs ont un lien vital avec l'État juif. Et la criminalisation ou même la tribalisation de ce lien les plonge dans le désarroi. Devenu politiquement injustifiable, l'amour d'Israël est perçu comme une solidarité de type clanique : « Qui peut chérir cet État religieux, nucléaire, raciste et impérialiste sinon des gens du même rang, de la même ethnie ? » dit la *doxa* actuelle. On a l'impression que, en France, il faut être juif pour défendre Israël. C'est la grande différence avec l'Amérique.

*P. Thibaud* – Je pense qu'il y a tout de même de la sympathie pour Israël, même si, incontestablement, elle décroît et que cela doit nous inquiéter. Mais essayons de voir comment nous pouvons nous en sortir. Je crois que ce que vous décrivez est parti d'une situation lamentable qui rappelle à certains égards les années 1930, c'est-à-dire l'incapacité historique de l'Europe : celui qui n'a pas la capacité de faire une politique a tendance à juger. Nous sommes un continent de jugeurs, ce que je trouve dégoûtant. Je parle le moins possible du conflit israélo-palestinien, parce que je n'ai pas de solution à proposer. Je connais les torts des uns et des autres, et il n'y a aucun intérêt à ce que je les dise et redise. Qu'est-ce qui pourrait nous redonner une capacité politique ? À ce moment-là, nous aurions un langage utile qui pourrait nous réunir éventuellement. Nous devrions travailler à cette possibilité absolument nécessaire d'intervenir dans le conflit. Si l'opinion juive se trompe, c'est en croyant que les États-Unis suffisent à Israël. Or je crois que ce n'est absolument pas le cas. Il peut y avoir des craquements absolument tragiques de ce côté-là. L'Europe est aussi nécessaire au monde juif. Essayons donc de lutter contre la défiance et pour que soit reconnu le besoin qu'ont les uns des autres les Juifs et la France, les Juifs et l'Europe. Je me méfie en revanche de la rhétorique qui soupçonne *a priori* toute critique d'Israël. Bien entendu, qui récuse l'existence d'Israël est antisémite ; mais quand on soupçonne tout critique d'Israël de s'engager dans la voie de l'antisémitisme, on est en pleine confusion. Il faut une certaine laïcisation du débat politique sur la question du Moyen-Orient, de façon que ce débat devienne utile et qu'on puisse se parler.

*M. Winock* – Je n'ai pas grand-chose à ajouter, sinon que nous avons tous notre responsabilité, depuis l'État, les médias, nous-mêmes et les intellectuels juifs aussi. Tout en respectant la légitimité d'Israël, nous sommes parfois pris dans un étau, entre ceux que vous avez flétris tout à l'heure, qui remettent en question la légitimité même de cet État qui a pourtant été créé sous les auspices de l'ONU et qui a été reconnu d'abord par l'Union soviétique, et puis ceux qui, dans l'autre camp, ne veulent pas supporter la moindre critique de la politique de l'État d'Israël, et qui ont tout de suite le mot d'antisémitisme à la bouche. C'est tout de même insupportable ! Comme le disait Paul Thibaud, il faut donc qu'on sorte de cette contrainte.

*A. Finkielkraut* – Vous avez raison. Mais pour résister à ce chantage sans pour autant censurer le malaise que nombre de Juifs éprouvent à bon droit, il faudrait pouvoir faire une place à l'esprit de simplification entre l'antisémitisme pur et simple et la critique légitime d'Israël. Ce qui interdit le débat, ce n'est pas la malignité, c'est la bonté manichéenne, la réduction d'une tragédie historique à un conte pour enfants. Je n'ai pas affaire à des méchants mais à des adversaires ruisselants d'humanité. Les terribles simplificateurs veulent le bien. Ils sont bons. Et c'est cet altruisme en pâmoison qui me donne parfois envie de me sauver et de disparaître.

*P. Thibaud* – Je comprends très bien, et cet esprit de simplification est redoutable. Mais nous devons lutter contre lui, non pas justement sur son registre, par des dénonciations générales, mais par un travail pratique. Ce que nous devrions peut-être nous reprocher est d'avoir un peu baissé les bras sur cette question. Dans le débat français sur Israël, quels sont ceux qui parlent et quels sont ceux qui se taisent? Ceux qui se taisent sont les centristes, c'est Michel Winock et moi, parce qu'il n'y a pas pour nous de possibilité d'en parler utilement. Quand nous serons capables de prendre la parole utilement, les choses peut-être iront mieux. Il faut aussi admettre que ce pays est d'une certaine façon communautarisé, c'est vrai : il y a une opinion arabe, il y a une opinion juive, et il y en a d'autres. Il faut les reconnaître comme étant ce qu'elles sont et ne pas se scandaliser qu'elles existent. C'est en comprenant les affinités des uns et des autres que l'on peut restaurer une sorte de consensus républicain encore viable. Sans cela, on va vers des divergences qui seront tragiques.

*M. Winock* – Nous ne nous taisons pas complètement, puisque vous, Paul Thibaud, venez d'écrire un article remarquable, et que j'ai pour ma part consacré un livre à la question ! Mais il est vrai que nous sommes comme je le disais dans un étau, pris entre des adversaires qui sont extrêmement difficiles à cerner parfois. C'est tragique et insoluble, comme situation... J'ajoute quand même que par un travail quotidien, pratique, qu'il s'agisse d'un travail intellectuel ou associatif, on peut œuvrer pour plus d'empathie – un mot très important qui revient d'ailleurs dans nos travaux à tous deux. Je crois que les médias ont malheureusement failli à l'empathie : trop souvent, on ne se met pas à la place des Israéliens. En même temps, je demande aux Juifs de se mettre à la place des Arabes.

# Y a-t-il un fascisme français ?

## Entretien avec René Rémond et Zeev Sternhell

*Alain Finkielkraut* – Devant les progrès électoraux du Front national, j'ai été amené à ne plus considérer comme tout à fait absurde, improbable ou ridicule, l'hypothèse de l'accession au pouvoir de ce parti en France. À voir l'agitation dont est aujourd'hui saisie la droite classique, j'ai l'impression de ne pas être le seul. Or ce qui a fait le succès de ce parti, ce sont tous les ingrédients du fascisme : culte du chef, apologie des valeurs martiales, discipline, anti-intellectualisme, anti-cosmopolitisme érigé en philosophie, sans oublier la conception esthétique de la politique que révèle la mise en scène grandiose de ses congrès. Il est difficile de réfléchir à la question du fascisme français abstraction faite du contexte dans lequel nous vivons ; mais, en même temps, il est sans doute indispensable, pour mieux comprendre ce contexte même, de s'en abstraire et de demander à l'histoire dans quelle mesure le fascisme fait partie de notre tradition politique nationale. René Rémond et Zeev Sternhell, qui ont déjà débattu de cette question, nous aideront à y voir plus clair.

Ma première question sera la suivante : y a-t-il un

fascisme français, c'est-à-dire une variante spécifiquement française du fascisme ?

*Zeev Sternhell* – Si l'on considère le fascisme au sens strict, c'est-à-dire au sens politique et culturel du terme, je crois qu'il fait partie intégrale de la culture politique française. Il y a deux traditions politiques qui existent partout en Europe, la France n'échappant évidemment pas à l'histoire contemporaine européenne. L'une naît au XVIII$^e$ siècle au temps des Lumières et trouve sa concrétisation dans la Révolution française, dans les principes de 1789 et dans les droits de l'homme. C'est la tradition rationaliste, universaliste et humaniste, celle qui fait la gloire de la France. À côté de cette facette brillante et de cet héritage commun à tous les hommes qui se reconnaissent dans la démocratie libérale, il existe une autre tradition qui ne fait pas moins partie du patrimoine national. Sécrétée par l'histoire européenne contemporaine, elle est aux antipodes de la tradition politique universaliste. Cette tradition est une constante de notre temps et de notre histoire. Elle s'est développée au XIX$^e$ siècle, avec la modernisation rapide et brutale du continent européen. Elle a joué un rôle extrêmement important dans l'histoire de notre siècle. Elle est axée sur une vision alternative à la vision rationaliste, humaniste et individualiste, puisqu'elle repose sur une vision organique de la société et elle vomit les droits de l'homme, l'individualisme et l'égalité. La société est envisagée comme un corps dont les individus sont des parties, et elle se définit en termes historiques, culturels, raciaux, ethniques ; le dosage varie, mais ces éléments se retrouvent en général tous ensemble. On ne devient pas membre de ces collectivités faites par l'Histoire, par la culture, par la race : on ne devient pas français parce qu'on veut être français, mais parce qu'on est « français de France », comme disait Drumont – « il faut avoir sucé le vin de la patrie », il faut avoir enterré dans ces terres ses morts. C'est la notion du sang et du sol élaborée par les théoriciens de ce type de nationalisme organique. C'est cette collectivité-là qu'on vient défendre aujourd'hui comme hier. S'il y a quelque chose qui est intéressant et qui est important dans l'aventure du Front national et de la nouvelle droite, c'est cette défense de la collectivité nationale conçue comme un corps vivant. La France aux Français, c'est la France telle qu'on la veut, semblable de tout temps à elle-même et qu'il faut par conséquent épurer des éléments étrangers que le sort et les migrations apportent.

*A. Finkielkraut* – En d'autres termes, cette tradition existe : c'est la tradition alternative à la vision humaniste proposée par le siècle des Lumières. Elle ressurgit avec le Front national...

*Z. Sternhell* – Elle ressurgit surtout en période de crise. À l'heure d'aujourd'hui, cette crise n'en est pourtant pas véritablement une, parce que jamais on n'a vécu aussi bien en France ou ailleurs en Europe qu'aujourd'hui ! Mais cette crise peut être aussi une crise subjective, une crise d'identité, une crainte d'un avenir incertain où la nation pourrait se perdre. Ce qui d'ailleurs est une preuve supplémentaire de la profondeur du phénomène qui s'appelle le Front national.

*René Rémond* – Je suis en grande partie d'accord avec cette analyse. En vérité, la question « Y a-t-il un fascisme français ? » se dédouble : d'une part, y a-t-il une spécificité française du phénomène européen fasciste ? D'autre part, est-ce que le fascisme fait partie de l'histoire de la France ? Zeev Sternhell y a répondu en disant que le fascisme s'inscrit effectivement dans une tradition culturelle. Je ne contesterai pas qu'il y a eu en France des mouvements fascistes, ni qu'il y a eu une imprégnation fasciste, notamment dans le domaine intellectuel : nombre d'écrivains ou d'intellectuels ont été à un moment donné plus ou moins séduits par ce qu'ils croyaient trouver dans le fascisme d'inspiration, de jeunesse, de renouvellement... Parfois déçus par un régime qu'ils trouvaient mou, ils appréciaient la force, la vigueur, le dynamisme des régimes fascistes.

Pour autant, je n'adhérerais pas entièrement à l'analyse de Zeev Sternhell, parce que j'ai du fascisme une définition plus restrictive. Le définir comporte une difficulté qu'on rencontre chaque fois qu'il s'agit d'identifier un phénomène de ce type, car il faut que nous ayons à l'esprit une définition pour reconnaître sur le terrain ce qui s'y rattache. Or cette définition ne peut guère être établie qu'à partir des enquêtes sur le terrain. C'est là une difficulté de méthode à laquelle on n'échappe pas, même aujourd'hui, quand on se demande si le Front national est fasciste. Ce que vient de dire Zeev Sternhell de la tradition qui met l'accent sur la réalité historique que constitue le fait national organique est assurément un élément du fascisme ; mais suffit-il pour constituer le fascisme ? Voilà la question. Je crois qu'il y a eu en France une droite nationale qui ne se confond pas pour autant avec le fascisme. Je crois en effet qu'il faut en plus de cet élément une philosophie politique qui fait de l'État un absolu : il y a un caractère totalitaire dans le fascisme. Ce que vient de dire Zeev Sternhell d'une certaine tradition peut aller jusqu'au totalitarisme, si l'on fait de la préservation de la réalité nationale un absolu inconditionnel auquel on sacrifie tout. Mais elle peut aussi se concilier avec d'autres valeurs : l'attachement à la réalité nationale et la conviction que la France avait une mission se trouvent à gauche et ont pu être liés à des valeurs individualistes et libérales... Je crois que le fait national est susceptible de contracter des alliances avec des idéologies différentes. Pour que l'accent mis sur la valeur nationale aboutisse au fascisme, il faut d'abord que ce nationalisme soit d'exclusion (nous retrouvons ce trait dans le Front national), il faut ensuite qu'il y ait une structuration de la société au service de l'État ainsi que l'embryon d'un parti politique – toutes choses que l'on ne retrouve pas forcément dans les traditions de la droite nationale et autoritaire en France.

À mon sens, il n'y a pas beaucoup d'épisodes vraiment fascistes dans notre histoire nationale. Dans l'entre-deux-guerres notamment, on s'est quelquefois fait illusion lorsque sur le moment, et de la meilleure foi du monde, on a présenté une vision simpliste où la gauche était anti-fasciste et où, par voie de conséquence, tout ce qui était à droite était fasciste. On se rend mieux compte aujourd'hui, quand on analyse les différentes composantes de ces droites, qu'il y avait, bien sûr, des velléités et même des organisations fascistes : c'était le cas du francisme, de Georges Valois à un moment donné, de Doriot et d'une partie du PPF. Mais, à côté, il y avait des organisations qui relevaient bien davantage d'une droite traditionaliste, conservatrice, attachée à des valeurs d'Ancien Régime. Or il y a une composante révolutionnaire dans le fascisme, où s'exprime une volonté de subversion et de destruction de l'ordre existant pour lui en substituer un autre. Il y avait aussi des organisations de libéraux conservateurs qui ne voulaient pas de la révolution sociale.

Au bout du compte, je serais presque tenté de dire que, dans la première moitié du siècle, la France a sans doute été un des pays qui a le plus apporté intellectuellement à la formation du fascisme mais aussi l'un des moins touchés par la tentation fasciste. Je serais même conduit à inverser le problème et à demander pour quelles raisons la France a été relativement réfractaire à la diffusion d'idées dont une partie venait de chez elle...

*Z. Sternhell* – Je suis tout à fait d'accord avec René Rémond quand il dit que le sentiment national et l'idée d'une mission de la France ne mènent pas nécessairement au fascisme. Il n'y a sur ce point aucun débat entre nous. Il existe un nationalisme messianique, un nationalisme jacobin, lequel est un nationalisme à caractère universaliste. La France incarne les valeurs universelles, et l'amour de la patrie signifie aussi l'amour de l'humanité. Dans l'Europe du XIX$^e$ siècle, Mazzini représentait en grande partie cette forme de nationalisme. Mais cela s'achève à la fin du XIX$^e$ siècle. Après quoi, ce qui prend le dessus est, selon la fameuse formule barrésienne qui constitue au tournant du XX$^e$ siècle l'équivalent français du concept allemand du sang et du sol, le nationalisme exclusif de la terre et des morts. C'est là quelque chose d'une extrême importance : ce qui pouvait être vrai en 1830 ne l'est plus en 1890.

Ce nationalisme cherche, non pas à faire accomplir à la nation une mission universelle, mais à protéger et à épurer cette nation pour la défendre contre les apports extérieurs d'une part, contre le virus démocratique d'autre part. Le pluralisme et tout ce qui sépare (la guerre des classes par exemple) y est combattu. Depuis Renan jusqu'au maréchal Pétain, le matérialisme surtout incarne le mal. Le matérialisme, c'est-à-dire la démocratie, la volonté d'égalité, l'idée selon laquelle la raison d'être de la société, conçue comme un agrégat d'individus, est le bien de l'individu, renvoie à une conception hédoniste et utilitaire de la société et de l'État. C'était d'ailleurs la conception de la nation française au temps de la Révolution française. Quand, en 1789, un Américain comme Thomas Paine, l'auteur du fameux pamphlet *Les Droits de l'homme*, arrive à Paris et veut être français, il le devient parce que la conception de la nation est volontariste et individualiste. Paine est même élu à la Convention dans le Pas-de-Calais et occupe son siège sans parler le français. Tout cela, à la fin du XIXᵉ siècle, est mort et enterré. Enfin, puisqu'il faut défendre la nation contre la démocratie et contre le pluralisme, puisque le libéralisme, le pluralisme, le marxisme et le matérialisme constituent un danger de mort pour la nation, celle-ci doit évidemment se doter de structures autoritaires : l'État fort, conduit par un chef digne de ce nom, incarne l'unité nationale et en est le garant. J'ajouterai encore un élément qui caractérise ce nationalisme exclusif : la nation ne sera jamais une aussi longtemps que toutes les classes sociales ne seront pas intégrées. Autrement dit, ce nationalisme-là est antilibéral en ceci aussi qu'il est antibourgeois. L'égoïsme bourgeois met en danger l'unité nationale non moins que le marxisme et la lutte des classes.

*A. Finkielkraut* – Je voudrais à mon tour intervenir dans le débat pour dire deux choses. La première, c'est que l'on trouve cette critique du matérialisme (du bien-être matériel comme horizon de la vie) chez Tocqueville

339

– c'est-à-dire chez quelqu'un qui a réfléchi sur la démo-cratie et qui en a fait la critique en même temps que l'éloge. Ma seconde remarque porte sur la période de l'entre-deux-guerres : la France alors ne sait pas faire face et la tradition utilitariste, hédoniste, matérialiste, ne contribue pas moins que la tradition organiciste au grand effondrement. Si l'on analyse le phénomène du pacifisme français, qui a débouché sur Munich, il me semble que l'hédonisme et l'utilitarisme y ont trouvé éga-lement leurs limites : c'est l'époque du « Tout va très bien madame la Marquise ». Daladier n'est pas un produit de la tradition organiciste, et les « cons » qui lui font un accueil délirant d'enthousiasme à son retour de Bavière, non plus. D'autre part, le fascisme français lui-même a trouvé à ce moment-là une tonalité tout à fait spécifique. J'en veux pour preuve ce qu'écrit Michel Winock dans son livre *Nationalisme, antisémitisme et fascisme en France*[59] : « Le fascisme a traditionnellement partie liée avec la guerre. Non seulement ses protagonistes en sont sortis imprégnés d'agressivité nationaliste, irrédentiste, impé-rialiste, mais le style de la guerre est le style du fascisme. » Cette agressivité martiale faisait défaut au fascisme fran-çais de l'époque. Winock écrit encore : « Dans la France de Giraudoux qui n'a pas d'ambition territoriale et qui a récupéré au prix le plus fort ses provinces perdues, il est entendu pour tout le monde que la guerre de Troie n'aura pas lieu. » Qu'en pensez-vous ?

*R. Rémond* – Ce que vous dites m'intéresse beaucoup, parce que je crois qu'il y a peu de vrai fascisme dans la France de l'entre-deux-guerres (je laisse de côté le cas de Vichy pour le moment). Vous mettez le doigt sur l'un des éléments d'explication : on a en effet affaire à une France qui est profondément pacifiste, à droite comme à gauche. Elle se divise sur la façon de préserver la paix, mais l'idée de paix a été la reine de la France dans l'entre-deux-guerres, comme Maurras avait pu le dire de l'idée de revanche avant 1914. Le pacifisme de gauche rejoint celui de droite avec des connotations différentes. Il manque donc effectivement cet élément constitutif du fascisme qu'est le bellicisme, c'est-à-dire l'acceptation de l'aventure, intérieure, avec la subversion révolutionnaire, ou extérieure, avec la guerre.

Vous signalez à juste titre la critique du matérialisme par Tocqueville, qui est un libéral. Sternhell n'a pas tort d'évoquer, comme composante du fascisme, la récusation d'une société bourgeoise se donnant pour finalité la réussite individuelle et la prospérité collective. Mais cette critique peut très bien puiser à d'autres sources, notamment à des références anciennes. Toute une droite traditionaliste qui n'a jamais accepté la Révolution et qui combat la société libérale qu'elle trouve trop matérialiste n'est pas fasciste pour autant : elle est profondément étrangère au fascisme qui procède des conséquences de 1789, de la constitution d'un peuple, d'une démocratie et de la souveraineté populaire. Le cas de Vichy me paraît parfaitement illustrer cette différence. L'inspiration du premier Vichy (celui de la Révolution nationale) est le nationalisme d'exclusion ; c'est l'un des points d'ailleurs sur lesquels il communique avec le fascisme. Mais la philosophie inspiratrice n'est pas du tout fasciste : Vichy voulait la conservation des élites traditionnelles, alors que le fascisme rêve de substituer à ces élites qu'il n'aime pas des élites nouvelles issues de la masse du Parti. Le premier Vichy était traditionaliste, même s'il pouvait avoir des parentés avec le fascisme. Le dernier Vichy (celui de

341

1944, de la Milice, de Darnand, de Doriot ou de Déat) était, lui, véritablement fasciste. On voit bien la différence : ce n'est plus la même clientèle. Beaucoup des fidèles du premier Vichy l'ont abandonné. En revanche, ceux qui entrent alors au gouvernement de Vichy avaient combattu la Révolution nationale comme archaïque, réactionnaire et cléricale.

*Z. Sternhell* – Commençons par Tocqueville, qui offre quelque chose de très intéressant à l'analyse. Tocqueville en effet voit le monde sombrer dans le matérialisme ; mais il s'y résigne. Pourquoi ? Parce que c'est un rationaliste qui se considère comme un héritier des Lumières françaises et parce qu'il accepte l'histoire dans sa totalité. Il n'aime pas la démocratie, mais il l'accepte parce qu'il sait qu'on ne peut pas revenir en arrière. Il sait aussi que d'énormes dangers guettent la société industrielle qu'il voit se constituer. Sans doute les masses ne s'intéressent-elles qu'à leur bien-être, mais il faut s'y résigner et tâcher d'y implanter des valeurs aristocratiques modernisées et compatibles avec la démocratie.

*A. Finkielkraut* – Ce ne sont pas seulement les masses, c'est aussi l'élite devenue la *jet-set* ou mieux encore les *people* qui tend à faire du goût du bien-être sa passion exclusive. Et Tocqueville se demande, avec une inquiétude prémonitoire, si la tâche dont vous parlez – implanter d'autres valeurs – pourra être menée à bien. C'est l'ambiguïté fondamentale des démocraties : par l'« action réciproque des hommes les uns sur les autres », elles offrent la possibilité aux sentiments de se renouveler, aux cœurs de s'agrandir, et à l'esprit humain de se développer ; mais elles présentent, en même temps, le danger de voir les individus s'absorber tout entiers dans les jouissances de la vie matérielle.

*Z. Sternhell* – Il faut essayer d'améliorer ce que l'on peut. C'est l'Amérique telle qu'il l'a comprise ; nous savons, bien sûr, qu'elle est en réalité très différente de celle qu'il a vue ou cru avoir vue. Mais enfin, l'originalité de Tocqueville est qu'il accepte le monde tel qu'il se structure, tout en essayant d'améliorer ce qui peut l'être et de trouver un équilibre entre la liberté et l'égalité. En revanche, les générations suivantes ne se résignent pas : elles se révoltent. Les antimatérialistes révolutionnaires qui vomissent les principes de 1789 prennent ainsi la route de ce qui sera le fascisme. Ils ont horreur de l'idée d'une collectivité qui se vautrerait dans ses intérêts matériels et ils rêvent d'aventure et d'héroïsme, ils veulent une société imprégnée de valeurs viriles. Quels sont leurs héros ? Pour Thierry Maulnier par exemple, l'une des figures du fascisme intellectuel des années 1930, c'est l'Allemand Arthur Moeller van den Bruck, qui s'est suicidé parce qu'il n'a pas pu supporter l'humiliation de Weimar. Le héros de Bertrand de Jouvenel, autre figure marquante de la mentalité fasciste, c'est encore un autre Allemand, Ernst von Salomon – c'est-à-dire un tueur, un homme des corps francs, impliqué dans l'assassinat de Rathenau, et qui écrit en prison *Les Réprouvés* où il raconte l'histoire de cette révolte qui, à beaucoup d'égards, constitue la première étape de la montée du nazisme. Tous ces gens ont une énorme admiration pour ce débordement de puissance et de vitalité d'outre-Rhin ; mais ils n'osent pas rêver la même chose pour la France parce qu'ils la croient brisée par la démocratie libérale, vidée de son énergie et de sa substance. Il leur semble

343

que la France n'a pas les moyens de se mesurer ni à l'Allemagne ni à l'Italie. Pour cela il faudrait d'abord un renouveau moral, intellectuel et politique. C'est pour cela que beaucoup d'entre eux se tiennent tranquilles tout en rêvant d'un renouveau vitaliste et héroïque de la France. Ils s'y emploient d'ailleurs de toutes leurs forces. Ce fascisme-là n'est donc pas pacifique du tout par principe : quand il s'agit de la guerre civile en Espagne, il exige une intervention puissante aux côtés des franquistes. Simplement il craint de ne pas avoir les moyens d'une nouvelle guerre européenne. Il y a plus : ces hommes-là ont un choix dramatique à faire. La victoire de la République serait la victoire de la patrie, mais ce serait aussi la victoire des valeurs honnies du XVIII$^e$ siècle et du Front populaire de Léon Blum. La défaite de la patrie serait abominable, mais ce serait aussi la victoire des régimes qui, de l'autre côté de la frontière, représentent l'avenir de l'humanité. Les véritables fascistes veulent défendre la Civilisation, et, face à ce qui se joue en Europe, le sort de la France n'est peut-être pas si essentiel que cela.

*A. Finkielkraut* – Mais ce réquisitoire contre le fascisme dur, qui a conduit certains à choisir l'Allemagne nazie contre la France républicaine, ne vous conduit-il pas à sous-estimer ou à disculper l'esprit munichois ? Certaines des valeurs auxquelles vous semblez attaché, comme le matérialisme ou même l'individualisme, s'y sont en effet trouvées fortement compromises...

*Z. Sternhell* – Munich peut être une erreur, erreur colossale sur la nature du nazisme, Munich peut être une sous-estimation dramatique des réalités internationales, mais

344

l'esprit munichois n'est pas fasciste en soi. Ce n'est pas une idéologie. C'est une démission, mais pas une idéologie. Ce n'est pas parce que quelqu'un est munichois qu'il est fasciste.

*A. Finkielkraut* – Ce n'était pas fasciste, mais c'était horrible ! Munich est tout de même une tache dans l'histoire de France.

*Z. Sternhell* – Munich était avant tout une erreur de calcul, qui témoignait de l'incompréhension des réalités. Mais ce n'était pas un alignement idéologique sur l'Allemagne nazie. Des munichois et des antimunichois pouvaient admirer dans la même mesure la grande révolution antimatérialiste qui se faisait en Allemagne ou s'y opposer. Les fascistes étaient les seuls à être saisis d'admiration par la grandeur nazie. Cette grandeur venait de ce qu'on avait réussi, comme ils le disaient, à redonner à tout un peuple la foi en lui-même, à abattre la république libérale honnie et à jeter les bases d'une nouvelle civilisation de moines et de soldats plutôt que de marchands et d'intellectuels.

*R. Rémond* – Ce sont effectivement des questions très importantes, mais je crois qu'il faut les ramener à leur juste mesure. Ce que vient de dire Sternhell est vrai : il s'est posé un véritable drame de conscience à quelques intellectuels qui ont eu à choisir entre la défense de la patrie et la subversion de valeurs et du régime qui leur paraissaient le rempart de la civilisation. Mais cela n'a touché qu'un petit nombre d'intellectuels ! Il y avait beaucoup d'esthétisme dans la tentation fasciste, plus que de véritable adhésion philosophique. On comprend que cela ait davantage touché des hommes de la création comme les romanciers que de véritables intellectuels. Mais ils étaient peu nombreux en tout cas. En fait, le pacte germano-soviétique a été miraculeux : brusquement, on a retrouvé dans le camp adverse les deux ennemis, de sorte que, au moment de l'entrée en guerre, l'unanimité est refaite. Il faut bien voir aussi que ce drame de conscience a son pendant à gauche : il y a ceux qui privilégient les valeurs individuelles et la vie. Aucun intellectuel à droite n'a jamais écrit « plutôt Hitler que Léon Blum » ; mais à gauche, certains disent « plutôt la servitude que la mort ». Pour toute une tradition, il n'y a rien au-dessus de la vie individuelle : rien ne peut donc justifier qu'un pays prenne leur vie à ses citoyens pour assurer sa propre survie. Mais ce sont là, d'un côté comme de l'autre, deux excès dans lesquels la majorité de la société française n'a pas versé : le pacifisme inconditionnel, qui met au-dessus de tout la préservation de la vie, d'une part, la séduction du fascisme d'autre part, n'ont concerné que des minorités. Quant à Munich, il y a eu pour une part une réaction de soulagement ; mais nous avons la chance de disposer de sondages d'opinion (les premiers). Or on découvre que l'opinion, dans sa majorité, a été chagrine de Munich et y a souscrit comme à un pis-aller ; les deux tiers estimaient que les accords de Munich étaient de mauvais accords et qu'on n'échapperait pas pour autant à la guerre. Un sondage effectué en mai ou juin 1939 montre bien la limite de la séduction que peuvent exercer les régimes fascistes : à la question de savoir si, au cas où Hitler s'emparerait de Dantzig par la force, il faudrait répondre par la force, les deux tiers des Français ont répondu « oui ». Ils savaient évidemment que cela signifiait la guerre. Ainsi, je crois

346

qu'il y a bien des traces de tout ce que dit Sternhell, mais il faut les replacer dans la perspective globale d'une nation qui, dans l'ensemble, n'a pas succombé à la tentation.

*Z. Sternhell* – Le problème n'est pas véritablement celui de la nation. Je crois que les Italiens, dans leur ensemble, n'ont pas succombé au fascisme. Je dirais même que la majorité des Allemands n'a pas voté pour Hitler, jusqu'au dernier moment. Ce qui est en cause, ce n'est pas vraiment le Français moyen ; ce dernier n'a pas grand-chose à se reprocher, que ce soit pendant les années 1930 ou pendant la guerre. Les héros sont toujours peu nombreux et on ne peut exiger de tous ni grandeur d'âme ni esprit de sacrifice. C'est un peu la même chose en Italie : cependant, la résistance ouvrière y était très développée, et la majorité des Italiens moyens n'était pas fasciste. N'oublions pas d'ailleurs que Mussolini a été déposé par les instances supérieures du parti fasciste : voilà une mésaventure qui ne pouvait arriver à Pétain, qui s'est toujours refusé à permettre la constitution d'un parti maréchaliste, qu'il fût unique ou non, précisément pour ne pas se créer une source de difficultés. Mais il a investi un effort énorme dans la mobilisation des esprits. À mes yeux en effet, le fascisme est avant tout un problème culturel : sa force résidait dans l'imprégnation culturelle qu'il a exercée partout en Europe. Le rôle des intellectuels a été très important. Or ceux-ci façonnent une vision des choses pour toute la société : *Gringoire* tirait à plus de huit cent mille exemplaires à la veille de la guerre, et il y avait d'autres journaux comme *L'Action française, L'Ami du peuple,* qui, comme le disait Léon Blum, exerçaient une véritable emprise sur une partie importante de l'opinion publique... Toute cette presse véhiculait une vision du monde très proche de celle du fascisme. Le travail qui se faisait dans ce laboratoire d'idées qu'était *Combat* de Maulnier et Blanchot s'est répercuté sur l'opinion publique, par l'entremise de la grande presse, même si la revue elle-même n'avait que trois mille abonnés. Dès la fin du XIX$^e$ siècle, *La France juive* de Drumont et *La Psychologie des foules* de Le Bon comptent parmi les plus grands best-sellers de leur temps ! De la même manière, le darwinisme social règne dans les revues scientifiques de toute cette époque, et ce dans le monde entier.

Il est évident qu'une idéologie de la rupture comme celle-là ne pouvait pas devenir une force politique autrement qu'à la faveur d'une grande crise. La France a eu la chance d'échapper aux crises psychologiques, financières et politiques qui ont suivi la Première Guerre mondiale, parce qu'elle était dans le camp des vainqueurs et qu'elle n'était pas prise dans le tourbillon de l'inflation et du chômage, protégée qu'elle était par son retard économique... Alors que le système bancaire allemand était branché sur Wall Street, et s'effondrait, le système bancaire français ne l'était pas. Mais à la faveur de la crise de 1940, à la faveur de la plus grave défaite de son histoire, tout s'écroule en France d'un seul coup. Un édifice qui tenait debout depuis un siècle et demi, qui avait résisté à la crise boulangiste et à l'affaire Dreyfus, aux crises des années 1930 et au 6 février 1934, s'est effondré comme un château de cartes. Aussi ne suis-je pas d'accord avec René Rémond : je ne crois pas que le premier Vichy ait été véritablement traditionaliste, ce n'était pas un régime conservateur parce qu'il ne cherchait pas à conserver quoi que ce soit. Je crois au contraire qu'il y avait une course en avant et que les hommes au pouvoir, y compris le maréchal, savaient très bien ce qu'ils faisaient. Ils sont arrivés armés d'un cadre conceptuel clair et ils ont cherché d'abord à détruire l'héritage de 1789, ensuite à changer la société. Ils ont produit un système de législation en six mois qui a suscité l'admiration d'une partie vraiment importante des élites, séduites par l'ambition de rénovation et de révolution de Vichy. Cette révolution avait pour objectif de rendre au corps national son intégrité et de le débarrasser de la démocratie et du libéralisme (en tant que valeur politique et intellectuelle, et non pas dans le sens économique du terme). La nation avait été vaincue, non pas à cause de son état-major ou de mauvais chefs, mais parce qu'elle avait de mauvais principes : ce sont les valeurs universalistes de 1789 qui sont censées avoir été battues en 1940 !

*R. Rémond* – Le choc de la défaite en 1940 a naturellement fait voler en éclats beaucoup de convictions et conduit, comme toute crise nationale, à des reclassements. De fait, il y a eu une mise en cause des postulats sur lesquels vivait le régime. Puisqu'on imputait la responsabilité de la défaite au régime, il fallait reconstruire la société sur d'autres principes. Mais, à partir de là, on peut vouloir la construire sur des principes nouveaux qui n'ont pas encore été expérimentés ; mais on peut aussi vouloir revenir en arrière. Or je crois que, dans un premier temps, Vichy défend surtout une pensée restauratrice et le retour à des valeurs antérieures : puisque le pays a fait fausse route depuis la Révolution, on reconstitue une société hiérarchique, élitiste, obéissant à un principe d'ordre largement inspiré de celui de l'Ancien Régime. À ce stade, ce n'est pas du fascisme. Par la suite, Vichy évoluera. Cela n'empêche pas qu'il y ait eu des points communs avec le fascisme, en particulier les mesures d'exception destinées à resserrer le corps social.

En ce qui concerne l'importance de la dimension culturelle dont parlait Zeev Sternhell, je suis d'accord : le fascisme est un phénomène culturel autant que politique. C'est l'une des raisons pour lesquelles j'hésite à dire aujourd'hui que le Front national est fasciste : sa pauvreté sur le plan culturel est affligeante ! Ce qui fait la force du fascisme, ce n'est pas seulement une action de défense du corps social, c'est aussi un système de pensée et une philosophie politique. Or Jean-Marie Le Pen n'en a aucune : on ne sait pas quel serait le régime, avec quel type d'institutions... Son programme s'arrête en fait à l'exclusion. Vichy avait au moins cette supériorité sur Jean-Marie Le Pen d'avoir une vision globale et un programme.

A. *Finkielkraut* – La doctrine s'est pourtant étoffée lors du dernier congrès du Front national. La préoccupation écologique a fait son apparition mais dans la langue organiciste de l'enracinement et non, bien sûr, dans celle – humaniste – de la responsabilité. Et ce nouveau souci a fourni son vocabulaire à des obsessions plus anciennes : on parle désormais de l'immigration en termes de pollution. Mais ce qui est frappant aujourd'hui, ce qui distingue radicalement notre temps des époques antérieures, c'est l'allergie de toutes les élites et de toutes les institutions à ce type de discours. Les intellectuels, les journalistes, les responsables politiques, les Églises, les différentes branches de la franc-maçonnerie sont anti-fascistes. L'antifascisme est le ciment de la France contemporaine. Or, malgré cette hostilité militante, malgré les

350

pétitions, les manifestations et les professions de foi, le national-populisme progresse. Comment analyser un tel phénomène?

*R. Rémond* – Je crois que le Front national est actuellement mutant: je ne pense pas qu'il ait été fasciste d'emblée. Pour le moment, il est simplement mutant; mais, si la mutation se poursuit dans le sens qui se dessine, nous allons effectivement vers un fascisme. Il n'est pas tout à fait vrai de dire qu'il n'a le soutien d'aucun intellectuel, car il a procédé la semaine dernière à la constitution d'un conseil scientifique dans lequel on trouve une trentaine de noms d'écrivains et d'universitaires. Ce ne sont pas tous de grands esprits, ils ne font pas tous autorité dans leur discipline, mais qu'ils aient passé outre au respect humain et qu'ils apportent à ce parti la caution de leur appartenance me paraît préoccupant. C'est un autre signe de ce que nous sommes en train de changer d'échelle: dans le moment même où le mouvement mute et se rapproche sans doute du fascisme, il est en train d'acquérir une certaine légitimité intellectuelle.

*Z. Sternhell* – Je voudrais d'abord faire une remarque sur Vichy en ce qui concerne son caractère traditionaliste et le retour aux valeurs d'antan. Notre désaccord est assez important sur ce point. Je crois que Vichy était engagé dans la course en avant et que son élitisme et sa hiérarchie n'étaient pas ceux de l'Ancien Régime. C'était une dictature qui savait très bien manipuler la jeunesse, la presse et les différents organismes sociaux; il y avait là une vision du monde et une volonté de restructurer la société en fonction d'un certain nombre de principes modernes. Quelques-uns de ces principes avaient sans doute à voir avec une certaine nostalgie : l'élitisme par exemple est sur ce point très intéressant. Taine a expliqué la Révolution par la chute des élites, et cette idée selon laquelle c'était la démission des élites qui avait rendu possible la Révolution a été reprise par les sociologues et les analystes politiques pour en faire une règle générale. Cet élitisme est finalement devenu l'élément fondamental d'une pensée populiste s'appuyant sur le peuple mais pas sur le suffrage universel : cette pensée est commandée, non pas par la volonté exprimée, mais par l'idée qu'un groupe d'hommes, lui, exprime la volonté du peuple. Or l'identification du maréchal avec le peuple dit précisément cela : le maréchal est le chef qui exprime le génie de la nation et la volonté de quarante-huit millions de Français à qui personne pourtant n'est allé demandé leur avis. À mon sens donc, le premier Vichy était déjà une dictature de nature fasciste. Car c'est alors que s'installe en quelques mois, bien plus rapidement et bien plus facilement qu'en Italie, un régime fondé sur un véritable culte du chef, une dictature souvent plus dure que la dictature mussolinienne. L'objectif à Vichy n'est pas une quelconque restauration d'un ordre ancien mort depuis un siècle et demi, mais, au contraire, l'instauration d'un ordre nouveau, fruit de la Révolution nationale en marche. C'est en octobre 1940, sans aucune sorte d'intervention allemande, que sont promulguées les lois raciales. La comparaison avec l'Italie est particulièrement éclairante et pas du tout en faveur du régime de la Révolution nationale : où la répression policière est-elle plus dure et où y a-t-il entre 1940 et 1942 davantage de camps de concentration pour étrangers, réfugiés politiques et autres indésirables :

en Italie ou en zone libre ? Un Juif, ou un autre étranger,
se sent-il davantage en sécurité à Nice et en Libye occu-
pées par les Italiens ou à Marseille et en Algérie ? Qui
livre aux nazis quatre mille enfants juifs, dont le plus
jeune avait deux ans, et dont les Allemands ne voulaient
pas, la police italienne ou la police vichyssoise, c'est-à-
dire la police française, commandée par Bousquet ? Par
ailleurs, le culte des valeurs anti-Lumières, ces armes forgées contre l'individualisme, l'humanisme, le libéralisme,
le « matérialisme », qu'il fût marxiste ou bourgeois, est
aussi puissant à Vichy qu'en Italie, sans parler de la
Garde de Fer roumaine, parvenue elle aussi au pouvoir
en 1940.

À Vichy, comme en Italie et en Allemagne, c'est à la
faveur d'une crise déclenchée par la défaite, mais longuement mûrie depuis le début du siècle, dans une extraordinaire atmosphère de détresse morale et psychologique,
que furent traduites en termes concrets d'un régime nouveau les idées élaborées depuis la fin du XIXe siècle. C'est
ce sentiment de fin d'un monde qui a provoqué la démission des élites libérales et conservatrices et qui les a ame-
nées à voir dans les dictateurs des sauveurs de la nation.
Comme en Italie et en Allemagne, ce sont les élites qui
ont remis le pouvoir aux mains du maréchal et se sont
mises à son service. Le culte du dictateur comme la servia-
bilité des élites, la guerre à tout ce qui de près ou de loin
touchait aux principes de 1789, aux Lumières, aux droits
de l'homme, ou l'extraordinaire effort de formation de la
jeunesse destiné à donner naissance à l'« homme nouveau » trouvent leur concrétisation à Vichy et ne se distinguent guère de ce qui se pratiquait dans les pays voisins.

Pour ce qui est du Front national, je crois qu'il s'agit
d'une constante : le Front national est le développement

d'une tradition qui est là depuis plus d'un siècle. Je ne m'étonne pas de ce qu'il y ait des intellectuels : après tout, partout en Europe, les intellectuels étaient les premiers à s'enflammer pour le fascisme...

*A. Finkielkraut* – N'exagérons pas. *Des* intellectuels se sont peut-être ralliés à Le Pen. Mais le gros des troupes s'enflamme aujourd'hui pour l'antifascisme.

*Z. Sternhell* – D'accord. Le fait qu'il y ait *des* intellectuels qui se sont ralliés au Front national ne m'étonne pas. N'oublions pas ceci : nous connaissons déjà la fin de l'histoire, nous avons une expérience que nous n'avions pas, il y a plus de cinquante ans. Quand on parlait de « fleuves de sang » avant 1914, ce n'était pas la même chose que quand on en parlait après 1918. Mais le fait le plus important aujourd'hui est l'alignement de la droite respectable (libérale conservatrice) sur certaines positions du Front national. Là aussi, le modèle fonctionne : les radicaux (je veux dire les durs, les extrémistes) et les modérés se combattent jusqu'à ce que les uns s'alignent sur les autres ; en général, ce sont plutôt les modérés qui s'alignent sur les durs. Nous observons aujourd'hui quelque chose qui ressemble à ce schéma, et ce n'est pas seulement de l'opportunisme, même si les hommes politiques aiment aller là où le vent les pousse...

# L'adieu aux paysans

## Entretien avec Pierre Jourde et Richard Millet

*Alain Finkielkraut* – « Chaque mort, écrivait Michelet, laisse un petit bien, sa mémoire, et demande qu'on la soigne. Pour celui qui n'a pas d'amis, il faut que le magistrat y supplée. Car la loi, la justice, est plus sûre que toutes nos tendresses oublieuses, nos larmes vite séchées. Cette magistrature, c'est l'Histoire. Et les morts sont, pour dire comme le Droit romain, ces *miserabiles personae* dont le magistrat doit se préoccuper[60]. »

À lire *Pays perdu*, de Pierre Jourde et *Ma vie parmi les ombres*, de Richard Millet, j'ai pensé que cette magistrature, devenue inassumable pour une histoire consciente de ses limites, incombait désormais au roman, ou plus précisément à un certain type de roman. À la question « Est-il bon qu'on se souvienne ? », ces deux écrivains, en effet, répondent comme Michelet : « Oui, chaque âme parmi les choses vulgaires en a telle, spéciale, individuelle, qui ne revient point la même et qu'il faudrait noter quand cette âme passe et s'en va au monde inconnu. » S'ils se font ainsi les gardiens des tombeaux, les témoins des défunts, les tuteurs et les protecteurs des morts, c'est que ces morts témoignent eux-mêmes d'un monde enseveli.

Ce monde, quel est-il, et comment le définiriez-vous ?

*Pierre Jourde* – J'aurais un peu de mal à le définir en ces termes, parce que l'expérience que j'ai du pays dont je parle ne correspond pas tout à fait à « la terre et les morts », comme enracinement et comme refuge de valeurs. Je fréquente ce pays intimement depuis que je suis né. Mais j'y ai fait plutôt l'expérience d'un nulle part, d'un égarement.

*A. Finkielkraut* – Où se trouve-t-il donc, ce pays que vous dites perdu et où l'on s'égare tout le temps ?

*P. Jourde* – Peu de gens connaissent les noms des lieux que je décris – par exemple les monts du Cézallier, qui sont des volcans situés entre le Sancy et le Puy-de-Dôme. Cela ressemble un peu à l'Aubrac : des montagnes entre mille et mille cinq cents mètres d'altitude, des herbages déserts – une sorte de petite Mongolie... La ville la plus proche serait Saint-Flour, à cinquante-cinq kilomètres. Personne là-bas ne va jamais à Paris, rarement à Clermont-Ferrand. On reste confinés entre soi, dans un monde qui change peu.

*A. Finkielkraut* – Il est dit pourtant, en quatrième de couverture de votre livre, que « ce qu'on enterre dans ce roman, ce sont les derniers paysans ». C'est l'histoire en effet de l'enterrement d'une jeune femme, morte d'un cancer. À l'occasion de ces funérailles défilent plusieurs personnages – ceux qui viennent mais aussi ceux qui ne viennent pas, et dont votre mémoire est pleine. Il s'agit donc bien d'une sorte d'adieu aux paysans...

*P. Jourde* – Je n'ai pas compris tout de suite que c'étaient les derniers. J'ai longtemps cru que ces gens, leur civilité et leur mode de vie étaient naturels et qu'ils existeraient toujours. Je me suis aperçu il y a vingt ans à peine qu'ils étaient entrés dans le temps. C'est depuis lors une souffrance pour moi que de les voir partir. De me dire que les petits éleveurs qui travaillent encore là-bas constituent la dernière génération.

*A. Finkielkraut* – Est-ce parce qu'ils n'ont pas de successeurs ?

*P. Jourde* – Il y en aura peut-être un ou deux, mais ce sera sous la forme à peu près inévitable là-bas du jeune homme célibataire qui ne trouve pas à se marier, parce que personne ne veut d'une vie aussi solitaire et âpre. Cela dit, ce qui me frappe quand j'y vais, c'est que ces gens généralement considérés comme grossiers et brutaux ont quelque chose d'exceptionnel : certains paysans sont des rois. Ils montrent des manières princières dans l'accueil, dans l'hospitalité, dans la distance aussi...

*Richard Millet* – On pourrait dire aussi, pour reprendre le titre de Giono, que ce sont des « rois sans divertissement ». Je suis tout à fait d'accord avec ce que vient de dire Jourde : nos deux histoires sont tellement proches qu'on pourrait sans dommage en commuter les noms des auteurs...

*A. Finkielkraut* – Où se situe, sur la carte, le monde d'où vous venez et que vous voulez sauver de l'oubli ?

*R. Millet* – J'ai la chance, si j'ose dire, qu'il se nomme le plateau de Millevaches : ce nom un peu ridicule est en effet célèbre. Il signifie, non pas qu'il y ait des milliers de vaches, mais qu'il y a des centaines de sources. C'est une table granitique, au sommet du Limousin, d'où partent des rivières comme la Vienne, la Corrèze ou la Creuse. Cela en fait quelque chose de plus facilement reconnaissable que le pays de Jourde.

*A. Finkielkraut* – À quelle distance se trouvent ces deux pays ?

*R. Millet* – Environ une centaine de kilomètres. Cela ne semble pas très loin, mais c'est en même temps l'infini : au-delà de trente kilomètres, ce n'est plus tout à fait le même patois, ce n'est plus tout à fait le même paysage non plus. Chez lui, les toits sont couverts de lauze, et chez moi d'ardoise. De même, c'est de la roche volcanique chez lui et du granit chez moi : c'est la civilisation de la roche noire contre celle de la roche dure. Cela contribue naturellement à façonner les gens de manière intéressante.

*A. Finkielkraut* – Vous écrivez : « J'habitais Sion comme on n'habitera sans doute jamais plus nul territoire, avec cette connaissance d'un monde rural parfaitement délimité, sinon clos, dans lequel chaque chose était à sa place, chaque être issu d'une histoire connue de tous ou bien, comme moi, objet de légende, vivant et mourant dans une communauté à peine troublée par l'invasion du dehors – sinon par la radio, la télévision, le téléphone, les automobiles. Et encore portait-on sur tout cela un regard méfiant ou ironique, le reste du monde demeurant dans un lointain qui confinait à l'abstraction. » C'est bien pour cela que vous pouvez dire qu'il y a l'infini entre vos deux pays... Vous évoquez aussi une manière d'habiter qui a elle-même disparu...

*R. Millet* – Oui, parce qu'il s'agissait d'une communauté comme on n'en trouve plus aujourd'hui – dans les grandes villes en tout cas. J'y ai fait l'expérience, et Pierre Jourde également, d'un sentiment d'immortalité. C'était peut-être naïveté de notre part, bien que nous fussions à une époque où tout était déjà en train de basculer, dans les années 1960-1970. C'est à ce moment-là que le « paysan » est devenu « agriculteur ». Ceux qui restent sont aujourd'hui en train de devenir des « techniciens de l'agriculture ».

*P. Jourde* – Je parlerais même de « fonctionnaires de l'agriculture » parce que, depuis quelques années, la nouveauté est qu'il faut aussi remplir des quantités de papiers. Chaque bête est étiquetée, identifiée, la quantité de fumier versée sur chaque parcelle répertoriée... C'est sans doute, hélas, le destin de tous les métiers.

*A. Finkielkraut* – On peut dire que cette mutation a culminé dans les années soixante du xx$^e$ siècle. Mais tout a commencé au sortir de la Seconde Guerre mondiale : compromis par l'exaltation pétainiste du retour à la terre, le monde agricole a voulu rompre alors avec l'ordre traditionnel des champs et participer à l'édification d'une société de croissance. Tard venus du prométhéisme, les paysans ont mis les bouchées doubles. Ils ont ardemment endossé le projet moderne : assurer à l'homme la maîtrise de la nature pour soulager sa condition. Cette mutation spectaculaire tend à faire du métier d'*exploitant agricole* l'une des professions les plus en pointe de notre temps. Cultiver, ce n'est plus prendre soin de la nature, c'est calculer, c'est instaurer l'univers machinable et malléable du hors sol et de l'élevage en batterie...

*R. Millet* – Encore faut-il préciser de quel type d'agriculture il s'agissait. En Corrèze, il s'agissait de toutes petites structures : la ferme avait quatre ou cinq vaches, quelques porcs et quelques volailles. Je me souviens par exemple du premier élévateur à fumier : pour moi qui, dans mon enfance, ai nettoyé des étables à la main, c'était quelque chose d'extravagant et de futuriste ! Il y avait le spoutnik et l'élévateur à fumier... En tout cas, jusqu'au bout, les paysans de Corrèze sont restés dans le système archaïque qui datait du XIX$^e$ siècle. Je prétends de ce fait que Jourde et moi avons vécu dans le XIX$^e$ siècle à peu près jusqu'à aujourd'hui. Il n'y avait quasiment aucune différence avec *La Terre* de Zola, par exemple ! Il y a ainsi des rétrécissements des perspectives temporelles qui sont proprement sidérants. Aujourd'hui que ce monde a disparu, ceux qui nous lisent (nos enfants, par exemple) le font comme nous lisons Zola ou Balzac aujourd'hui...

*P. Jourde* – J'ai dit tout à l'heure que ce monde changeait peu. C'était encore vrai très récemment. Aujourd'hui, dans quelques hameaux de haute Auvergne, on trouve encore ce mélange d'archaïsmes profonds et de modernité. Mais la déculturation est là, et les collectivités

360

villageoises se meurent. En fait il y a certainement plus de choses qui ont changé en l'espace de vingt ans que depuis quasiment le Moyen Âge. Je n'étais pas conscient de l'écart dans mon enfance, je ne le suis devenu que progressivement. J'avais moi aussi l'habitude de faner avec un char en bois, tiré par des bœufs, et ce jusqu'à l'âge de douze ou quatorze ans. Je me souviens très bien de cette année 1969 où l'on fanait le jour et où l'on regardait, le soir, à la télévision, les Américains débarquer sur la Lune avec un autre type de char...

*A. Finkielkraut* – Je me suis dit, en vous lisant, que l'ère du témoignage succédait, dans l'écriture, à celle de l'engagement. Vous n'allez pas dans le sens de l'histoire, vous parlez pour ce qui tombe ; vous ne cherchez pas à en finir avec le vieux monde, vous portez le deuil d'une France révolue ; vous n'êtes pas absolument modernes, vous êtes nostalgiques. Nostalgie sans complaisance. Vous refusez les facilités du sentimentalisme, vous résistez, l'un comme l'autre, à la tentation d'enjoliver vos souvenirs. Ce qui donne à vos livres respectifs tout à la fois leur valeur littéraire et leur force de vérité.

Mais chez vous, Pierre Jourde, cette résistance est si radicale qu'on ne sait, au bout du compte, si c'est l'hommage qui l'emporte, ou le dégoût. « Ce qu'on enterre, dans ce roman, ce sont les derniers paysans ; c'est aussi la beauté dont on ne peut faire son deuil », lit-on sur la quatrième de couverture. Mais plus on s'enfonce dans le roman, plus aussi on a la sensation physique de s'embourber. Vous nous conviez à un étrange et terrible voyage au pays de l'indistinct. Ce monde qui meurt et que vous aimez est aussi le monde de l'alcool, de la saleté, de la confusion des formes.

*P. Jourde* – Je crains que ma conception de la beauté ne soit liée à la découverte d'une violence. Pour moi, la beauté est noire : elle advient quand la forme cède et révèle un chaos intime qui n'appartient plus à l'objet beau, ni à rien. Lorsque les figures des choses se défont, retournent à l'indistinct. C'est ce qui m'intéressait dans ces vieux pays, terres d'usure et d'abandon, et c'est sans doute la raison pour laquelle ce n'est pas la nostalgie qui l'emporte. Me fascinait là-haut ce rapport entre la forme répétitive et structurée (les maisons, les pierres, les arbres...) et l'informe toujours présent dans les paysages, dans les bêtes, les ruines, dans l'abandon. Ce n'est pas un monde facile, où l'on n'a pas forcément envie de vivre ; on y trouve des gens qui peuvent se montrer odieux et brutaux – la campagne, c'est aussi des villageois qui épient, des ragots, des violences. Mais la parole y prend un poids dont nous avons perdu l'habitude. Ce qui se perd aussi avec les derniers paysans, c'est un certain goût de la liberté et de l'indépendance. C'est pour cette raison d'ailleurs qu'il est douloureux de les voir se fonctionnariser. Ils ont encore le sens de l'honneur, qui va de pair chez eux avec celui de l'hospitalité. Certains sont pour ainsi dire des brigands : le braconnage, les coups de fourche au gendarme ou au vétérinaire, ça existe encore précisément parce qu'on veut sauvegarder son indépendance.

*A. Finkielkraut* – Je voudrais citer quelques-unes de vos réflexions, sur ce que vous appelez « la légende des maisons sales » : « Car il faut bien y boire, dans ces maisons. Toute visite exige son canon de rouge, à la rigueur son café. Inutile de biaiser, le verre de sirop peut comporter plus de risques que le vin : on espère vaguement que l'alcool désinfectera un peu. Il y a ceux qui font passer le café dans de vieux bas, ceux qui le réchauffent dans une boîte de petits pois posée à même le feu. Dans une ferme, l'étrangeté du service atteignit un jour des beautés fabuleuses. Il devait s'agir de verres protocolaires que l'on sort rarement, réservés peut-être à des invités de marque. Des araignées confiantes les avaient emmaillotés, le vin fut versé sans autre précaution et le filet de pinard creva une toile poussiéreuse. » Ce n'est pas tout, on trouve aussi un développement extraordinaire sur l'alcool qui « tuméfie les faces, cogne les épouses, ruine les exploitations, déforme les membres, ourdit des accidents, lui et lui seul. Ceux qui lui ont vendu leur âme ne sont plus que l'alcool, le corps provisoire et titubant de l'alcool. Il travaille au lent retour vers la confusion des formes, vers les créatures du chaos. Il fabrique des succédanés de titans ». Vous dites aussi, un peu plus loin, que « tout dans la vieillesse et l'usure générale des choses, tout finit par se confondre ». Cela vaut aussi pour la vie et la mort. Enfin, vous dites de la maison du cousin Joseph, à la toute fin du livre, qu'elle est une « concentration d'indistinct ».

Là où Heidegger, à travers l'expression *es gibt* (littéralement : cela donne), définit l'être comme une abondance, une générosité, une bonté diffuse, il me semble que vous retrouvez l'horreur décrite par Lévinas devant le non-sens et l'innommable chaos de ce qu'il appelle l'*il y a*.

P. *Jourde* – Pour Lévinas, c'est exactement cela. Mais il y a aussi de cela peut-être chez Heidegger. Ce pourrait être heideggerien aussi que de dire qu'on saisit l'être en chaque chose particulière, à ce point asymptotique où son extrême particularité se trouve niée par la non-particularité. C'est cela, au fond, le chaos : c'est ce point vers lequel l'étant tend à s'échapper à lui-même et qui ouvre l'horizon de l'être. Cela a l'air extrêmement sérieux de situer ainsi le débat, mais je crois que vous avez touché le point juste. C'est en effet la question. Cette représentation du chaos participe d'une recherche sur ce que serait l'être dans cette fuite.

*A. Finkielkraut* – Il me semble que votre expérience est assez différente, Richard Millet. C'est quelque chose de très individualisé que vous mettez au jour.

*R. Millet* – À la différence de celui de Pierre Jourde, mon roman n'est pas complètement contemporain, puisqu'il essaie de restituer une enfance et l'émerveillement qu'elle a suscité. En ce qui concerne toutefois la question du chaos, de l'entrouvert, il me semble que tout ce qu'il peut y avoir de noirceur et d'informe s'est en fait structuré à travers des rites et des superstitions religieuses, politiques et surtout mythologiques. Le rapport aux bêtes en particulier nous fait atteindre au mythologique.

*A. Finkielkraut* – Comment définiriez-vous ce rapport aux bêtes ?

*R. Millet* – C'est un rapport à la fois magique et utilitaire : il s'agissait de prélever sur la communauté des bêtes ce dont on avait besoin pour vivre ou pour survivre. Cela allait de pair parfois avec une cruauté épouvantable. Mais la distinction entre le sens pratique et le sens mythologique tendait parfois à s'estomper.

*A. Finkielkraut* – La part mythologique est en effet très présente dans votre livre : il y a quelque chose qui relève de la mise en ordre de ce chaos. Vous en parlez notamment quand il est question de la mort de Marie, qui était votre grand-tante, morte en 1959. Elle s'était mariée juste avant la Grande Guerre. Son mari est mort au combat, mais elle a toujours refusé de remarier : c'était là une manière pour elle de témoigner de sa fidélité obstinée et sacrificielle au disparu. Vous dites qu'un monde a disparu avec elle. Ou plus exactement une parole, un songe millénaire, « un merveilleux savoir qui redoublait le monde d'une parole enchantée ». Or cette « parole enchantée » consistait en toute une série de petites superstitions que les Lumières n'avaient pas encore abrogées. Pourquoi leur donner cette importance ?

*R. Millet* – Parce que c'était une manière de lire le monde et de s'en protéger. La cérémonie par exemple au cours de laquelle on versait une goutte de cire sur les cornes des vaches était un redoublement du savoir scolaire et religieux. Savoir scolaire et savoir religieux n'étaient d'ailleurs pas nécessairement en conflit. En tout cas, c'est cette « parole enchantée » qui a rendu possible, pour moi, l'accès à l'écriture. C'est grâce aux petits détails en effet que le souvenir se réveille. Je suis parfois enclin à reproduire ces superstitions pour moi-même, de manière un peu dérisoire peut-être, pour déclencher la mémoire mais aussi pour me protéger... Ainsi, quand j'entends la chouette ululer le soir, il m'arrive de me signer !...

*A. Finkielkraut* – Je voudrais vous poser à présent une question d'ordre esthétique. Vous êtes, tous les deux, d'admirables témoins. Vous parlez pour d'autres, vous les arrachez à l'oubli ou leur destin anonyme. Pourquoi alors avoir présenté ces livres comme des romans ? Est-ce parce que la part de la fiction y est importante ? Ou bien pensez-vous que le roman est une forme qui doit accueillir l'assignation au témoignage par les morts ?

*P. Jourde* – J'ai le sentiment que le passage par la fiction est plus important dans le roman de Richard Millet. En ce qui concerne mon livre, je récuserais tout à fait l'appellation de « roman », parce que c'est un récit aussi exact que possible. Il y a très peu de transpositions. Un travail de composition a bien sûr été nécessaire pour ne pas disperser le récit. Il est vrai aussi que c'est par le témoignage que j'ai eu connaissance de certains des faits qui sont rapportés dans mon livre, avec tout ce que cela implique de déformations. Par souci de discrétion enfin, j'ai modifié les noms, d'abord parce qu'il s'agit de gens à qui je ne veux pas porter tort, ensuite parce que c'est un pays où l'on aime le secret. Mais les neuf dixièmes des faits sont exacts. En fait, je suis très gêné par l'inflation actuelle de l'appellation « roman ».

*A. Finkielkraut* – Vous avez donné forme au chaos, ce qui peut être la définition première du travail d'écrivain. Mais en effet, pourquoi parler de « roman » quand on pourrait simplement parler de « littérature » ?

*P. Jourde* – Oui, je suis tout à fait d'accord.

*A. Finkielkraut* – Et vous, Richard Millet, en quoi avez-vous fait un « roman » ? Quelle est la part de la fiction ?

366

Quelle est votre définition du « roman » quand vous appelez ainsi ce que vous écrivez ?

*R. Millet* – Neuf dixièmes des choses dites sont vraies, à ceci près que, comme Jourde et pour les mêmes raisons, j'ai modifié les noms. La question de l'honneur aujourd'hui est totalement dépassée, parfois même réactionnaire ; mais là-bas, on reste attaché à la pureté d'un nom sans tache… Il y a eu aussi un travail de composition. Il se trouve que ce roman-là m'a été inspiré, non pas par d'autres romans, mais par la musique symphonique essentiellement. C'est là que j'ai puisé la plupart de mes exemples et de mes forces. Je rends notamment hommage dans ce roman à Anton Bruckner, qui, avec Mahler, était le dernier grand symphoniste et qui a su rassembler toutes les formes de la symphonie pour les porter jusqu'à leur éclatement. C'est là quelque chose qui m'intéresse beaucoup. Très modestement, ce roman se veut aussi une réflexion sur ce qu'on appelle « roman ». Le dispositif de narration par exemple, conçu de telle manière que le narrateur raconte pendant plusieurs nuits, à sa jeune maîtresse qui est née trente ans après lui sur les mêmes terres mais qui n'en connaît rien, est éminemment romanesque. Tout ce qui est raconté a réellement été vécu.

*A. Finkielkraut* – La musique, dites-vous, a joué un plus grand rôle dans la gestation et dans la composition de ce roman que la littérature. Pourtant, quand on vous lit, on ne peut pas s'empêcher de penser à Faulkner.

*R. Millet* – Quand j'avais quinze ans, j'ai lu les Américains comme tout le monde – Steinbeck et toute la « génération perdue ». Je savais qu'il y avait un certain Faulkner qui avait parlé des paysans – ce qui m'avait rendu très heureux. J'ai découvert à ce moment-là qu'il était possible d'en parler. Je ne connaissais pas Giono à cette époque, et l'École de Brive n'avait pas encore labellisé le champ du terroir. Je me suis donc mis à le lire, surtout *Absalon, Absalon !.*

A. *Finkielkraut* – Avouez que, l'Amérique étant comme chacun sait le laboratoire de la modernité, le pays sans Ancien Régime et la démocratie en acte, il y a quelque chose d'étrange et même d'improbable dans le fait d'aller chercher chez un écrivain américain le droit ou la possibilité de parler des paysans ! C'est un paradoxe absolument extraordinaire.

R. *Millet* – C'est un paradoxe qu'il faudrait cultiver de plus près. Beaucoup nous ont demandé, à Jourde et moi, si nos livres n'étaient pas au fond passéistes et nostalgiques. On voit très bien ce qui se profile à l'horizon d'une telle question : parler des paysans et du monde rural en France est assimilé à une entreprise réactionnaire. On m'a déjà fait ce genre de reproche, au sujet de mes précédents livres surtout. *Ma vie parmi les ombres* doit sans doute à son dispositif narratif moderniste de pouvoir y échapper. Ce n'est pas du tout tendance, les paysans du plateau de Millevaches. Les paysans de Giono en revanche, qui habitent la Provence, le sont beaucoup plus…

A. *Finkielkraut* – Le temps n'est pas si lointain où l'on détestait, avec vigilance, les cul-terreux. Évoquer la terre, c'était du Barrès, et Barrès, c'était déjà Pétain. Ce qui avait le précieux label moderne, c'était l'asphalte, l'urbain, le temps réel, Deleuze, les réseaux, la déterritorialisation. Ce qui était dangereusement rétrograde, c'était le labour, les semailles, les moissons, les haies, la glèbe, les arbres et leurs racines... Mais aujourd'hui, même si les paysans du plateau de Millevaches sont toujours hors du coup, le cœur du progressisme bat pour José Bové et sa résistance à la mondialisation. Alors même que l'extinction de la civilisation agricole passe pratiquement inaperçue, la France aime à se projeter dans cet Astérix paysan. Drôle de chiasme...

*P. Jourde* – L'histoire de la littérature montre que le départ entre les bons et les mauvais sujets, les sujets à traiter et les sujets à ne pas traiter, a toujours engendré des erreurs. En l'occurrence, dire que le paysan est un mauvais sujet à traiter serait une erreur historique. Ce sont en effet des gens qui existent et qui, jusqu'à récemment, ont constitué la catégorie sociale majoritaire en France. Nous vivons aujourd'hui le moment où elle est en train de disparaître : cela me semble être le moment ou jamais d'en parler !

*R. Millet* – En ce qui concerne ce que vous disiez des années 1980, n'oublions tout de même pas le Larzac. Quelle était en effet l'idéologie du Larzac ? Le retour à la terre. Il y avait là d'ailleurs un retour à la terre très curieux de la part des gauchistes, à mon avis beaucoup plus suspect qu'autre chose. Je me suis souvent interrogé sur le sens de cet épisode : était-ce une intrusion de la modernité négative sur le plateau du Larzac, ou bien était-ce un vieux fantasme qui trouvait à se réveiller de cette façon-là ?

*A. Finkielkraut* – Si je vous comprends bien, ce monde paysan était une manière d'habiter : on connaissait chaque mètre de terrain, on pouvait se repérer dans la nuit la plus noire, le monde était à taille humaine. Mais on peut constater aujourd'hui que José Bové est une figure ubiquitaire. Alter, certes, mais avant tout mondialiste, il est câblé, branché, connecté, affairé, nomade. L'oreille collée à son portable, il intervient sur tous les fronts. Il est le paysan d'après la fin des paysans, le fermier planétaire, la moustache volante, le campagnard hors sol de la postagriculture.

*P. Jourde* – Ce que vous dites de José Bové me fait penser que je suis sans doute venu à la littérature par le monde paysan, parce que c'est un pays où l'on ne parle pas, très peu en tout cas. J'ai très tôt eu le sentiment que la parole, en soi, était obscène. Si la littérature a une tâche, c'est d'aller au-delà de cette obscénité pour trouver des mots qu'il ne soit plus honteux de dire. D'une certaine façon, j'ai honte d'avoir écrit ce livre, parce que j'ai rompu le silence. En même temps, j'essaie tout de même de transmettre une sorte de silence dans ce livre.

*R. Millet* – Cette « taisure », comme on disait chez moi, concernait surtout ce qui relevait du domaine affectif et des histoires d'amour tout particulièrement. On pouvait parler de la technicité de l'acte sexuel, et le fait bien sûr de vivre avec les bêtes nous enseignait cela mieux que quiconque. En revanche, dévoiler ses peines de cœur était considéré comme une obscénité. Cela a orienté le travail que j'ai mené au sujet des femmes de ma famille – par exemple de ma grand-tante et de son expérience du veuvage. Je me suis toujours demandé, moi, homme

du XXI^e siècle, comment, physiquement et psychologi-
quement, elle avait pu survivre. C'est une chose dont on
ne parlait jamais, bien sûr. Elle-même ne m'en a jamais
parlé ; la seule chose que je savais est qu'elle avait toujours avec elle un éclat de l'obus qui avait tué son mari.
Je n'ai commencé à en parler que dans le chapitre qui
s'ouvre sur la phrase : « Je suis la main du carrier sur la
hanche de Marie. » D'une certaine manière, j'ai senti la
nécessité de briser le silence.

*P. Jourde* – Ce qui me frappe dans l'œuvre de Millet,
c'est le rôle-clé que joue la profanation. Il faut profaner
ce qu'on aime et ce qu'on a de plus sacré. Il y a un passage
magnifique, dans *Ma vie parmi les ombres*, où le narrateur
humilie sa grand-mère et profane l'amour qu'il a pour
elle. Cela tient sans doute au fait qu'il parle d'un temps
où il y avait du sacré ; or on ne peut profaner que ce qui est
sacré. C'est là le geste qui permet d'entrer dans l'âge
adulte, en s'arrachant à quelque chose, et c'est aussi le
geste qui permet de passer à la littérature. Il faut laisser
l'obscur à l'obscur, et en même temps nous devons essayer
de montrer cet obscur.

*A. Finkielkraut* – Je voudrais revenir sur le grief qu'on
vous a fait, Richard Millet : avoir tenu une position rétrograde en parlant des paysans. Vous vous retrouvez dans
une étrange posture, où vous profanez ce qui est sacré en
même temps que vous provoquez la *doxa*. On peut trouver un aspect de provocation à votre livre, car vous allez
très loin : les « ombres », ce n'est pas seulement la paysan-
nerie qui est en train de mourir, ce sont aussi la langue et
la littérature. Vous dites par exemple que vous avez connu
les dernières messes en latin, les dernières cornettes et les

dernières soutanes. Vous ajoutez à la fin de votre livre que la littérature, qui tend à disparaître des études, a peut-être partie liée avec la chrétienté : « Un lecteur de roman est un chrétien qui s'ignore, et l'histoire de la littérature, telle que nous l'avons connue et telle qu'elle a été possible, s'achève sans doute avec la chrétienté, puisque nous sommes de moins en moins capables de déchiffrer les grands textes comme nos ancêtres ces livres de pierre et de lumière que sont les vitraux, les chapiteaux et les porches des églises. »

*R. Millet* – Je ne pouvais pas l'articuler de façon plus théorique dans ce passage, mais je pense, comme Steiner, que nous sommes entrés dans l'ère de l'épilogue et du posthumanisme. Le monde judéo-chrétien, qui a fait de nous ce que nous sommes, est en train de devenir illisible. Qui demain sera encore capable de lire la cathédrale de Strasbourg par exemple ? Qui sera encore capable de comprendre la *Messe en si* de Bach ? Qui sera tout simplement capable de lire la Bible, puis, quand la Bible sera évacuée, toute l'histoire de la littérature occidentale ? Tout cela a été évacué de l'enseignement. Quelle littérature peut naître à présent ? Quelle langue pourra la porter ?

*A. Finkielkraut* – Selon vous, il y a un lien entre toutes ces disparitions. L'effacement simultané de la culture et de l'agriculture ne relève pas de la coïncidence. Cette communauté de destin nous invite à nous pencher sur l'étymologie, complètement oubliée aujourd'hui : la « culture », qui vient du latin *colere*, est l'agriculture de l'âme. C'était une métaphore, perçue et vécue comme telle par Cicéron, qui disait : « Un champ si fertile qu'il soit ne peut être productif sans culture, et c'est la même chose pour l'âme sans enseignement, tant il est vrai que chacun des deux facteurs de la production est impuissant en l'absence de l'autre.» Culture de l'âme et culture des champs disparaissent en même temps, au profit de la technique et d'un rapport de manipulation aux choses. La chrétienté aussi disparaît. C'est donc tout un monde qui bascule, et pas seulement un pays qui meurt.

*R. Millet* – J'en ai le sentiment, oui. Je voudrais parler de quelque chose que nous n'avons pas évoqué encore, qui est le privilège atroce que nous avons d'assister à la disparition d'une langue, le patois. À la différence de chez Jourde, chez qui on le parle encore, c'en est terminé chez moi. C'était tout de même la langue des troubadours, ce qui veut dire en fait que nous étions jusqu'à présent capables d'entendre la poésie de cette époque. Cela fait froid dans le dos, je trouve.

*A. Finkielkraut* – Pourquoi dites-vous que cela fait froid dans le dos ? Après tout, la langue française s'est constituée contre les patois. La France s'est unifiée autour de sa langue. La III$^e$ République a arraché les enfants de différents pays à leur dialecte, et elle l'a fait au travers de l'enseignement de la littérature notamment. Faut-il s'en plaindre ?

*P. Jourde* – Je ne partage pas tout à fait l'avis de Richard Millet sur ces questions. Pour avoir vécu la fin d'un monde, les romantiques ont eu le sentiment d'être entrés dans l'histoire et de constituer la première «génération perdue». Mais cela ne les a pas empêchés de faire œuvre

– et quelle œuvre !… Je crois qu'un travail analogue est à effectuer, précisément parce que nous vivons ce moment de rupture.

*R. Millet* – Je parlais simplement de ce qui se passe chez moi. On ne disait pas la même chose dans le patois limousin qu'en français : c'est cette perte de nuance que j'interprète comme un appauvrissement. Je ne parlais donc pas de la langue française en général, et je ne suis pas nostalgique par principe du patois en général. Je trouve simplement que, à partir du moment où l'on vit dans deux langues, c'est une véritable perte que d'en voir disparaître une.

*A. Finkielkraut* – Cela dit, vous parlez aussi du destin de la langue française, dans plusieurs ouvrages théoriques aussi bien que dans ce roman. Comment s'associent dans votre esprit ces deux destins ? On comprend facilement le lien qu'on peut établir entre la disparition du monde paysan et celle du patois. En revanche, le rapport entre la disparition du monde paysan et le dépérissement de la langue française peut sembler bien moins évident.

*R. Millet* – Je ne dis pas que la langue française disparaît, je dis qu'elle est en train de se modifier d'une façon qui ne convainc pas tout à fait. Il y a une articulation ou une respiration du français qui est en train de se perdre, et que je tente de restituer à travers ce personnage de femme chez qui le narrateur découvre la littérature en lisant à haute voix des livres chez elle. De la même manière que nous parlions du XIX$^e$ siècle tout à l'heure, je pense que j'ai peut-être entendu les derniers échos de ce que pouvait être la langue française du XVIII$^e$ siècle, véhiculée de façon non artificielle à travers la respiration littéraire du français. C'est quelque chose de très ténu et d'infime, bien sûr. La première phrase, «Après moi, la langue ne sera plus tout à fait la même», est évidemment provocatrice, et j'en ai bien conscience. Mais au fond, ne sommes-nous pas les derniers à utiliser le français dans toutes ses ressources?

*P. Jourde* – Je ne sais pas. D'abord, vous en faites un usage qui est original : vos phrases sont très particulières, et votre créativité fait de vous un écrivain résolument moderne. Vous installez donc quelque chose qui s'inscrit dans l'histoire de la langue. Je pense que celle-ci a d'infinies ressources, aussi bien dans le travail des écrivains que dans les inventions de la langue populaire qui me semble encore vivante. On disait autrefois qu'il se créait beaucoup plus de tropes et de figures en une journée à la halle qu'en un an à l'Académie...

*A. Finkielkraut* – Pensez-vous qu'il y ait un équivalent de la halle aujourd'hui? Peut-on considérer certaines cités sensibles par exemple comme cet équivalent?

*P. Jourde* – Dans certains cas, oui. Je pense qu'il y a un appauvrissement incontestable de la parole et de la pensée, mais je crois aussi qu'il y a une vraie créativité d'expression...

*A. Finkielkraut* – Vous avez parlé de la difficulté qui était la vôtre de violer et de respecter tout ensemble le secret. Vous dites qu'il y a une obscénité de la parole. En même temps, je me demande si ce qui motive l'écriture, chez vous et chez Richard Millet, n'est pas l'incompréhension que vous rencontrez quand il vous arrive d'évoquer vos origines. C'est un passage de *Ma vie parmi les ombres* qui m'y a fait penser. Dans ce passage, assez dur pour les citadins, vous rapportez une question qu'on vous a posée : « Vous qui êtes d'origine rurale, préférez-vous les chevaux ou les vaches ? » Vous répondez que vous aimez « les vaches et la viande de cheval », car vous ne pouvez pas supporter « ces Parisiennes qui ont à cœur de tout opposer – les chevaux aux vaches, le roman au gothique, Picasso à Matisse, Mahler à Bruckner, Balzac à Dickens pour les plus cultivées, et pour les autres, la ville à la campagne, la marijuana à l'alcool, la bisexualité à l'homosexualité, la rêverie bouddhiste à la mystique chrétienne », avec une préférence mondaine et idéologique pour les premières tant le « politiquement correct » est à « la haine toujours déclarée, toujours ressassée pour le christianisme dans lequel elles sont nées ». N'est-ce pas la réaction à cette amnésie heureuse et à l'incompréhension des contemporains pour le monde dont vous êtes issu qui vous a conduit à l'écriture, c'est-à-dire à la remémoration ?

*R. Millet* – Je crois qu'on écrit toujours à partir de ce qui perdure, avec toutefois une sorte d'intempestivité ou d'inactualité, plus ou moins provocatrice, qui permet de rejoindre le présent.

*P. Jourde* – Il ne faut pas oublier tout de même que l'agricole se porte plutôt bien dans la littérature actuelle. Nous ne sommes pas des maudits ! Le roman sur les racines fait florès aujourd'hui.

*R. Millet* – Ah non, je ne suis pas du tout d'accord avec vous. J'ai parlé tout à l'heure de la labellisation de l'École de Brive : la mode est aujourd'hui à l'édulcoration de la réalité paysanne. En Corrèze, j'ai entendu des réactions véhémentes à mon livre, du type : « Vous mentez, cela ne correspond pas à la réalité. C'est trop noir. » Je crois que le discours écologique alimente cette parole.

*P. Jourde* – Certes. Il s'agit d'un travail d'édulcoration, qui vise à donner une représentation très bucolique du brave paysan. En même temps, je n'ai pas du tout eu l'impression d'écrire quelque chose de noir ou de violent. On va peut-être dire que j'exagère, mais c'est le cas : j'ai cru décrire platement mon quotidien.

*A. Finkielkraut* – « Platement », sans doute pas ! Mais votre style n'est pas un style qui fait le beau, qui fait la roue, qui se pavane ou qui *se* montre, c'est un style qui montre et qui va même jusqu'au bout du dévoilement. « Une grande partie de l'activité agricole est consacrée à la merde. Elle est produite en quantité si impressionnante qu'on ne sait plus qu'en faire. Le fiente colle aux bottes, aux vêtements, ronge les doigts, s'incruste dans les crevasses des mains. La grande idole des mouches, la déesse Fiente, règne dans l'immanence. Ses avatars sont multiples, aux fragrances variées. Elle se manifeste volontiers sous la forme de la bouse fraîche, très grossièrement circulaire, brun foncé, décrivant une spirale de plis autour d'une dépression centrale de manière à former un maelström merdeux figé dans sa propre puanteur. Certains prés multiplient les étrons géants comme Douaumont les cratères d'obus. »

Ce morceau de bravoure me rappelle la définition que

Milan Kundera donne du kitsch dans *L'Insoutenable Légèreté de l'être*: «Le kitsch, par essence, est la négation absolue de la merde; au sens littéral comme au sens figuré: le
kitsch exclut de son champ de vision ce que la vie a
d'essentiellement inacceptable[61].»

C'est la vocation de la littérature que de rapatrier ce
que le kitsch exclut. Et c'est, pour moi, la grandeur de
vos deux livres que d'avoir rendu compte de l'un des plus
grands événements du XX$^e$ siècle: la rupture de notre
cordon ombilical à la terre, sans jamais tomber dans le
kitsch.

# Les chances de la galanterie

## Entretien avec Claude Habib et Mona Ozouf

*Alain Finkielkraut* – « Qui s'intéresse à la galanterie s'expose au soupçon d'être passéiste », écrit Claude Habib dans son livre, *Galanterie française*. Que répondre à ce soupçon étrange et pénétrant qui criminalise la nostalgie ? Plaider coupable. Lui tenir tête. Résister à l'ethnocentrisme du présent comme l'a fait, à ses risques et périls, Mona Ozouf dans *Les Mots des femmes*, et comme le fait aujourd'hui Claude Habib. Poser la question, sans se laisser intimider par la critique de la domination, de savoir si le monde prédémocratique, pré-égalitaire, pré-*outing*, a encore quelque chose à nous apprendre. Ne pas explorer avec les œillères de la condescendance le mode d'échanges entre les hommes et les femmes qui s'est épanoui dans une société d'ordres et qui lui a quelque temps survécu.

Fort de tous ces principes, je mets donc provisoirement entre parenthèses l'indifférenciation actuelle (dont je n'oublie pas qu'elle a été conquise de haute lutte). Je demanderai à mes deux invitées de tracer le portrait du galant. Qu'est-ce, ou plutôt qu'était-ce qu'un galant homme ?

*Claude Habib* – Un galant homme, c'est ce qu'il faut être à la cour de Louis XIV : la galanterie est *la* qualité requise de celui qui veut plaire à la cour. Ce sens, que l'on trouve dans la langue italienne dès le XVIe siècle, se spécifie progressivement pour désigner une perfection dans le rapport aux femmes. La galanterie consiste à souligner la différence des sexes, non pas pour rabaisser la femme mais pour l'obliger et lui rendre hommage. C'est une saisie permanente et valorisante de la différence des sexes.

*Mona Ozouf* – Je n'ai aucune objection à cette définition. Je crois comme Claude Habib que le galant homme se définit par la capacité d'inverser, au moins imaginairement, les rôles assignés à chacun des sexes. Il est celui qui restitue de la force au sexe faible en même temps qu'il inspire de la faiblesse au sexe fort. Dans cette inversion des rôles, il est évident qu'on peut voir une supercherie (on l'a beaucoup dit) ou bien encore quelque chose qui conforte la hiérarchie des rôles plus qu'elle ne la mine ou ne la subvertit. Pour cette raison d'ailleurs, je crois que le livre de Claude Habib, tout plein de délicatesse qu'il est, sera inintelligible à beaucoup : il y a de l'intrépidité dans ce livre très gracieux, dans lequel dominent une très grande fermeté de pensée et beaucoup de courage.

*A. Finkielkraut* – Il faut un certain courage, en effet, pour affirmer, sans trouver à redire, que la galanterie n'est pas la contestation des injustices, mais l'instauration de la délicatesse. Vous montrez dans votre livre, Claude Habib, que la galanterie s'est déployée, dans tout son éclat, à l'âge classique. C'est d'ailleurs pour vous l'occasion de réhabiliter au moins partiellement Louis XIV, dont le règne n'a pas bonne presse, et dont Marc Fumaroli, par exemple, nous dit dans son livre sur La Fontaine, *Le Poète et le Roi*, qu'il a instauré un âge de fer et de propagande insupportable pour les princes de l'esprit.

Mais pourquoi commencer à l'âge classique ? N'est-ce pas à l'âge courtois que remonte l'inversion des rôles, au XII$^e$ siècle précisément, ce moment inouï de l'histoire des lettres et des usages où *Le Roman de Tristan* supplante la chanson de geste et où l'homme peut apparaître comme le *vassal* de la femme aimée ? L'âge classique n'est-il pas, en cette matière, l'héritier du monde féodal ?

*C. Habib* – Certainement, d'ailleurs en histoire des idées, il n'y a jamais de première fois. Vous avez raison en ce qui concerne l'enracinement de la galanterie dans la courtoisie. Dans les cours d'amour, on trouve bien des traits qui semblent l'annoncer. Cependant ces cours sont des isolats. Ce qui est très frappant, à partir de 1661, c'est que les conduites galantes essaiment de la cour à la ville, et finissent par devenir une manière d'être propre à la France, par opposition aux autres pays européens. De là une forme de vanité nationale, puisque nous sommes le peuple qui a trouvé la bonne manière de traiter les femmes. Le phénomène sort de son insularité aristocratique. Cette expansion caractérise en propre la période galante.

*A. Finkielkraut* – Période, au demeurant, très paradoxale pour les modernes que nous sommes. On parle d'amour à l'âge galant, alors même que, comme vous le soulignez, « parler de soi reste l'interdit majeur des traités de politesse ». Ce n'est pas sous la forme de la confidence ou de la confession que l'amour entre dans la conversation. Nul exhibitionnisme, nulle mise à nu du moi. Rien ne semble plus bizarre, à l'ère de l'authenticité, que cette possibilité de placer l'amour sur un plan général.

*C. Habib* – Oui. Cette question est alors dépourvue de la dimension personnelle qu'elle a prise avec le romantisme : ce sont des conversations générales, et si je puis dire à l'air libre. Parler d'amour est licite. Simultanément, c'est le propre du galant homme d'être réservé et d'effacer son *moi*. Non moins qu'aujourd'hui, il s'agit de plaire, mais dans un monde où l'on ne plaît qu'en s'effaçant. Et cette retenue des hommes laisse à la femme la plus grande liberté de réaction possible. Le désir qu'on a d'elle est à sa disposition : il est à prendre ou à laisser mais sans urgence.

Quel besoin pourrions-nous avoir, aujourd'hui, de retrouver ce mode d'échange ? Non pas seulement de l'évoquer, par curiosité culturelle, mais de le revivre ? Il me semble qu'il y a un âge de la vie où l'élégance est nécessaire, et cet âge est la prime jeunesse. Pour la jolie jeune fille qui devient objet de désir, la retenue des hommes est presque vitale : soit elle est écrasée par le désir masculin sous forme de compliments directs qui l'oppressent, quand ce ne sont pas des gestes ou des attouchements. Soit se recrée autour d'elle un microsystème galant où le désir masculin, non moins présent, ne l'écrase pas, mais la surélève. Le désir devient porteur. La galanterie a ceci de miraculeux que certaines femmes se mettent à marcher sur les eaux : elles deviennent, fugitivement, les reines d'un monde. Certes, tout cela n'est qu'un jeu, mais cet imaginaire produit aussi des effets réels.

*M. Ozouf* – J'aimerais revenir sur ce que vous disiez de l'exhibition. La galanterie la proscrit, parce qu'elle suppose un langage partagé et la capacité commune à savoir déchiffrer un langage crypté. Le langage galant est fait pour les *happy few*: chacun s'entend à demi-mot. Claude Habib dit d'ailleurs quelque part que c'est « le monde du demi-mot ». Cela est pour nous tout à fait étonnant, puisque notre revendication à l'égard de la littérature romanesque aujourd'hui consiste à exiger la vérité, toute la vérité et rien que la vérité. Dans ce qui s'apparente parfois à un prétoire, la codification régit de plus en plus le rapport amoureux. Or rien n'est plus contraire à la galanterie que ces codes qui nous viennent d'outre-Atlantique et qui nous invitent à négocier d'avance dans le rapport amoureux tout ce qui sera permis et tout ce qui sera interdit.

*A. Finkielkraut* –*Galanterie française*: ce titre, Claude Habib, prend à revers l'humeur pénitentielle du temps et il est porteur d'une thèse. La galanterie, à l'en croire, a trouvé en France son terrain le plus favorable. Mais pourquoi cette élection? Pourquoi la France plutôt que les autres nations européennes ou cet avant-poste de l'Europe, les États-Unis?

*C. Habib* – Je dois dire ici ma reconnaissance à Mona Ozouf dont la pensée a été pour moi libératrice: je n'aurais jamais osé, toute seule, assumer ce caractère français et j'aurais dénoncé comme bien d'autres une revendication chauvine... Or de très nombreux textes le disent et le répètent. Entre mille, je choisis ces vers d'un poète du XIX$^e$ siècle, Germain Nouveau :

> Puisqu'on voit en France les hommes
> Céder à leurs femmes le pas,
> Et que les croqueuses de pommes
> Leur font mettre le chapeau bas[62]…

En fait, c'est écrit partout, mais à la fin du XX$^e$ siècle on n'osait plus le repérer, *a fortiori* s'en prévaloir. L'essai de Mona Ozouf sur la singularité française[63] m'a amenée à regarder sous cet angle des textes du XVII$^e$ siècle. À la sortie des *Mots des femmes*, vous étiez très critiquée par des Américaines, comme Joan Scott, qui vous accusaient d'avoir tout inventé. Ces lectures me prouvaient combien vous aviez raison. Les textes affirmaient en effet qu'il existe, sur ce plan, une particularité nationale, celle d'un pays bien tempéré : dans le Sud, c'est-à-dire dans l'Espagne jalouse ou dans l'Italie pleine de passions violentes, les hommes gardent leur femme derrière des grilles et des verrous ; dans la froide Angleterre, les sexes vivent séparés, non pas par passion mais par indifférence. En France, par opposition, on exalte un art de vivre ensemble, de mêler hommes et femmes sans que le déshonneur en résulte. Le plus frappant est l'empathie : à partir du XVII$^e$ siècle, les hommes commencent à se mettre à la place des femmes, à réfléchir à la coquetterie sur des bases nouvelles, en remisant les condamnations religieuses traditionnelles, pour s'interroger, de manière inédite, sur la position de ce sujet particulier qui doit séduire pour exister.

*M. Ozouf* – Les témoignages sont innombrables. Il y a ceux des voyageurs : Hume par exemple découvre en France un pays de mixité, où les hommes vivent dans la compagnie des femmes. Cela se vérifie ensuite tout au long du XIX<sup>e</sup> siècle. L'exemple le plus frappant pour moi est celui de Henry James, dont la sympathie pour la France vient de ce que celle-ci est à la fois le pays des femmes et le pays de la littérature. Les femmes peuvent tout en France, elles participent à toutes les activités et sont véritablement actrices de la vie sociale, à Paris aussi bien qu'en province. Elles donnent à la vie française ce caractère d'aménité, qui, dit James, n'existe ni en Angleterre ni en Italie.

*A. Finkielkraut* – Vous citez Hume qui est, en effet, enthousiasmé par la mixité française, et qui, dans ses *Essais moraux, politiques et littéraires,* se présente comme un « ambassadeur envoyé par les provinces du savoir dans les provinces de la conversation ».

C'est sous l'effet de son séjour en France qu'il écrit : « De même que ce serait une faute impardonnable de la part d'un ambassadeur que de ne point rendre ses devoirs au souverain de l'État où il est chargé de résider, de même serait-il totalement inexcusable de ma part de ne point m'adresser avec un respect tout particulier au beau sexe, lequel règne en souverain sur l'empire de la conversation [64]. » Mais tandis que Hume, sous le charme de la France, faisait le *go between* entre les Doctes et les Dames, Rousseau disait aux Français qu'ils ne comprenaient rien à l'amour, et comme l'écrit Allan Bloom dans *L'Amour et l'Amitié,* il leur enseignait « le goût *romantique* – idéalité et sincérité – qui devait se substituer à la *galanterie* qu'il tenait pour une école de vanité [65] ». C'est de France, autrement dit, que le premier coup, peut-être fatal, contre la galanterie est parti. Pour Rousseau, en effet, le mal dans le monde consiste tout entier dans la discordance de l'être et du paraître. Il dénonce inlassablement le mensonge des apparences : « Partout la politesse exige, la bienséance ordonne ; sans cesse on suit les usages, jamais son propre génie. »

Curieux chassé-croisé : c'est chez Hume que la philosophie se fait galante ; c'est à Rousseau que l'on doit la destitution de la civilité par la sincérité.

*C. Habib* – Rousseau est un déçu de la galanterie. Dans sa jeunesse genevoise, il a lu *L'Astrée* et les romans français qui se trouvaient dans la bibliothèque de sa mère. Et c'est amoureux de cette France tendre et galante qu'il a quitté Genève pour la France ; mais ce n'est pas elle qu'il trouve lorsqu'il arrive à Paris. Il fait la rencontre d'un libertinage hérité de la Régence, non sans dégoût. Son invention du romantisme me semble une manière de rester fidèle à quelque chose de la galanterie. On le voit en particulier dans son idéalisation du féminin : on peut compter sur les femmes, selon Rousseau. Or c'est là quelque chose d'essentiel à la tradition galante.

*A. Finkielkraut* – Certes. Mais vous montrez également que Rousseau propose le retour à une vertueuse séparation des sexes. Et vous citez cette phrase assez effrayante du livre V de l'*Émile* : « La mère de famille, loin d'être une femme du monde, n'est guère moins recluse dans sa maison que la religieuse dans son cloître. » Rousseau, plus qu'aucun autre penseur moderne, prend l'amour au sérieux. Et il ne veut pas réprimer le désir, il veut le fixer. Reste que son attaque contre la déchéance libertine de la galanterie vise aussi les codes français de la mixité, c'est-à-dire la galanterie dans son essence.

*M. Ozouf* – C'est vrai, mais il y a une chose sur laquelle Rousseau tient bon malgré tout et qui tient une place centrale dans la définition de la galanterie, c'est la dissociation des rôles. Rousseau maintient aussi cette autre idée essentielle à l'esprit de galanterie que la femme est maîtresse de son choix. Il n'y a donc pas autant d'écart que vous le dites entre Rousseau et la galanterie. Ce que Rousseau déteste, c'est l'artifice, c'est la coquetterie...

*C. Habib* – Les choses sont compliquées en ce qui concerne la coquetterie, car il trace une distinction entre une coquetterie qu'il déteste et une autre qui le charme. La première, c'est celle qui tient à la vanité, à l'ostentation, au luxe exclusif. Il juge d'ailleurs qu'elle est plutôt rare à Paris, parce que le bon ton proscrit l'étalage. La seconde, c'est la spontanéité coquette de la jeune fille : et celle-ci, il l'innocente comme un trait de la nature. C'est un bien.

*M. Ozouf* – Je crois que la croyance dans la force de l'amour féminin est fondamentale chez Rousseau. Cela rendait probablement son propos écoutable, même dans un ordre de galanterie.

*A. Finkielkraut* – Votre livre, Claude Habib, s'ouvre sur cette phrase de Montesquieu : « Elle n'est point l'amour mais le délicat, mais le léger, mais le perpétuel mensonge de l'amour[66]. » Ce perpétuel mensonge, c'est précisément ce à quoi Rousseau entend mettre fin. Et nous restons aujourd'hui les héritiers de Rousseau, même si nous avons rompu avec l'idéalisme admirable qu'il y avait dans sa vision. Nos sentiments s'accommodent mal du déguisement : l'amour, nous le voulons sans fard, tel quel, authentique. Et, d'une manière générale, nous choisissons toujours le parti de la sincérité contre le mensonge, comme si cette opposition épuisait le sens de la vie et du monde. Vous écrivez, Claude Habib, que ce qui s'oppose aujourd'hui à la parade galante, c'est l'impératif du « parler-vrai ». Mais le sens de cette expression a lui-même changé sous l'effet de la nouvelle morale. Lorsque Michel Rocard, il y a quelques années, défendait le « parler-vrai », c'était en réaction au camouflage des faits par les clichés de l'idéologie. Le « parler-vrai » désormais ne relève plus de la fonction référentielle mais de la fonction expressive. Ce qu'on oppose à la langue de bois, c'est la langue du cœur ou, mieux encore, celle des tripes. Les responsables politiques ne sont pas les derniers à entrer dans la danse : quand l'un d'entre eux abandonne la langue de bois, c'est pour dire, non qu'il est las, mais qu'il « en a plein le cul ». L'ancien parler-vrai était une révolte contre le déni du réel ; le nouveau est une révolte contre les formes. Il ne s'agit plus de regarder les choses en face, mais d'être soi-même, à tout bout de champ. Même la pudeur est saisie par la folie du *coming out*. Qu'est-ce que le voile islamique sinon une manifestation péremptoire de l'identité religieuse ? Il n'y a pas de place pour la galanterie dans un monde fondé sur la haine du paraître et la logique de la reconnaissance.

*C. Habib* – La possibilité d'accueillir la galanterie aujourd'hui me laisse aussi dubitative que vous. Peut-elle se réanimer ? Je n'en sais rien. Il n'est pas difficile d'en déceler des traces. J'ai d'ailleurs persévéré dans cette étude en repensant à des gestes, des sourires ou des manières d'être masculines qui avaient au fil des ans ébranlé mes convictions féministes. La vision agressivement égalitaire que j'avais initialement – l'idée d'une égalité qu'il faut imposer de force – était perturbée par cette sorte de gratuité et de gentillesse que je rencontrais en face de moi et que, en dépit de tous mes efforts, je n'arrivais pas à diaboliser. Nous vivons dans un monde où il reste quelque chose du partage galant. Est-ce que l'authenticité en viendra à bout, je ne sais pas...

*M. Ozouf* – Je reviens sur le constat que vous avez fait sur la nécessité aujourd'hui de tout dire, dans une exigence de pure authenticité. Nous vivons dans un monde qui est à des années-lumière de l'âge galant dont il est question dans ce livre ! Claude Habib nous dit par exemple que, jadis, le drame pour une femme était qu'un amoureux éconduit publiât la liste des amants qu'elle avait eus. Aujourd'hui, on ouvre le dernier livre de Christine Angot, on découvre les amants du jour, on apprend des nouvelles des anciens, le tout dans un périmètre extrêmement limité (entre Saint-Germain-des-Prés et Vavin). On voit par là qu'on a complètement changé de monde. Que s'est-il donc passé ? Un soupçon généralisé sur les manières, à l'évidence. On a envie de revenir à ces textes qui nous disent que les manières ne font pas que travestir, mais qu'elles peuvent aussi recéler la vérité. Il y a un texte d'Alain que je trouve magnifique, dans lequel il attribue la difficulté de la vie conjugale au fait que l'on se dit tout ce que l'on pense, tout à trac – c'est-à-dire, commente Alain, « ce qu'on ne pense pas ». Il poursuit en disant que ce qu'on appelle le mensonge social nous invite, non pas à

dire tout ce que nous pensons dans l'instant, mais à chercher ce que nous pensons et à trouver les mots adéquats
pour le dire. Autrement dit, le mensonge social peut être
une école de raffinement. Nous n'avons plus le sentiment
que le naturel est second, voilà notre perte.

*C. Habib* – On arrive à ce naturel après des efforts,
comme lorsqu'on apprend un air de chant ou un mouvement de danse. Un tel naturel est le contraire du
déballage spontané.

*A. Finkielkraut* – Peut-être risquons-nous de perdre
autre chose : un certain sens de l'inégalité. L'égalité
devant désormais régner en tous lieux, sur tout le
monde et tout le temps, nous avons de plus en plus de
mal à comprendre les arrangements subtils de la galanterie. « Comme la nature a donné à l'homme la supériorité sur la femme en le douant d'une plus grande force
de corps et d'esprit, c'est à lui de compenser cet avantage autant qu'il le peut par une conduite généreuse, par
des égards marqués et par une grande complaisance
envers tous les penchants et toutes les opinions du beau
sexe. » Ce renversement galant de la force en faiblesse
et de la supériorité en infériorité que célèbre Hume
nous semble pernicieusement anachronique. Il enfreint
la déclaration universelle des droits humains. Je crois
pourtant qu'on aurait tort de n'y voir qu'un avatar possible de la misogynie. La merveille de la galanterie
comme des bonnes manières en général, c'est qu'elles
prennent, pour ainsi dire, *le contrepied de l'être* : « Chaque
fois, dit Hume, que la nature a donné à l'âme du pen-
chant pour un vice, pour une passion qui est incommode
aux autres, le savoir-vivre a enseigné aux hommes à se

390

retirer du côté opposé et à garder dans tout leur comportement l'apparence de sentiments différents de ceux auxquels ils sont naturellement inclinés. Ainsi sommes-nous ordinairement fiers, épris de nous-mêmes, portés à nous donner la préférence sur autrui ; mais la politesse nous apprend à avoir des égards envers nos semblables et à leur céder la préséance dans toutes les circonstances ordinaires de la vie en société [67]. »

Hume décèle l'œuvre du repentir là où notre rousseauisme aurait tendance à voir l'hypocrisie au travail. Et puisque votre livre, Claude Habib, mentionne *Totalité et Infini*, j'évoquerai ici le nom de Lévinas. Ce philosophe de la sainteté est, d'un même mouvement, le philosophe de la civilité. Il nous fait entendre le virement du pour soi en sollicitude pour autrui, dans la si banale expression : « Après vous ! » Ce petit élan de courtoisie, dit Lévinas, est déjà un accès au visage. Il dit aussi : « Avant le *cogito*, il y a bonjour. » Avant la pensée, le salut. Avant la diction, la bénédiction. Et la présentation d'excuses avant la présentation de soi : « Je me demande s'il y eut jamais discours au monde qui ne fût pas apologétique, si le *logos* comme tel n'est pas apologie, si la première conscience de notre existence est une conscience de droit, si elle n'est pas d'emblée conscience de responsabilité, si d'emblée nous ne sommes pas accusés au lieu d'entrer confortablement et sans demander pardon dans le monde, comme chez soi [68]. » Dans la mesure où elle réveille la vie de sa spontanéité de somnambule et l'oblige à *faire attention*, la civilité porte la marque de cette accusation originelle. Aujourd'hui, confrontés que nous sommes à toutes sortes de forces qui vont sans égard pour quoi que ce soit, nous aspirons au retour de la civilité mais rien ne peut nous dégriser des droits de l'homme. Telle est, me semble-t-il, notre mortelle contradiction.

*C. Habib* – La civilité n'est pas la sainteté. Dans la pratique de la civilité, y a-t-il un réel effacement du moi au profit de l'interlocuteur, ou bien y a-t-il seulement une dissimulation du moi ? Cette ambiguïté apparaît dès les premiers traités de civilité.

*A. Finkielkraut* – L'effacement est joué, certes. Mais de quoi ce jeu est-il la trace ?

*C. Habib* – C'est un jeu dans un monde clos, qui se défend de la roture et de la brutalité : les manières parfaites permettaient de se distinguer. La situation a changé aujourd'hui, et nous n'avons plus ce recours. On peut utiliser l'analogie du jardin, qui est un espace idéal dans la sauvagerie de la nature ; les relations sociales qui ont cours dans ce monde clos dessinent un espace jardiné et fleuri, et ceux qui s'y promènent pensent à la fois que ce lieu est naturel et qu'il est le fruit d'une culture. Comment voulez-vous qu'on arrive à quelque chose d'analogue de nos jours, puisque la politesse est devenue essentiellement sécuritaire ? Elle n'est plus un privilège. On échange des sourires comme des signaux de non-agression, mais le mouvement de politesse a cessé de faire signe vers la meilleure vie possible pour les êtres les meilleurs. On ne peut plus récréer ce caractère aristocratique de la politesse…

*A. Finkielkraut* – Sans doute pas, mais y a-t-il place encore pour l'accès au visage dans une société intégralement et exclusivement *démocratique* ? Quant à ceux qui combattent l'incivilité en restant vissés dans le discours des droits de l'homme, j'ai envie de leur répondre en citant Bossuet : « Le ciel se rit des prières qu'on lui fait pour détourner les maux dont on persiste à vouloir les causes. »

Pour quitter un instant le domaine de la galanterie, si les émeutes de banlieue ne débouchent que sur des cahiers de doléances et si personne ne s'excuse jamais pour les écoles et les autobus incendiés, la *décivilisation* poursuivra, soyons-en sûrs, sa marche triomphale. On ne refondra pas le vivre-ensemble sur la constitution des vandales en ayants droit. La civilité ne peut se déployer ni même s'insinuer dans un monde où se fait entendre uniquement le vacarme de la revendication.

*M. Ozouf* – Vous êtes en train de décrire un univers désespérant et désespéré. Mais il y a autre chose dans le livre de Claude Habib ; c'est que, même si rien n'est assuré et si la galanterie ne constitue pas une sécurité, la promesse existe bel et bien d'un bonheur à l'horizon de la galanterie. C'est pour cela du reste que le livre de Claude Habib sera difficilement accueilli : il heurte en nous le sentiment que nous sommes des êtres voués à l'imposture du lien humain. Toute la littérature de Proust à Sartre en passant par Céline est la littérature de la solitude et de la déliaison des êtres. Or il y a quelque chose dans le livre de Claude Habib qui proteste là-contre. Je suis heureusement surprise par sa comparaison avec le jardin ; elle me fait en effet penser à un texte dans le Journal d'Orwell, où celui-ci raconte que toutes les fois où, dans ses « Chroniques », il aborde un sujet de simple consentement à la vie (le beau temps, le retour des saisons…), il reçoit des flots de lettres indignées qui lui reprochent d'avoir baissé la garde militante et d'avoir ainsi pactisé avec le monde tel qu'il va. Il est perçu comme un collaborateur chaque fois qu'il rend hommage à la joie d'exister, en somme. Dans le livre de Claude Habib, qui ne doit pas du tout être lu comme un irénisme, il y a constamment, comme une basse du livre, cette promesse du bonheur dans le rapport civilisé des sexes.

*C. Habib* – Oui, exactement. Il m'a semblé en écrivant ce livre que je protégeais la possibilité de parler du bonheur, comme on protège une flamme au creux de la main. Je sentais le besoin de le faire parce que ceux qui parlent du bonheur dans mon entourage professionnel sont les tenants du libertinage du XVIIIe siècle – lesquels en parlent d'ailleurs avec une fatuité qui finit par lasser, tant ils le connaissent, l'éprouvent et le répandent... Je me suis dit qu'on pouvait parler décemment du bonheur en regardant ce qu'il y a en aval du libertinage et qui lui donne d'ailleurs ce qu'il conserve de dignité, c'est-à-dire l'équilibre galant.

*A. Finkielkraut* – J'aime à vous entendre parler ainsi, car je me suis parfois demandé si vous n'exagériez pas, dans votre livre, l'opposition entre libertinage et galanterie. Je crois plutôt, comme vous le dites maintenant, que le libertinage tire sa valeur de ce qui lui est antérieur. Il me semble aussi que, face à l'actuel téléscopage du sentimentalisme dégoulinant et de la violence pornographique dans la culture de masse, le libertinage et la galanterie ont partie liée. Un même anachronisme affecte l'un et l'autre comportement.

*C. Habib* – Il me semble que le libertinage est une structure de parasitage de la galanterie. Ce qui m'intéressait, c'était de décrire le maillon manquant, c'est-à-dire ce qui se loge entre la préciosité et le libertinage, et pas seulement dans l'ordre chronologique. La galanterie est la prise en compte par certains hommes de la demande précieuse. (L'étrangeté étant que ces hommes aient fini par donner le ton, tout au moins dans un certain monde). Les femmes précieuses avaient montré qu'elles avaient de l'esprit et qu'elles aspiraient à un bonheur sans déshonneur : il se trouve qu'il y eut des hommes pour entrer en commerce avec cette demande.

J'avais été frappée par l'hypothèse développée par Mona Ozouf dans son essai sur la singularité française. Parmi les textes que j'ai regardés dans cette perspective, j'ai le souvenir d'une nouvelle espagnole écrite par une femme, Maria de Zayas, et qui a été traduite en français par Scarron. Des segments de cette nouvelle vont ensuite être utilisés par divers auteurs, dont Molière ou Sedaine. La nouvelle espagnole se présente comme un catalogue des tromperies commises par les femmes. Or chez Molière, cela donne *L'École des femmes*, où Molière prend fait et cause pour Agnès contre son tuteur : Agnès le berne, oui, mais elle agit en état de légitime défense. Et chez Sedaine, cela donne une pièce merveilleuse, *La Gageure imprévue*, où le thème initial, celui de la tromperie, s'allège en pure plaisanterie. Les femmes ont raison de se défendre et de se moquer des hommes. Railler n'est pas coupable. La reprise française est chaque fois une entreprise de disculpation : l'auteur français se met à la place des femmes et cherche à voir ce qu'elles peuvent faire, étant donné les contraintes qui pèsent sur elles. J'ai été très frappée de cette aménité masculine, de cet effort pour se mettre à la place des femmes.

*M. Ozouf* – Il y a une différence entre la galanterie et le libertinage qu'il ne faut tout de même pas escamoter. Il s'agit d'une différence de tempo : la galanterie est du côté de la lenteur et de la satisfaction différée, tandis que le libertinage est dans la vitesse et dans l'instant...

*C. Habib* – Oui, mais *Point de lendemain* de Vivant Denon est aussi un éloge de la lenteur, comme l'a très bien dit Kundera. Il y a là quelque chose du freinage galant qui demeure...

*A. Finkielkraut* – Il faut du loisir pour ralentir, et vous rappelez dans *Galanterie française* que la lenteur était l'apanage des classes aristocratiques. Mais vous observez également que le rapprochement des sexes et la promiscuité générale n'ont pas mis fin à la timidité. Autrefois, les garçons frustrés et inhibés rêvaient de lycées mixtes. Aujourd'hui les lycées sont tous mixtes et pourtant la crainte demeure. Peut-être cette crainte témoigne-t-elle du malaise adolescent devant la facilité et la rapidité érigées en normes. Peut-être faut-il y voir comme une aspiration obscure à la douceur du freinage galant.

*C. Habib* – S'il y a une chose à rappeler aux jeunes gens aujourd'hui, c'est que l'usage de la force est proscrit à l'égard des femmes, et généralement des vieillards et des faibles. Dans l'idéal, la force doit être mise au service des faibles. Sans aller jusqu'à cet effort chevaleresque, il faut au minimum restaurer l'interdit. Or ce minimum est facilement perdu de vue. J'ai par exemple été choquée de voir, dans le film *L'Esquive,* un homme gifler sans raison une femme à laquelle il n'est pas lié : c'est très différent de la violence conjugale, qui est toujours privée et coupable (les voisins ne doivent pas savoir). Dans *L'Esquive*, c'est un geste qui a lieu au vu et au su de tous, en plein jour. C'est simplement un moyen de rabattre le caquet d'une femme. Eh bien, ce petit geste qui va de soi est un effondrement des mœurs. Il faut remonter cette pente.

*M. Ozouf* – En même temps, les femmes elles-mêmes résistent à l'idée qu'elles sont faibles ! La résistance féminine et féministe à cette idée témoigne sans doute d'une grande indifférence à l'égard des faits : il y a partout des exemples de femmes battues, mais bien peu d'hommes battus.

*C. Habib* – La revendication de droits peut verser dans l'imaginaire. C'est le cas lorsque les femmes se prétendent aussi fortes que les hommes, alors que nous faisons, chacune, dans la vie quotidienne, l'expérience de l'intimidation. Quand je vois par exemple une jeune fille mettre ses pieds sur la banquette dans le métro, je fais un effort sur moi-même pour lui demander d'arrêter ; mais quand c'est un homme, je ne bronche pas, parce que j'ai peur.

*A. Finkielkraut* – Vous parliez de *L'Esquive*. Ce que la bien-pensance a célébré dans ce film, c'est son parler-mal, c'est la faconde torrentielle, la jactance frénétique de ses héros. Le livre raconte l'histoire d'un groupe d'adolescents de Seine-Saint-Denis (beurs et beurettes pour la plupart) qui, sous la direction énergique d'une enseignante pleine d'abnégation, montent une pièce de Marivaux. Marivaux : le badinage galant par excellence. Les jeunes s'investissent peu à peu dans cette entreprise, ils finissent par y mettre tout leur cœur, sans que leur langue soit jamais affectée ni même intimidée par celle de Marivaux. Sur scène, ils marivaudent; entre eux, ils s'insultent. *Elles* surtout : la brutalité et l'obscénité ne sont plus, constate-t-on dans ce film, un apanage masculin. Le seul personnage marivaudien de ce film criard est un garçon taciturne. La belle langue s'éloignant, la galanterie devenant inaccessible, une seule alternative demeure : la violence ou le mutisme.

*C. Habib* – La violence dont vous parlez vient par exemple de ce que les jeunes filles, dans ce film, disent constamment « J'm'en bas les couilles »... C'est une brutalité littéralement insensée. Les mots perdent leur sens, la langue se dégrade, et personne n'a plus l'usage de la parole. S'il est vrai que ce sont les femmes, dans le passé, qui ont appris aux hommes à parler d'amour, elles ont entièrement cessé de le faire et même de penser qu'elles ont à le faire. L'impératif de l'autodéfense prime sur tout. La jeune héroïne est absolument incapable de transmettre quelque parole que ce soit. C'est un film effrayant.

*M. Ozouf* – La timidité amoureuse demeure néanmoins, et c'est la petite lueur du film...

*A. Finkielkraut* – En préparant cette émission, j'ai pensé aux extraordinaires réflexions de Sebastian Haffner sur la camaraderie dans *Histoire d'un Allemand,* le livre où il relate la montée de l'hitlérisme. À la fin de ses études de droit, il est envoyé dans un camp où « une saine vie communautaire, la pratique des sports de combat et une éducation idéologique » devaient le préparer à la « tâche immense qui l'attendait dans sa carrière de juge allemand ». Après quelques semaines de ce régime, il se rend compte qu'il est tombé dans le piège d'un dégoûtant bonheur : le bonheur de la camaraderie : « Il était frappant de voir la camaraderie décomposer activement tous les éléments d'individualité et de civilisation. Le premier domaine de la vie individuelle qui ne se laisse pas si facilement réduire à la camaraderie, c'est l'amour. Or la camaraderie dispose contre lui d'une arme : l'obscénité. Chaque soir, après la dernière ronde, on lâchait les obscénités, c'était une sorte de rituel. Cela figure inévitablement au programme de toute communauté masculine. Et rien n'est plus aberrant que l'opinion de certains auteurs qui y voient un exutoire pour la sexualité frustrée, une compensation et je ne sais quoi encore. Loin de susciter désir et plaisir, ces obscénités visaient à rendre l'amour aussi repoussant que possible, à le rapprocher des fonctions digestives, à en faire un objet de dérision [69]. » Toute galanterie, toute poésie et toute politesse bues, la promiscuité fraternelle triomphait. Ce qui fait dire à Haffner que les Allemands n'ont pas été seulement asservis par le totalitarisme mais qu'il leur est arrivé quelque chose de pire, « pour quoi il n'existe pas de mot ». Ils ont été « encamaradés [70] ».

*C. Habib* – Je ne sais pas si l'on doit être si dur pour la camaraderie. Il y a des penseurs très respectables, comme René Girard, qui mettent la camaraderie au-dessus de tout... et le désir un peu au-dessous de tout, d'ailleurs.

*A. Finkielkraut* – Haffner n'est si dur avec la camaraderie que parce qu'elle l'a avili et qu'il a cédé, en y tombant, à la tentation totalitaire. La camaraderie masculine ordinaire ne va pas forcément jusque-là. Mais on sait le mal qu'elle peut faire au sentiment amoureux. C'est une situation que vivent beaucoup d'adolescents d'aujourd'hui : ils peuvent bien connaître en secret les émois de l'amour, mais les copains veillent, tels des gardes rouges de la trivialité. Et voici que le féminisme lui-même s'y met. Il faut, comme vous le dites vous-même, que les femmes aient oublié qu'il leur appartenait jadis de polir les hommes et de leur apprendre à parler d'amour, pour qu'elles se désignent comme les « 343 salopes », qu'elles se nomment « Chiennes de garde » ou qu'elles se proclament « ni putes ni soumises ». Je trouve cela terrible : on veut s'affranchir de l'ordre masculin, on aspire aux égards et au commerce galant, et on dit : « ni putes ni soumises ». Bref, on se soumet à la brutalité dans les mots mêmes qu'on emploie pour l'interrompre. « Le renoncement bravache à la délicatesse n'est certes pas le moyen de l'imposer à l'autre sexe », écrivez-vous. Comment sortir de ce cercle infernal ?

*C. Habib* – Je ne suis pas en mesure de dire comment en sortir. Je ne sais pas non plus si les choses vont en empirant. Après tout en effet, la déploration du manque de galanterie ne date pas d'hier, j'en ai trouvé un exemple chez Montesquieu en 1721, à une époque que nous tenons pour l'apogée du raffinement. Dans *Les Lettres persanes*, Rica raconte la scène suivante : « Je trouvai la conversation occupée par deux vieilles femmes, qui avaient en vain travaillé tout le matin à se rajeunir. Il faut avouer, disait une d'entre elles, que les hommes d'aujourd'hui sont bien différents de ceux que nous voyions dans notre jeunesse : ils étaient polis, gracieux, complaisants ; mais à présent je les trouve d'une brutalité insupportable[71]. »

*M. Ozouf* – Le thème du bon vieux temps a toujours régné en ce domaine ! On a toujours regretté le bon vieux temps de l'amour ou de la simplicité, à toutes les époques.

*A. Finkielkraut* – Il serait absurde, vous avez raison, de parler du « bon vieux temps » de l'amour. Tout ne meurt pas avec nous : les gens tombent amoureux, le coup de foudre, la passion, la séduction, le badinage existent. Mais ce qui est nouveau et inquiétant, c'est l'envahissement de l'espace public par l'obscénité : obscénité d'un certain discours militant, obscénité du divertissement, permanence du rire gras, compulsive obscénité des amuseurs.

*C. Habib* – Vous avez raison. En ce qui concerne les conditions de la vie érotique moderne, la possibilité de l'amour individuel subsiste bien sûr, mais dans un environnement inquiétant. Beaucoup pensent aujourd'hui que c'est une pure affaire de hasard : l'amour étant totalement délié des questions de mérite et d'estime, on n'a aucune prise là-dessus. L'inclination ou le mépris, la fidélité ou la trahison sont des choses qui arrivent comme la maladie, comme la chance. Cette perte de la culture sentimentale me semble très frappante, surtout si l'on rapporte l'expérience moderne aux textes du romantisme, sans même parler du classicisme. L'amour est aujourd'hui perçu comme un événement solitaire, sans monde qui l'entoure, le comprenne et l'accompagne.

*M. Ozouf* – Je ne suis pas absolument certaine que ce soit une caractéristique de notre époque par rapport à l'âge galant. J'aurais presque tendance à dire le contraire en vérité : nous avons aujourd'hui tendance à penser l'amour en termes de contrat, alors que l'amour échappe à l'ordre du contrat. L'amour est toujours non négocié, il vient à l'improviste et on ne peut pas le préparer. Si je me souviens bien d'ailleurs, la chute de *La Double Inconstance* de Marivaux, c'est la réplique de Silvia : « Lorsque je l'ai aimé, c'était un amour qui m'était venu ; à cette heure je ne l'aime plus, c'est un amour qui s'en est allé ; il est venu sans mon avis, il s'en retourne de même ; je ne crois pas être blâmable [72]. »

*C. Habib* – Oui, mais vous choisissez une des pièces de Marivaux les plus licencieuses ; c'est aussi l'une des plus attristantes puisque l'amour n'a pas résisté à l'épreuve. La plupart du temps, chez Marivaux, l'amour triomphe. Je ne voulais toutefois pas nier la part d'imprévisibilité inhérente à l'amour, ni lui donner une sécurité qui n'est pas dans sa nature. Je voulais simplement souligner l'absence d'un langage sentimental. Nous n'avons plus de langue commune. Au XXe siècle, la seule innovation, dans ce domaine, ce furent les petites annonces. Il s'agit indéniablement de demande amoureuse, mais sous une forme minimale et desséchée. Un peu comme des spores. Quand on pense à la lyrique romantique, je trouve étrange de voir à quels termes les gens sont réduits pour parler de leurs sentiments ou de leurs attentes.

*A. Finkielkraut* – La petite annonce n'est tout de même pas la manière la plus fréquente de se rencontrer...

*C. Habib* – Il y a l'annonce, il y a les sites de rencontre sur Internet. Et c'est là ce qui comble le besoin de conversation sentimentale. On voit bien le risque d'atomisation et d'aplatissement. Il y a des gens qui s'intéressent au modélisme, il y en a d'autres qui s'intéressent, mettons, à la variété française, et d'autres encore qui ont pour dada la conversation amoureuse : chacun son site.

*M. Ozouf* – Est-ce que ce n'est pas un peu réduire la vie contemporaine à quelques vignettes ? Vous dites quasiment le contraire dans votre livre, où l'on perçoit toujours, derrière les pratiques et les usages, votre voix un brin ironique qui se demande si c'est vraiment ainsi que les femmes vivent. Votre réponse est généralement négative : les femmes par exemple n'arrêtent pas de mettre leurs espérances dans la durée – ce en quoi le monde n'a pas tellement changé. Les petites annonces ne sont d'ailleurs pas rédigées de la même façon par les hommes et par les femmes, puisque celles-ci demandent toujours peu ou prou l'établissement et la durée. Cela conforte d'ailleurs la thèse d'une différence irréductible et persistante en dépit de l'indifférenciation croissante des rôles masculin et féminin.

*C. Habib* – Je suis d'accord avec vous sur ce point. Je voulais seulement faire percevoir l'époque d'aridité dans laquelle nous sommes entrés, un climat qui n'est pas sans lien avec ce que vous remarquiez vous-même, cette constante du pessimisme, qu'on retrouve sous des formes très diverses, de Proust à Céline, à Beckett, et dans l'ensemble du roman moderne. Le premier effet de ce pessimisme, c'est de délégitimer le discours amoureux. Il n'y a plus de lyrisme ni de discours d'accompagnement de l'amour.

*M. Ozouf* – Oui, nous n'avons plus besoin de parler d'amour avant de le faire...

*A. Finkielkraut* – La littérature a eu longtemps partie liée avec la courtoisie. Peut-être y a-t-il eu rupture à un moment donné, peut-être la littérature a-t-elle cessé d'être courtoise quand elle a voulu, pour accéder à la vérité des êtres, traverser les apparences. Privée de cet accompagnement littéraire, la courtoisie s'étiole. Et elle s'étiole davantage si la langue s'émancipe elle-même de la littérature, comme on le voit dans les dictionnaires où, pour expliquer le sens des mots, on offre de moins en moins de citations littéraires et de plus en plus d'exemples plus familiers empruntés au langage courant. La galanterie sans la langue est-elle encore possible ?

*C. Habib* – Elle est certainement mise en péril ; mais comme le besoin de délicatesse est inextinguible, je ne me fais pas beaucoup de souci.

*A. Finkielkraut* – Je m'en fais peut-être plus que vous ; mais, vous avez raison, ce que les progressistes ont de commun avec les réactionnaires, c'est l'idée que l'histoire est tout. Or ce n'est pas le moindre charme de votre livre que sa résistance aux diverses modalités de l'historicisme. Avec une paisible audace, vous réintroduisez quelque chose comme la nature lorsque vous dites, par exemple, que les femmes sont moins portées que les hommes sur les plaisirs sexuels quand ils sont détachés du reste de l'existence. Vous prenez là un risque considérable : le désaveu de l'histoire est le plus grand péché qui puisse être contre l'esprit du temps ! Mais c'est aussi une ressource contre la tentation du pessimisme.

*M. Ozouf* – Je crois même qu'on lit dans le livre que la nature est un « bienfait »…

# NOTES

1. Fabien Marius-Hatchi, « Révoltes, insurrections et révolutions dans les colonies françaises des Antilles, 1773-1803 », in *Révoltes et révolutions en Europe (Russie comprise) et aux Amériques de 1773 à 1802,* Paris, Ellipses, 2004, pp. 85-86.

2. Louis Sala-Molins, *Le Code noir ou le Calvaire de Canaan,* Paris, PUF, coll. « Quadrige », 2002.

3. Pascal Blanchard (dir.), *Le Paris noir,* Paris, éditions Hazan, 2001 ; *Le Paris arabe,* Paris, La Découverte, 2003 ; *Le Paris Asie,* Paris, La Découverte, 2004.

4. Pascal Blanchard, Françoise Vergès et Nicolas Bancel, *La République coloniale,* Paris, Hachette Littératures, 2006.

5. « Guess Who's Coming to Dinner ? », *A Social Trend Report,* Pew Research Center, 14 mars 2006.

6. Hakim El Karoui, *L'Avenir d'une exception,* Paris, Flammarion, 2006.

7. Philippe d'Iribarne, « Du rapport à l'autre. Les singularités françaises dans l'intégration des immigrés », *Le Débat,* n° 129, mars-avril 2004 ; Philippe d'Iribarne, *L'Étrangeté française,* Paris, Le Seuil, 2006.

8. Claude Habib, *Galanterie française,* Paris, Gallimard, 2006, p. 412.

9. « Nous cheminons tout doucement vers la ségrégation. »

10. « Why Muslims make Britain a better place », CRE, 16 novembre 2004.

11. International Social Survey Programme (ISSP). Enquête de 2003.

12. Andreï Makine, *Cette France qu'on oublie d'aimer*, Paris, Flammarion, 2006, pp. 105-106.

13. David Coleman, «Partner choice and the growth of ethnic minority populations», *Bevolking en Gezin*, 33, 2004.

14. «Circulaire du 20 septembre 1994 relative au port de signes ostentatoires dans les établissements scolaires», in *Bulletin officiel de l'Éducation nationale*, n° 35, 29 septembre 1994.

15. François Furet, «L'énigme française», *Le Débat*, n° 96, septembre-octobre 1997, p. 44.

16. Jean Peyrelevade, *Le Capitalisme total*, Paris, Le Seuil, 2005.

17. Michel Onfray, *Traité d'athéologie*, Paris, Grasset, 2005; rééd. Le Livre de Poche, 2006.

18. Christophe Bourseiller, en collaboration avec Bertrand Richard, *Extrêmes gauches : la tentation de la réforme*, Paris, Textuel, 2006.

19. Rémi Brague, *Europe, la voie romaine*, Paris, Gallimard, coll. «Folio-Essais», 1999.

20. Auteur de «Comprendre l'Europe telle qu'elle est», *Le Débat*, n° 129, mars-avril 2004. Il a récemment publié *Qu'est-ce que le cosmopolitisme ?*, Paris, Aubier, 2006.

21. Ludvik Vaculik, *Mon Europe*, traduit par Milan Kundera, *Le Messager européen*, n° 3, POL, 1989, p. 253.

22. Paul Thibaud, «La difficulté d'hériter», in *Les Cahiers de l'indépendance*, n° 1, Paris, François-Xavier de Guibert, septembre 2006, p. 43.

23. Maurice Agulhon, *De Gaulle : histoire, symbole, mythe*, Paris, Plon, 2000, p. 129.

24. Régis Debray, *Loués soient nos seigneurs. Une éducation politique*, Paris, Gallimard, 1996.

25. La Commission nationale de la communication et des libertés (souvent abrégé en CNCL) était l'organisme français de régulation de l'audiovisuel de 1986 à 1989.

26. Michel Rocard, *Si la gauche savait. Entretiens avec Georges-Marc Benamou*, Paris, Robert Laffont, 2005.

27. Paul Valéry, *Regards sur le monde actuel*, in *Œuvres*, tome II, Paris, Gallimard, coll. «Bibliothèque de la Pléiade», 1960, p. 917.

28. Jules Michelet, *Cours au Collège de France. I, 1838-1844*, Paris, Gallimard, 1995, pp. 519-520.

29. Jules Michelet, *Histoire de la Révolution française*, tome II, Paris, Robert Laffont, coll. « Bouquins », 1998, p. 378.

30. *Ibid.*, p. 363.

31. Roland Barthes, « Longtemps je me suis couché de bonne heure », in *Œuvres complètes*, tome V, Paris, Le Seuil, 2002, p. 469.

32. Marc Bloch, *L'Étrange Défaite*, Paris, Armand Colin, 1957, p. 210.

33. *Ibid.*, p. 180.

34. *Ibid.*, p. 210.

35. Pierre Nora, *Comment écrire l'Histoire de France ?*, *Les Lieux de mémoire*, tome III, Paris, Gallimard, 1992, p. 30.

36. Ernest Renan, *Qu'est-ce qu'une nation ?*, conférence prononcée à la Sorbonne le 11 mars 1882.

37. Pierre Vidal-Naquet, « Présentation du journal tenu par Lucien Vidal-Naquet entre le 15 septembre 1942 et le 29 février 1944 », in *Annales*, vol. 48, 1993.

38. Pierre Nora, *Comment écrire l'Histoire de France ?*, *Les Lieux de mémoire*, tome III, *op. cit.*, p. 27.

39. Charles Péguy, *Notre jeunesse*, in *Œuvres en prose complètes*, tome III, Paris, Gallimard, coll. « Bibliothèque de la Pléiade », 1992, p. 151.

40. Régis Debray, *À demain de Gaulle*, Paris, Gallimard, 1996.

41. Claude Nicolet, *L'Idée républicaine en France – 1789-1914*, Paris, Gallimard, coll. « Tel », 1995.

42. Cité dans Étienne Tassin, *Le Trésor perdu. Hannah Arendt, l'intelligence de l'action politique*, Paris, Payot, 1999, p. 50.

43. Réédité par les soins de Marie-Claude Blais à l'INRP en 2003.

44. Article publié dans *Le Débat*, n° 3, juillet-août 1980 et republié dans *La Démocratie contre elle-même*, Paris, Gallimard, coll. « Tel », 2002.

45. Article publié dans *Le Débat*, n° 110, mai-août 2000 et republié dans *La Démocratie contre elle-même*, *op. cit.*

46. François Dubet et Marie Duru-Bellat, *L'Hypocrisie scolaire. Pour un collège enfin démocratique*, Paris, Le Seuil, 2000, p. 171.

47. *Ibid.*, pp. 174-175.

48. Marie-Claude Blais, *op. cit.*, pp. 359-360.

49. Marcel Gauchet, *Le Désenchantement du monde*, Paris, Gallimard, coll. « Folio , 2005.

50. Robert Musil, *L'Homme sans qualités*, vol. I, trad. par Philippe Jaccottet, Paris, Le Seuil, 1957, p. 159.

51. Alain, *Propos sur l'éducation*, Paris, PUF, 1986, p. 346.

# NOTES

52. Simone Weil, *L'Enracinement*, Paris, Gallimard, 1949.

53. René Rémond, Marc Leboucher, *Le Christianisme en accusation*, nouvelle édition, Paris, Albin Michel, 2005.

54. Fédération des conseils de parents d'élèves.

55. Gershom Sholem, *Fidélité et utopie*, Paris, Calmann-Lévy, 1978, p. 95.

56. Voir Michael R. Marrus, *Les Juifs de France à l'époque de l'affaire Dreyfus*, Bruxelles, Complexe, 1985, pp. 112-113.

57. Paul Thibaud, « La question juive et la crise française », *Le Débat*, n° 131, septembre-octobre 2004, p. 42.

58. Pierre Nora, « Mémoire et identité juives dans la France contemporaine. Les grands déterminants », in *Le Débat*, n° 131, septembre-octobre 2004.

59. Michel Winock, *Nationalisme, antisémitisme et fascisme en France*, Paris, Le Seuil, 1990 ; rééd. coll. « Points-Seuil », Paris, Le Seuil, 2004.

60. Jules Michelet, *Œuvres complètes*, tome XXI, Paris, Flammarion, 1982, p. 268.

61. Milan Kundera, *L'Insoutenable Légèreté de l'être*, Paris, Gallimard, coll. « Folio », 1987, p. 357.

62. Germain Nouveau, « La devise », *Valentines*, in *Œuvres complètes*, Paris, Gallimard, coll. « Bibliothèque de la Pléiade », 1993.

63. C'est-à-dire *Les Mots des femmes*.

64. David Hume, *Essais et traités sur plusieurs sujets*, Paris, Vrin, 1999, p. 287.

65. Allan Bloom, *L'Amour et l'Amitié*, trad. par Pierre Manent, Paris, Livre de Poche, 2003, p. 47.

66. Montesquieu, *De l'Esprit des lois*, XXVIII, 22, 2 vol., Paris, Gallimard, 1995.

67. David Hume, *Essais et traités sur plusieurs sujets*, *op. cit*, p. 184.

68. Emmanuel Lévinas, *Quatre lectures talmudiques*, Paris, Minuit, 1968, p. 175.

69. Sebastian Haffner, *Histoire d'un Allemand. Souvenirs, 1914-1933*, Arles, Actes Sud, 2003, pp. 422-423.

70. *Ibid.*, p. 927.

71. Montesquieu, *Lettres persanes*, « Lettre LIX », in *Œuvres complètes*, 2 vol., Paris, Gallimard, coll. « Bibliothèque de la Pléiade », 1985-1990.

72. Marivaux, *La Double Inconstance*, acte III, scène 8, Paris, Le Livre de poche, 2000.

# LES AUTEURS

Maurice AGULHON est historien, auteur notamment de *1848 ou l'apprentissage de la République* (nouvelle édition, Le Seuil, 2002), et de *Histoire vagabonde* (3 volumes, Gallimard, 1988-1996).

Christophe BARBIER est directeur de la rédaction de *L'Express,* auteur notamment des *Derniers Jours de François Mitterrand* (Grasset, 2005).

Daniel BENSAÏD est philosophe, maître de conférence à l'université de Paris VIII (Saint-Denis) et membre de la Ligue communiste révolutionnaire. Il est l'auteur notamment de *Fragments mécréants : sur les mythes identitaires et la république imaginaire* (Lignes, 2005) et de *Une lente impatience* (Stock, 2004).

Marie-Claude BLAIS est maître de conférences en sciences de l'éducation à l'université de Rouen, elle est l'auteur notamment de *Au principe de la République. Le cas Renouvier* (Gallimard, 2000) et, avec Marcel Gauchet et Dominique Ottavi, de *Pour une philosophie politique de l'éducation* (Bayard, 2002).

Pascal BLANCHARD est historien et chercheur, il a codirigé l'ouvrage collectif *La Fracture coloniale : la société française au*

413

*prisme de l'héritage colonial* (La Découverte, 2005) et publié, avec Nicolas Bancel et Françoise Vergès, *La République coloniale* (Hachette Littératures, 2006).

Paul-Marie COÛTEAUX est député français au Parlement européen, membre de l'Institut Charles-de-Gaulle et conseiller politique de Philippe de Villiers. Il dirige le mensuel *L'Indépendance* et *Les Cahiers de l'indépendance* et il a notamment publié *Le Génie de la France. De Gaulle philosophe* (Jean-Claude Lattès, 2002) et *Être et parler français,* (Perrin, 2006).

Hakim EL KAROUI, ancien conseiller de Jean-Pierre Raffarin, est l'auteur de *L'Avenir d'une exception* (Flammarion, 2006).

Jean-Marc FERRY, professeur à l'Université libre de Bruxelles, dirige la collection «Humanités» aux Éditions du Cerf. Il a notamment publié *Discussion sur l'Europe* avec Paul Thibaud (Calmann-Lévy, 1992) et *Europe, la voie kantienne. Un essai sur l'identité postnationale,* (Éditions du Cerf, 2005).

François FURET (1927-1997), historien, spécialiste de la Révolution française, a publié notamment *Penser la Révolution française* (nouvelle édition révisée, Gallimard, 1983), et *La Révolution : de Turgot à Jules Ferry, 1770-1880* (Hachette, 1988).

Marcel GAUCHET est directeur d'études à l'École des hautes études en sciences sociales et rédacteur en chef de la revue *Le Débat*; il a récemment publié *La Condition historique* (Stock, 2003) et *La Condition politique* (Gallimard, 2005).

Claude HABIB est professeur à l'université de Lille III et spécialiste de la littérature du XVIIIe siècle. Elle est notamment l'auteur du *Consentement amoureux. Rousseau, les femmes et la cité* (Hachette Littératures, 1998) et de *Galanterie française* (Gallimard, 2006).

414

Danièle HERVIEU-LÉGER est sociologue des religions, directrice d'études à l'École des hautes études en sciences sociales ; elle a publié notamment *Le Pèlerin et le Converti : la religion en mouvement* (Flammarion, 2001) et *Catholicisme, la fin d'un monde* (Bayard, 2003).

Lionel JOSPIN, ancien Premier ministre de Jacques Chirac de 1997 à 2002, est aussi l'auteur de *1995-2000 : propositions pour la France* (Stock, 1995), et *Le Monde comme je le vois* (Gallimard, 2005).

Pierre JOURDE est professeur de littérature à l'université de Grenoble III et romancier ; il est notamment l'auteur de *Littérature et authenticité : le réel, le neutre, la fiction* (L'Harmattan, 2001) et *Pays perdu* (L'Esprit des péninsules, 2003).

Jacques LE GOFF est historien spécialiste du Moyen Âge, auteur notamment de *Saint Louis* (Gallimard, 1996) et *Pour un autre Moyen Âge* (Gallimard, 1999).

Pierre MANENT est directeur d'études à l'École des hautes études en sciences sociales, historien de la philosophie politique. Il est l'auteur notamment de *Cours familier de philosophie politique* (Fayard, 2001) et de *La Raison des nations* (Gallimard, 2006).

Richard MILLET est éditeur chez Gallimard ; il a publié notamment *Ma vie parmi les ombres* (Gallimard, 2003) et *L'Art du bref* (Gallimard, 2006).

Pierre NORA, de l'Académie française, est historien, directeur de la « Bibliothèque des histoires » chez Gallimard et de la revue *Le Débat*; il a notamment dirigé la publication des *Lieux de mémoire* (3 volumes, Gallimard, coll. « Quarto », 1997).

415

Jean-Pierre OBIN est inspecteur général de l'Éducation nationale ; il est l'auteur du rapport « Les signes et manifestations d'appartenance religieuse dans les établissements scolaires », en 2004, publié ultérieurement dans *L'École face à l'obscurantisme religieux* (Éditions Max Milo, 2006).

Mona OZOUF est historienne et philosophe ; elle est l'auteur notamment de *Récits d'une patrie littéraire* (*Les Mots des femmes, Les Aveux du roman, La Muse démocratique, La République des romanciers*) (Fayard, 2006).

Philippe RAYNAUD est philosophe, professeur de sciences politiques à Paris II et à l'Institut d'études politiques, il est l'auteur notamment de l'ouvrage *L'Extrême Gauche plurielle. Entre démocratie radicale et révolution* (Autrement, 2006).

René RÉMOND, de l'Académie française, est historien et politologue. Il est l'auteur notamment des *Droites en France* (Aubier-Montaigne, 1982) et des *Droites aujourd'hui* (Louis Audibert, 2005).

Stephen SMITH est journaliste, spécialiste de l'Afrique, auteur notamment de *Négrologie : pourquoi l'Afrique meurt* (Calmann-Lévy, 2003) et, avec Géraldine Faes, de *Noir et Français !* (Éditions du Panama, 2006).

Zeev STERNHELL est historien, professeur de science politique à l'université hébraïque de Jérusalem ; il est l'auteur notamment de *Ni de droite ni de gauche. La France, entre nationalisme et fascisme* (nouvelle édition augmentée de textes inédits, 3 volumes, Fayard, 2000), *Les Anti-Lumières : du XVIII^e^ siècle à la guerre froide* (Fayard, 2006).

Nicolas TENZER est haut fonctionnaire, il préside le Centre d'étude et de réflexion pour l'action politique et dirige la revue

*Le Banquet.* Il a notamment publié *La Face cachée du gaullisme* (Hachette Littératures, 1998) et *France, la réforme impossible ?* (Flammarion, 2004).

Paul THIBAUD est philosophe, président de l'Amitié judéo-chrétienne de France, ancien directeur de la revue *Esprit*; auteur notamment de « La question juive et la crise française », in *Le Débat*, n° 131, septembre-octobre 2004.

Henri TINCQ est responsable des questions religieuses au *Monde*, auteur notamment de *Dieu en France. Mort et résurrection du catholicisme* (Calmann-Lévy, 2003) et de *Ces papes qui ont fait l'histoire. De la Révolution à Benoît XVI* (Stock, 2006).

Michèle TRIBALAT est démographe, auteur notamment de *De l'immigration à l'assimilation : enquête sur les populations d'origine étrangère en France* (La Découverte, 1996) et, avec Jeanne-Hélène Kaltenbach, de *La République et l'Islam : entre crainte et aveuglement* (Gallimard, 2002).

Hubert VÉDRINE est ancien ministre des Affaires étrangères, président de l'Institut François Mitterrand et auteur de *François Mitterrand : un dessein, un destin* (Gallimard, coll. « Découvertes », 2005).

Françoise VERGÈS est professeur de Cultural Studies à l'Université de Londres et vice-présidente du Comité pour la mémoire de l'esclavage, coauteur avec Aimé Césaire de *Nègre je suis, nègre je resterai* (Albin Michel, 2005) et auteur de *La Mémoire enchaînée. Questions sur l'esclavage* (Albin Michel, 2006, prix Françoise-Seligmann contre le racisme 2006).

Michel WINOCK est historien, auteur notamment de *La France et les Juifs. De 1789 à nos jours* (Le Seuil, 2004) et de *L'Agonie de la IVᵉ République, 13 mai 1958* (Gallimard, 2006).

# Table

Préface............................................................................. 7

PREMIÈRE PARTIE – ICI ET MAINTENANT

Y a-t-il une question noire en France ?
Entretien avec Stephen Smith et Françoise Vergès ............ 15

L'école dans la France d'aujourd'hui
Entretien avec Pascal Blanchard et Jean-Pierre Obin........... 43

Les difficultés de l'intégration
Entretien avec Hakim El Karoui et Michèle Tribalat .......... 69

La laïcité dans tous ses états
Entretien avec Maurice Agulhon et Lionel Jospin............... 97

Les nouvelles radicalités : une énigme française ?
Entretien avec Daniel Bensaïd et Philippe Raynaud........... 117

Europe, nation, démocratie
Entretien avec Jean-Marc Ferry et Pierre Manent ............. 145

DEUXIÈME PARTIE – INCARNATIONS

L'héritage du général de Gaulle
Entretien avec Paul-Marie Coûteaux et Nicolas Tenzer...... 167

Mitterrand ou l'engouement de la mémoire
Entretien avec Christophe Barbier et Hubert Védrine......... 197

Michelet, la France et les historiens
Entretien avec François Furet et Jacques Le Goff............... 223

TROISIÈME PARTIE – HIER ET MAINTENANT

Qu'est-ce qu'être français aujourd'hui ?
Entretien avec Pierre Nora et Paul Thibaud...................... 245

La République et la philosophie
Entretien avec Marie-Claude Blais et Marcel Gauchet.......... 265

La France est-elle encore un pays catholique ?
Entretien avec Danièle Hervieu-Léger et Henri Tincq......... 289

La France et les Juifs
Entretien avec Paul Thibaud et Michel Winock.................. 311

Y a-t-il un fascisme français ?
Entretien avec René Rémond et Zeev Sternhell................. 333

L'adieu aux paysans
Entretien avec Pierre Jourde et Richard Millet.................. 355

Les chances de la galanterie
Entretien avec Claude Habib et Mona Ozouf ..................... 379

Notes ................................................................. 405

Les auteurs............................................................ 411

# OUVRAGES D'ALAIN FINKIELKRAUT

*Le Nouveau Désordre amoureux*, en collaboration avec Pascal Bruckner, Le Seuil, 1977

*Au coin de la rue, l'aventure*, en collaboration avec Pascal Bruckner, Le Seuil, 1979

*Ralentir : mots-valises !*, Le Seuil, 1979

*Le Juif imaginaire*, Le Seuil, 1980

*Petit Fictionnaire illustré*, Le Seuil, 1981

*L'Avenir d'une négation. Réflexion sur la question du génocide*, Le Seuil, 1982

*La Réprobation d'Israël*, Denoël, 1983

*La Sagesse de l'amour*, Gallimard, 1984

*La Défaite de la pensée*, Gallimard, 1987

*La Mémoire vaine. Du crime contre l'humanité*, Gallimard, 1989

*Le Mécontemporain. Péguy, lecteur du monde moderne*, Gallimard, 1991

*Comment peut-on être croate ?*, Gallimard, 1992

*Le Crime d'être né. L'Europe, les nations, la guerre*, Arléa, 1994

*L'Humanité perdue. Essai sur le XXe siècle*, Le Seuil, 1998

*L'Ingratitude. Conversation sur notre temps*, avec Antoine Robitaille, Gallimard, 1999

*Une voix vient de l'autre rive*, Gallimard, 2000

*Internet, l'inquiétante extase*, avec Paul Soriano, Mille et une nuits, 2001

*L'Imparfait du présent*, Gallimard, 2002

*Au nom de l'Autre. Réflexions sur l'antisémitisme qui vient*, Gallimard, 2003

*Les Battements du monde*, avec Peter Sloterdijk, Pauvert, 2003

*Nous autres, modernes*, Ellipses, 2005

*Le Livre et les livres. Entretiens sur la laïcité*, avec Benny Lévy, Verdier, 2006

*Ce que peut la littérature* (dir.), Stock/Panama, 2006

*La Discorde. Israël-Palestine, les Juifs, la France*, avec Rony Brauman, Mille et Une nuits, 2006

# DANS LA MÊME COLLECTION

*Marcel Gauchet*, La Condition historique, *2003.*

*Yves Michaud*, L'Art à l'état gazeux, *2003.*

*Paul Ricœur*, Parcours de la reconnaissance, *2004.*

*Jean Lacouture*, La Rumeur d'Aquitaine, *2004.*

*Nicolas Offenstadt*, Le Chemin des Dames, *2004.*

*Olivier Roy*, La Laïcité face à l'islam, *2005.*

*Alain Renaut et Alain Touraine*, Un débat sur la laïcité, *2005.*

*Marcela Iacub*, Bêtes et Victimes et autres chroniques de Libération, *2005.*

*Didier Epelbaum*, Pas un mot, pas une ligne? 1944-1994: des camps de la mort au génocide rwandais, *2005.*

*Henri Atlan et Roger-Pol Droit*, Chemins qui mènent ailleurs, dialogues philosophiques, *2005.*

*René Rémond*, Quand l'État se mêle de l'Histoire, *2006.*

*David E. Murphy*, Ce que savait Staline, *traduit de l'anglais (États-Unis) par Jean-François Sené, 2006.*

*Alain Finkielkraut (sous la direction de)*, Ce que peut la littérature, *2006.*

*Ludivine Thiaw-Po-Une (sous la direction de)*, Questions d'éthique contemporaine, *2006.*

*François Heisbourg*, L'Épaisseur du monde, *2007.*

*Cet ouvrage a été composé par*
*IGS-CP à L'Isle-d'Espagnac (Charente)*

*Impression réalisée sur CAMERON par*
*BRODARD ET TAUPIN*
*La Flèche*

*pour le compte des Éditions Stock*
*31, rue de Fleurus, 75006 Paris*
*en février 2007*

*Imprimé en France*
Dépôt légal : février 2007
N° d'édition : 82936 – N° d'impression : 39789
54-07-5965/6